泰山复仇
Tarzan the Untamed

〔美〕埃德加·伯勒斯／著

毕可生　孙亚英／译

中国青年出版社

（京）新登字 083 号

图书在版编目（CIP）数据

泰山复仇/（美）伯勒斯（Burroughs，E.R.）著；毕可生，孙亚英译.
—北京：中国青年出版社，2013.7
（人猿泰山系列）
书名原文：Tarzan the Untamed
ISBN 978-7-5153-1817-2

Ⅰ.①泰…　Ⅱ.①伯…②毕…③孙…　Ⅲ.①儿童文学—长篇小说—美
国—现代　Ⅳ.①I712.84
中国版本图书馆 CIP 数据核字（2013）第 172491 号

责任编辑：杜惠玲　谢肇文
封面设计：瞿中华

出版发行：中国青年出版社
社　　　址：北京东四十二条 21 号
邮　　　编：100708
网　　　址：www.cyp.com.cn
编 辑 电话：010-57350504
门 市 电话：010-57350370
印　　　刷：三河市君旺印务有限公司
经　　　销：新华书店

开　　　本：620×920　1/16
印　　　张：18.25
插　　　页：1
字　　　数：190 千字
版　　　次：2015 年 5 月北京第 1 版
印　　　次：2015 年 5 月河北第 1 次印刷
定　　　价：24.00 元

本图书如有印装质量问题，请凭购书发票与质检部联系调换
联系电话：010-57350337

猿语(泰山的母语)——中文
对照表

动　物

巴拉——鹿

勃勒冈尼——大猩猩

布吐——犀牛

旦格——鬣狗

杜罗——河马

戈格——水牛

豪尔塔——野猪

吉姆拉——鳄鱼

库图——老鹰

努玛——雄狮

派可——斑马

盘巴——老鼠

沙保——母狮

吞特——大象

希斯塔——蛇

希塔——花斑豹

(　　　　　)——(　　　　　)

(　　　　　)——(　　　　　)

自　然

戈罗——月亮

库都——太阳

(　　　　　)——(　　　　　)

(　　　　　)——(　　　　　)

人

戈曼更——黑人

塔曼戈——白人

(　　　　　)——(　　　　　)

(　　　　　)——(　　　　　)

你还能找出多少来呢？

目 录

一
庄园遭屠掠

公元 1914 年,发生了一件载入史册的大事——第一次世界大战爆发了。德国不仅攻占了比利时,而且还派出小股部队进军非洲,与英国、法国争夺殖民地。

德军上尉豪蒲曼·弗立茨·施奈德就在执行这样的任务。他带领着一队人马,走在非洲丛林里的路上。他走得疲惫不堪,丛林中的闷热让他挥汗如雨,衣服都湿透了。在他旁边是他的副领队,还有一位中尉,名叫冯·高斯。施奈德身后有一群体力消耗殆尽的摩洛哥本地人,他们是被抓来挑运行李、军火等随军用品的脚夫。他们现在的处境几乎等于亡国奴,所以连那些黑人士兵也感到自己比摩洛哥人高出一等,以致他们敢学着白人长官的样子,时不时地用刺刀尖或来复枪的枪托,来驱赶他们赶路。

这一带地方本来是雇不到正式的脚夫的,如果雇用,不但要花钱,还得像对待黑人士兵一样,不能对他们随便侮辱。现在豪蒲曼·施奈德索性就地取材,抓了些摩洛哥人来充任脚夫,不仅省了钱,还可以恣意虐待。稍不如意,他就把普鲁士人的暴脾气尽情发泄到这些摩洛哥人身上。尽管施奈德周围有不少他们自己荷枪实弹的士兵,可是,仅仅三个德国军官,在这非洲中部地区的荒漠毕竟还是形单影只，他们如此不加节制的肆虐得冒点风险。俗话说，兔子逼急了，还会咬人呢！

施奈德和副领队，以及另一位中尉，走在士兵们中间，这样排阵大大减少了丛林中种种危险对他们的威胁。在队伍的最前面，两个半裸的土著野蛮人踉踉跄跄地走着，脖子上都锁着铁链，身上还烫出了烙印。他们是被军国主义的德意志人强征来服务的，是这支队伍的向导。

其实，无论入侵者如何蛮横、如何残暴，有压迫就会有反抗，现在这两个惨遭酷刑的向导就在暗中消极反抗着。林中有很多歧路，走到一个岔路口时，他们对视了一下，马上对对方的意图心领神会，他们有意把这队人马往错路上引。在这一带，遭到这种待遇的向导常用此办法对付敌人。

走了相当长一段路之后，施奈德不免疑惑起来：怎么这路越走越不对劲呢？一直是茫茫无边的蛮荒之地，看不到平原，也看不到水，更不用说有村落了。他怀疑两个向导暗算他，他当然有权力杀了这两个人，可是队伍没有向导总是不行的，另外再找也不那么容易。况且，另外找的向导不一定就比这两个好。向导又都一口咬定走的是捷径，保证可以到达目的地。施奈德知道这两个向导逃不了，于是没再说什么，仍旧让他俩带着走。丛林中处处有野兽的足迹，有时甚至能遇到犀牛和大象。到了夜间就更可怕了，密林中伸手不见五指，经常能听到狮子和猎豹的咆哮声，有时狼和鬣狗从树丛中窜过，发出一阵沙沙声……各种各样恐怖的声音和影像吓得这支队伍心胆俱裂。

施奈德的队伍在疲惫和恐怖中走了几天，忽然前边出现了一片平原,连那两个向导都出乎意料。他们原本是不准备带领这支队伍走到有人的地方的,现在无意间已经到了这里,再转向是不可能的了。这几天来,施奈德的失望一点点向绝望发展,他的耐心渐渐失去,已经几次在考虑杀死这两个向导了。就在这时,忽然看见了平原,再往前看,远处居然还有草地和河流,他的心情陡然间好起来,简直像是绝处逢生。

施奈德转头看了看他的副领队,脸上浮出这么多天来从未有过的笑容。他又举起望远镜向前方探视着。他一边看,一边告诉副领队,在前面河流的旁边,绿树浓荫之下,竟有一个土地肥沃的庄园呢。他把望远镜递给副领队:"你看看!咱们真算幸运。你看到了吗?"

副领队举起望远镜,向施奈德指给他的方向眺望着:"是的,看样子这是一个英国人的庄园,恐怕就是我听说过的约翰·克莱顿·格雷斯托克爵士的庄园。他非常出名,人们都叫他什么'人猿泰山',在英属东非洲有他的庄园。看来咱们找到好地方了。大尉先生!真是上帝与我们同在啊!"

施奈德这时完全忘了刚才的恐惧和绝望,得意洋洋地说:"咱们的队伍非常神速,我想这时那位倒霉的爵士大概还不会知道英国已经参战了吧?咱们不妨先下手为强,让他领教一下大德意志帝国军队的厉害手段!"

副领队也附和着说:"对!我希望这个英国小子在家,咱们进去就逮住他,把他押到内罗毕的克劳特将军那儿去。当我们向克劳特将军报到时,施奈德大尉如果能带上著名的人猿泰山当战俘,嘿!那是多么风光啊!说不定还有重赏呢!"

施奈德这时越发踌躇满志了，满面笑容："你说得有道理，我的老朋友！这风光可不能算是我一个人的，应该是咱们大家的。当我押着俘虏去的时候，克劳特将军也许已经前往蒙巴萨了。如果能在半路追上将军，那当然再好不过。不过我们得赶好长一段路才能赶上克劳特将军呢。那些英国猪和他们的军队还要花更多的时间才能渡过印度洋赶到这里来。我想，咱们已经赢得了充足的时间。"

于是施奈德就指挥着一小队士兵向格雷斯托克的庄园走去。泰山和儿子杰克并没在家里，只有琴恩一人独自留在庄园。她在这个偏僻的地方不大听得到外面的消息，丝毫也不知道英国和德国已经宣战。她看见有人数不太多的军队往庄园这边来，以为是来做客或休息一下的，赶忙出来迎接，同时命令瓦齐里人准备饭食。泰山的庄园一向是好客的，任何客人来了都是如此。

泰山因为有事要办，到非洲东部去了。他在内罗毕已经听到了世界大战爆发的消息，知道德军一定会入侵英属东非洲。他惦记着琴恩，心急如焚，急忙昼夜兼程地往回赶，要把琴恩接到安全的地方去。他身边带着二十多个黑武士，他嫌他们走得慢，跟不上自己，于是把黑武士甩在后面，一个人以最快的速度往前赶。走了一段路之后，为了不受束缚，他爽快地把文明社会的那套衣服也脱去了，反正丛林里没有谁会看见他，他完全不必顾忌。这时这位英国爵士几乎又恢复到了人猿时代的样子。

此时的泰山一心一意地想着琴恩，想着爱妻正处在危险万分的境地里，他在树上"飞奔"起来。随着装束的改变，他的心理状态也在改变，他感到自己又变回了一个野蛮的人猿，他要赶去援救的似乎也不是什么爵士夫人，而是自己寻觅多年的一头心爱的母猿。她的命和自己的命是紧紧连在一起的，只要自己活着，就不能让别的生物加害于她。如今她在危险中，自己必须拼着性命去救她。泰山怀着这样的念头，脸上的表情不自觉地变得凶狠威猛起来，甚至有几分狰狞可怕。小猴蹲在树枝上，羡慕地欣赏着泰山的飞腾跳跃，有些大点的猴子知道这就是从前称雄于丛林的那只大白猿。

林中有一只大狮子，昨晚捕捉到一头猎物，吃了一半，肚子已经饱了，便懒洋洋地在吃剩的食物旁睡着了。泰山的飞奔惊扰了它的酣梦，它眼睛里两束黄绿色的凶光向泰山射去，认得这是它的仇敌，很想和泰山再斗一斗，可是泰山根本没有理会它。狮子目送着泰山，摇了摇尾巴，低吼了一声，又懒懒地躺下了。

泰山在树上闪电般地飞跃着，对周围的野兽并没加以理会，不论是狮子、猿猴或其他兽类，他都觉得似曾相识，但现在没工夫理它们。他只感到自己仍像当年一样，一心一意想去做件什么事，就照直朝目的地飞奔而去，丝毫不受周围环境的影响。虽然他在文明社会里也生活了很多年，但他在兽群中长大，自小养成的一些习性并没有失去。他嗅觉依然灵敏，从老远就闻出了狮子的气味，却只是暗暗防范着，没时间也没必要去激怒它，目前可不是和狮子开玩笑的时候，虽然过去他常常这样做。其实，林中的一切声音他都听到了，例如小猴叽叽喳喳的私语声，其他野兽从丰茂的草丛里经过时发出的轻微的沙沙声，这些大大小小的声音都没逃过他的耳朵。

尽管泰山有着超常的体能，前路漫漫，他恨不能以思维的迅度飞奔。但是，饥思食，渴思饮，累了必须休息，这些必不可免的事自然要耽搁他的时间。经过十几天的奔波，他总算赶到了庄园附近的丛林。他急忙奔到庄园前的平原上眺望，不禁惊呆了!他在心里暗暗喊着:"我来晚了!我来晚了!"

从平原到庄园还有相当一段距离，泰山虽然不能看得十分清楚，但只从轮廓望过去，已经足以断定庄园里发生过一场屠杀了。庄内的仓库化为一片瓦砾，屋顶上的烟囱也不冒烟了。泰山急急忙忙地向庄园奔去，他已经能想象出一些可怕的景象。当他急步奔近时，见原先垂着藤萝的庄园被烧成了一片焦土，里面一个人影都没有，地上横七竖八躺着不少死尸，园里的树木花草被拔的拔，砍的砍，几乎没一处完好，家畜已被抢掠一空。一些食肉的鹰隼和鬣狗正在撕扯着死者身上的肉。泰山面对这副景象，又急又气又恨，心里像被火烧灼着一样，他紧紧咬着牙。

泰山忍着悲愤，走进庄园，更为残酷的景象映入眼帘:在起居室的屋门上，竟钉着华辛布的尸身!华辛布的父亲就是十分忠于泰山和琴恩的仆从伟万里，一年多以来，华辛布一直是琴恩的贴身保镖。

泰山又继续往里走，进到屋里一看，原来摆得整整齐齐的家具都乱七八糟地倒在地上，家具上和地上血迹斑斑，有些地方还清清楚楚地留着血手印。很明显，这屋里曾发生过一场你死我活的血战。琴恩常用的钢琴倒还好好地在那里，钢琴旁边却躺着几个留守黑武士的尸体。泰山急忙抬眼看琴恩的卧室，卧室外面又是几个黑武士的尸体。卧室门是关着的，看不到里面，泰山睁着惊恐的眼睛站在那里，不敢再往前去，他实在没有勇气去推开卧室的门,那该是琴恩待的地方,他无法想象屋里是一幅什么样的惨象。

他站了好一阵,想了想,横祸已经发生,躲是躲不过去的,无论如何也要硬着头皮去看看,于是他拖着沉重的脚步走到卧室门口。这时他几乎能听到自己心跳的声音,他用发颤的手握住房门上的把手。泰山又犹豫了一阵,才鼓足勇气,扭动把手,推开屋门,跨进他最心爱的人的卧室中去。他第一眼看到的就是床上横着的一具烧焦了的尸体,不由得惊呼一声:"琴恩!"

在极度悲痛和绝望中,他倒没有眼泪了,只是觉得心里非常非常乱。他愣愣地看了一会儿,走近床边,低下头去仔细辨认那具尸体,希望这不是琴恩,可是理智又告诉他这种可能性不大。那尸体已经烧得像焦炭一样了,面目根本辨认不出来。泰山把尸体抱起来,反反复复地看着,尸体的长短很像琴恩的,泰山心里像刀割一样难受。

他放下尸体,定了定神,才四下打量屋子:地上有一支德国的来复枪,还有一顶染满了鲜血的德国军帽。这些迹象可以证明,在他的庄园里大发兽性的一定是德国人无疑了。泰山始终抱着一种侥幸心理,希望床上的尸体不是他最亲爱的妻子琴恩,他再次把尸体从头到脚看了一遍,忽然发现尸体手指上戴着一枚金戒指。啊!这正是琴恩的戒指啊!泰山心里像挨了重重一铁锤,他完全绝望了。

泰山万分难过,悲悼了一阵,把琴恩的尸体抱到她生前亲手栽下的非常喜爱的玫瑰花丛旁边,挖了一个坑,埋了下去。同时他把那些已死的忠心的黑武士们也埋在琴恩的坟旁。做完这些事以后，泰山已经累了，就坐下来休息。他朝四周看看，才发现除了他刚建的一些坟之外，在屋子的旁边竟还有许多新坟，这是谁建的呢？又埋的是什么人？他走过去把坟挖开来，原来里面埋的都是德国军人，有的军服还完整，能看出肩章和符号。至此，泰山已经能断定到庄园来烧杀劫掠的是德国军队。他决心找到仇人报仇，可是，谁又知道这些德国军人到哪里去了呢？

玫瑰花已经被德国兵蹂躏得落花满地、不成样子了。泰山又回到玫瑰花丛前，站在琴恩的坟边，悲痛地做了祷告。天色渐渐暗下来，泰山拖着沉重的脚步，循着德军的脚印，向前追踪而去。他脸上虽然没有眼泪，却把沉重的悲伤和仇恨都埋在心里了。他像一头受了重伤的野兽那样决意寻衅复仇。只听他不停地轻声在说："我的琴恩死了！死了！死了！"

泰山心里盛满了痛苦，也盛满了仇恨。路上仇人们杂沓的脚印还很清楚，他一边提防着丛林中的危险，一边循着脚印走去。没想到自己离开家不长时间，妻子没了，家园没了。他的心里有怒火燃烧着，仇恨似乎在胸臆间膨胀起来。泰山觉得不但残害琴恩的凶手该杀，所有的德国人都该杀！他抬头望着蓝天和月亮，默默地立下誓言，一定要找到破坏他幸福家庭的人，以牙还牙。此仇不报，誓不为泰山。

泰山静下心来想了想，报仇是一件大事，前面必定还有很多困难要自己去解决，此去任务可能非常沉重，报仇大业该如何一步步进行，需要小心慎重地对待。

泰山本来就不太喜欢文明社会，觉得生活在文明社会里一切都太受拘束，他还是更喜欢自幼生长的那个兽群环境，无拘无束,自由自在。近几年来,虽然身不由己地受了些文明社会的熏陶和教育,勉强周旋了一些年,但这只是因为他深深爱着琴恩。他必须和琴恩生活在一起,琴恩习惯了的,他也必须逐渐熟悉、习惯起来。现在琴恩已经死了,他无须再勉强自己去适应那个社会了。他觉得人们崇尚的文明社会并没有什么好,那么多烦人的礼节、仪式剥夺了他的天性和自由。在那儿生活,一言一行,一举一动,甚至连自己的爱憎,都要受它的制约。譬如穿衣服,到什么场合必须穿适合于什么场合的衣服,一定要按规矩来,错了会被人耻笑。那衣服都紧紧地包裹在身上,极不舒服,以致他每看到衣服,就不由得联想到捆绑人的绳子。记得从前在巴黎或伦敦的时候,他也曾常常出入于上流社会,经常看到一些人穿着华丽而时髦的礼服,脸上总带着一种矜持自得的神色,而在泰山看来,身上绑了这么多不舒服的东西真让人替他们难受啊。泰山还常常觉得,穿衣服对这些文明人来说,除了御寒之外,还有另一个作用,就是显示身份和夸耀豪富,这是泰山最讨厌的。他有一个非常固执的想法,就是认为天生的人体是最美丽的,是老天赋予的,没什么羞于见人,何必要用各种各样的衣服遮盖起来呢?尤其不可容忍的是,人类自己穿衣服就罢了,还要多事地推己及兽。泰山过去在欧洲的时候,有时也去看马戏,看到马戏班里那些动物模仿着人的样子,穿上各种奇形怪状的衣服,衣服上还装有发光的或带响的饰物,取悦于人。他觉得那些动物真可怜,慑于皮鞭的威胁,尽管不舒服,也只好套上些劳什子。泰山有这种想法并不奇怪,因为曾经有二十年的时间,他生活在丛林的兽群中,童年到成年这一段时间给他留下的记忆最深刻,那时他生活的群体里每一个成员都赤身裸体，大家对于天然的美有共同的标准。泰山平时最羡慕的，就是一身结实的肌肉和健美有力的体格，凡是这样的，不论是人是兽，他都认为好看。他也曾经琢磨过，但怎么也想不通，何以人类非穿了各种衣服才觉得体面？

　　由于对人类和兽类都很熟悉，泰山把二者做过比较，他觉得人类比兽类多的是贪婪、自私、残暴，远不如兽类在丛林中来得光明坦荡。当然，这么多年了，在人类中他也有了爱妻、儿子和少数知己，这些人自然不能一概否定，但他们毕竟是少数，绝大多数的人是不可深交的。人类的心灵，比兽类要复杂得多，所谓"知人知面不知心"，说的就是这个道理。现在琴恩已经死了，琴恩生活惯了的那个文明社会对他来说再没有什么可留恋的，他可以回到广大的自然中去，重新过无牵无挂、自由自在的生活。这样一想，他心里的悲痛倒稍减了几分。

　　上路之前，泰山检点了一下必须要带的东西。他父亲曾遗留给他一把猎刀，此时他把它绑在了左边腰间，又从武士们留下来的武器中找了长弓和毒箭背在背上，还寻到一条结实的绳索，这是他在丛林中走路必不可少的东西，也是他自小练熟的得心应手的武器，现在他把绳索缠成一个圈，也背上肩上。泰山挑选了一支较重的长矛握在手里。有了这些武器，在丛林中遇到什么他都可以应付了。他在庄园的废墟上找了半天，也没拿到一枝能用的枪，只好作罢。本来，死去的父母还遗留给他一件很重要的东西，那就是一根金项链，项链上连着一个镶嵌着宝石的精致玲珑的小金盒，盒子可以打开，里面放着他父母的照片。这根项链以前一直戴在他脖子上，后来在结婚前他送给琴恩了，自此琴恩也时刻不离地戴在身上。这次他仔细审视卧室床上的那具尸体,看见颈项上没有项链。泰山认定是凶手杀人后,把项链掠去了,这一次去找到仇人,除了报仇之外,还必须找回那件宝贵的纪念品。

泰山就这样全副武装地上路了,一点也没歇息,一直走到半夜,他确实疲倦了。他想,报仇也不急于旦夕之间,恐怕要做长时间的心理准备。好在自己现在已经无拘无束,没有什么事再能使自己耽搁,况且,按照大猿的习惯,从来也不计算时间,只求达到目的,就心满意足了。开始,泰山刚从庄园出来的时候,觉得怒气难平、报仇心切,那时根本感觉不到疲倦,可是现在,在庄园挖坑埋人费了些体力,又走了这么长时间的路,自然觉得筋疲力尽,需要休息了。于是他选了一株能够安身的大树,纵身跳上去。他仔细看了看这树,原来他以前出来打猎时曾经在这里睡过觉。

这时夜空中阴云密布,一点月光或星光都没有,整个丛林里一片漆黑,也听不到任何声音,若是别人单独处在这样的环境里,一定会胆战心惊,泰山自幼训练有素,一点也不害怕。他知道暴风雨就要来了,所以小心地防范着野兽的袭击。

泰山爬到树上之后,虽然什么也看不见,却闻到了一股异味。泰山立刻站起身,跳到一根横枝上,接着又向另一根树枝跳过去,最后到了更高处。为什么忽然有这一连串的动作呢?因为泰山的嗅觉很灵敏,他已经闻出树上有一只猎豹,正占据着他平日睡觉的地方。泰山现在跳到比猎豹高出很多的树枝上,不会马上有什么危险,但是猎豹也发现了他,在下面低低地咆哮着。泰山大吼一声,这是在警告猎豹赶快退下去。但是猎豹似乎也不甘示弱,自己先找到的栖身之处,凭什么被后来者占据呢? 它凶猛地抬起头来，两眼闪亮，怒视着泰山。泰山一看，不动用武力驱赶恐怕是不行了，就跳到下面一根树枝上，紧临着猎豹伏着的那根树枝。这时他的手里已经握好了那柄猎刀。这猎刀多年来杀过不知多少野兽，但那都是为了猎取食物，或者为了保护自己、杀死仇敌，除此之外，他从不轻易用刀杀生。按照丛林里的原则，要决斗都要凭爪牙、凭力气才算公平，才算光明磊落。泰山现在也只是想把豹赶走，并没有想杀死它，所以只往前靠了靠，吼了一声。

　　猎豹坐起来，露出牙齿，瞪着泰山，两者的距离不过几英尺。泰山又发出咆哮，用刀柄在豹的脸上打了一下，用猿语向它断喝道："我是人猿泰山，这里是泰山住的地方，走开！你要不走，我就杀死你！"豹并没听懂他的话，但它知道这头不长毛的人猿要抢夺它睡觉的地盘，豹为了回击脸上挨的一刀柄，也伸出前爪向泰山抓去，但泰山以极快的动作避开了。泰山举起长矛，向猎豹刺去，人和豹在树上各不相让地打起来了。一个人的体重再加上一头豹的重量，树枝虽粗，也有点承受不起，各自占据的两根树枝都在渐渐向下沉。加上暴雨来临前的狂风已经刮起来了，林中的大树都被风撼得东摇西晃，树枝也随着树身不停地颠簸。豹有些站不稳了，灵活的泰山却乘着风势一跃，跳到豹的背上，用猎刀猛刺着豹的胸口，那豹被刺中，疼痛使得它更加凶猛起来，拼命想把泰山掀下地去。那树枝终于承受不住人和豹的重量，喀嚓一声断裂了，两个都直跌下去。

　　泰山两腿紧紧夹住豹的身体，手里的猎刀仍不停地刺向豹的心脏。那豹又急又痛地咆哮着，竖直身体，但马上又扑倒了，这样起伏了几次，它终于支撑不住，倒下去死了。这时已是风狂雨

猎豹瞪着泰山，两者距离不过几英尺。

暴,整个丛林几乎被风雨和雷声震得打颤,大树不停地摇晃,浓密的枝叶一会儿甩向这个方向,一会儿又甩向那个方向,丛林仿佛都要翻个儿了。泰山仍无所畏惧,威风不减,一只脚踏在死豹的身上,昂首向天,发出一声胜利的长啸,啸声和风声雨声混在一起,不知道哪种声音更惊天动地。

把豹杀死,泰山可以安睡了,便从树下采了一大把蕨类植物的叶子和棕榈叶子,先铺上一些,躺下去,然后选一些又厚又大的叶子遮在身上。这样安置好之后,泰山在狂风暴雨中居然酣然入睡了。

二
复仇狮子洞

　　大雨竟下了整整一夜，下得最大的时候声音震耳欲聋，像大瀑布向下倾泻一样，把德军留在地上的脚印都冲刷掉了。第二天早晨，泰山想要上路的时候，身上非常寒冷，又因为失去了可循的脚印，心里非常着急，在丛林里东冲西撞，找了一阵，什么有用的痕迹也没找到，他暴躁得几乎想大发脾气。躲在丛林里的那些小野兽见泰山的样子这样凶狠，都吓得躲得远远的，一个也不敢出来。

　　又一天早晨，好容易天放晴了，太阳也露出笑脸，泰山暖和多了。他估计德国军队是向南方走的，路上虽然没有脚印，他仍旧往南追去。因为一夜睡得好，泰山歇过来了，所以走得很快，没用多少时间，接近中午就到了德属东非洲。泰山怕遇到什么意外，就绕了个大圈子，走到南面的山脚下，准备顺着铁路，到坦噶去找。在这一点上，泰山却用了人类社会的知识，凭生活经验他懂得，德国小股部队要想归入他们的大本营，一定会乘火车，而不会步行。到了坦噶，或许能打听到消息。

　　忽然，泰山从乞力马扎罗山的南麓听到东面远远传来一阵重炮声。这天下午，天又阴了，空中黑云滚滚，当他爬过一条狭窄的山峡之后,铜钱大的雨点已经把他身上打湿了。泰山把头发上的雨水甩了一甩,心里非常不高兴,因为前一天下雨时他被淋成落汤鸡,也耽误了行程,现在又下大雨,看样子还走不了,只好找个地方避过这阵雨再说。他走出山峡,远方的重炮声更密,他推测是德军在进攻英属东非洲,炮响的地方双方正在交手。这时,一股爱国的感情不由得在他心里升腾起来,泰山恨不得马上赶去帮助英军击退德军。但转念一想,他又轻轻摇了摇头,嘴里喃喃自语:"不!人猿泰山不是英国人,是白猿,我何苦去管人类的闲事!"

他的脑筋迅速地转着。炮响处的战场上,是英德两军交战,他暗忖:明天,我可以顺着炮声去找德国军队了。

泰山沿着山峡想找一个避雨的地方。在山峡北边的峭壁下,他发现了一个矮矮的洞穴,凭他多年的野外生活经验,他猜想洞里多半有野兽居住,于是他一边拔出猎刀警惕着,一边向洞穴走去。走近洞口,见那里有许多石块,他心里暗自高兴。他想,洞里如果没有野兽住着的话,倒是一个很好的栖身之所。又有这么多现成的石头,用它来把洞口堵住,野兽就进不来了,既隐蔽又安全,外边刮风下雨都不怕。他仔细看了看,还有一股清泉从洞里缓缓流出,既有这泉水,喝水的问题也解决了。

这个地方虽然十分称心如意,可泰山到底还是不放心,他走近洞穴,跪在地上闻了闻,最后发出一声低低的咆哮,轻轻地说:"有狮子!"

他已判断出这是一个狮子洞,但仍不愿放弃它。现在狮子在不在洞里?他很想去探查个明白。洞口矮得很,只能爬着进去,泰山先向四周望了望，把视觉嗅觉听觉完全用上，谨慎地爬进洞去。

泰山进洞之后，开始觉得眼前很黑，过了一会儿，居然发现有一线亮光从外面照进来，才知道另一端还有个洞口可以通向外面。洞里并不十分黑暗，泰山留神搜寻着，狮子不在洞里。他小心翼翼地向洞的另一端走去，出了洞口一看，外面却是一片空旷的场地，四周都是高山峭壁，峰顶高耸入云，却没有向外的通道。原来这峭壁中间自然形成了一个深谷，有几百英尺长，五十多英尺宽，从这形势看，一定是很多年以前被洪水冲刷出来的小片低洼地带。这个山洞当年很可能是水的出口处，现在只有一条小小的溪流在缓缓地淌着。乞力马扎罗山顶的积雪很厚，一部分融成水，从山顶上流泻下来，积成一个水潭，就是这条溪流的源头。这片空场里面常年受着溪水的浸润，绿草繁茂，中间居然还长着一棵大树。在草地上，到处可见人类和兽类的枯骨被乱七八糟地丢弃在那里。泰山蹙紧眉毛说："看来这头吃人的狮子已经在这儿住了很久了。今晚，泰山要在它的洞里借宿一夜，别管这头狮子有多凶，今天遇上泰山，对不住，只好请它在外面委屈一下了。"

泰山打量了四周，觉得在这种地方，有这么个洞穴住，该算是很舒适了，于是转身回到洞口，想用石头把它堵死，免得说不定什么时候那头狮子会闯进来。哪知才到洞边，只听得一声洪亮的咆哮声，泰山赶忙停步留心看着。只见一个极大的狮子脑袋从洞中伸出来，原来狮子已经从洞的另一端进洞了。它发现洞里有人的气味，以为有美味送上门来了，在洞里没有找到，所以一直找到这边的出口。见有一个人站在洞外，狮子瞪着一双黄绿色的眼睛,披着发亮的深棕色的鬃毛,对泰山怒吼着,掀开上唇,露出一口可怕的大牙。看来,这头雄狮还真威风凛凛呢!它在这儿称霸恐怕时间不短了,似乎很少遇到对手,看它现在的样子,毫无畏惧,好像胜券在握。

泰山一见,也着实吃了一惊,因为如此硕大的狮子毕竟少见。眼看自己绝妙的栖身之所要被这个巨大的敌手抢回去,泰山也勃然大怒起来,厉声喝道:"你这胆大的畜生!我是人猿泰山,丛林之王!今晚我要在这儿过夜,你给我滚出去!"

但狮子并没害怕,不但没走,反而愤怒地狂叫了一声,向泰山逼近。泰山弯腰捡起一块石头,对准狮子的脸,用力砸过去。有些狮子遇到劲敌是会转身逃走的,泰山以前屡次用这种方法把狮子吓跑。但这次却失灵了,石块打中了狮子的鼻尖,这个部位是它最怕打的地方,这只狮子不但没被吓住,反而更加暴怒。它竖起尾巴,怒吼着,直向泰山扑过来。幸亏泰山这时站得离大树不远,看狮子扑过来,他马上跳上树去,让狮子扑了个空。泰山学着童年时的样子,三跳两跳,跳到树的最高处,估计狮子够不到他了,就站在树上大声辱骂狮子,并不断折下树枝来,向狮子投掷,气得那狮子在树下乱跳乱吼。它几次用前爪扒在树上,想撼动大树,叫泰山摔下来,无奈树太大了,它又推不动,只能在树下转来转去,不时抬头看看泰山。

这时候,雨越下越大,像上一次的倾盆大雨一样,泰山全身都湿透了。他非常生气,如果没有这头狮子捣乱,他完全可以进洞避雨的。可是他也知道,这头狮子不比寻常,特别凶猛,要想征服它,非有一场殊死战斗不可。泰山冷静地估量,仅仅为了一夜的安睡去冒生命的危险,实在是不值得。这样一想,他不再去激怒狮子,希望这畜生受不住雨淋,自动退回洞里去,狮子走开,自己就可以下树了。谁知狮子也有一副执拗性格,宁愿被暴雨淋着,就是不走,还在树下瞪着泰山。

泰山不能不考虑下一步该怎么办。他知道即使能从树上下来,若想再穿过狮子洞,回到原路上去,也不可能。那么,只剩下一条路了:从峭壁上走也许还有希望。泰山从小生长在野外,攀山越岭本来是不当回事的。他遥望峭壁,已经找到几处可以蹬脚的地方了,只是那狮子老在树下不肯走开,他没有机会从树上下来,树离山岩还有相当的距离,又不能直接跳过去。雨还在不停地下,泰山又湿又冷,真是难受极了。

正当泰山无计可施的时候,不知什么原因,那狮子好像忽然想起了什么,转过身去,头也不回地钻进洞穴里。泰山看这是个好机会,马上爬下树来,飞跑几步,攀上了峭壁。哪知狮子也是在用计,目的在诱骗泰山下树。它见泰山果然中计,又蹿出洞来,猛地向泰山扑去。幸亏泰山行动迅速,已经从壁上找到一个好踏脚的地方,爬上去一段距离了。天下着雨,湿了的绝壁上也有很滑的地方,有几处还长着青苔,他得步步小心才行,不能一味贪快,若慌不择路,一下失了脚,掉下去只有喂狮子。泰山像猫一样,拼命抓住峭壁,稳稳地爬上去。这时他仔细注意脚下,发现绝壁上也有些野山羊之类的小动物经常走的小径,他就小心地利用着这些可以下脚的地方,努力往上攀。一直爬了几十步远,才找到一处地方停下,他站稳身子,向下望去。那狮子却也不死心,竟打算爬上峭壁来追,可它没有泰山的本领。这头狮子比一般狮子要大得多，身体笨重，爬不了几步，就打着滚儿掉下去了。就这样掉了又爬，爬了又掉，最后狮子大概也摔疼了，不再追赶，只好看着到嘴的美食从山崖上离他而去。泰山看着狮子那一连串动作，觉得非常好笑，于是安下心来，稳住脚步爬到了山顶，捡起一块石头砸了狮子一下，才走开了。

　　泰山走到山的另一面的时候，又能清晰地听到远处隆隆的炮声。这时他心里忽然生出了新想法。他想，这时狮子一定在洞里，我不如从山的一个侧面绕回去，回到我最初看见的那个矮洞口，从外面用石头把它堵死，这样，狮子即使能从另一端的洞口出去，外面却是一个没有出路的空场。它既不会爬树，又不能攀峭壁，那么，活动范围就只有洞里和空场了。这头凶恶而肥壮的家伙过去一定吃过不少人，这次我要让它尝尝挨饿的滋味了。泰山打定了主意，就从山的一侧找了一条比较好走的小路，又回到狮子洞口，用旁边的大石头去堵，因为这个洞口较小，等到狮子听到声音赶过来时，已经快要堵满了。狮子往外一看，竟是泰山，刚从自己嘴边跑了的美食居然回来了，它不觉雷霆大怒，用前爪去抓推泰山堵在洞口的石头。泰山堵的时候，就有意把大小石块的棱角镶嵌起来，以期牢固一些，现在狮子从里面推是怎么也推不动的。狮子越是暴怒，吼声就越大，一般人肯定吓得不得了，泰山却一点也不害怕。他从小睡在猿妈妈卡拉怀里多少个日日夜夜，这种声音都听惯了，就像城市里的人听汽车喇叭声一样。他长大之后，甚至能从狮子的吼声中分辨出它吼叫的原因，是饿了，是怒了，或者是失恋了。这时的泰山知道狮子憋在洞里，无法反攻自己，就继续从容地堆砌石块，一直到把洞口封得结结实实之后，才透过石头的缝隙，笑着向狮子说："再见吧，伙计!这下你恐怕再也吃不到人了!"

这天晚上，泰山也实在乏了，便找了个有遮蔽处的山岩，美美睡了一夜。第二天早晨才觉得肚子饿了，泰山随意打了些小野兽来充饥，吃饱之后，马上上路。野兽们都有一个习惯，吃饱了总是要睡一觉的，泰山虽然自幼生活在兽群里，却没有这个习惯。

泰山一直在注意着远方的炮声，他已摸出一个规律，在天将亮或薄暮的时候，战争最为激烈，夜间是听不到炮声的。第二天下午，他离作战的地方更近了，看到有一群军人，似乎是出来抢掠食物的，队伍中不少人牵着山羊和黄牛，那些担任运输任务的土著人肩上还扛着袋子，里面可能是粮食，土著人的脖子上都锁着铁链。绝大多数士兵也是土著黑人，只有军官是白人。泰山在树上悄悄地看着，观察了大约有两个小时，队伍里却没有一个人发现他。泰山留心他们的肩章和符号——和庄园里挖出来的士兵们衣服上的不一样，他由此断定烧庄园的不是这群人。他无须攻击这些人，所以仍把自己隐藏在浓密的树叶里。泰山虽然曾咬牙切齿地要杀尽德国人，可是他冷静下来想了想，觉得在没找到杀害琴恩的凶手之前，还是养精蓄锐为好，没必要去冒寡不敌众的危险。

更临近前线的时候，泰山能看见的军队就更多了。这里有属于一个辎重团的汽车队和牛车队，都忙于搬运军火到前线去，也有往回走的另一支队伍，由步行和乘车回后方的伤兵组成。泰山过了铁路，看清楚那些伤兵是由火车送到坦噶一带沿海的后方医院去的。黄昏时，泰山来到隐藏在巴里山脚下的一座营帐。他从背后轻轻走过去查看了一下，发现这里并没有卫兵，便匍匐前进，伏在营帐外面，偷听里面的兵士们在说些什么。

几个士兵正在那里谈笑，可巧谈的正是泰山庄园上的事。这当然是泰山最关心的，于是他仔细听着。其中有一个士兵说："那些瓦齐里族人真善于打仗，简直不要命，我真没见过这样像魔鬼的人。幸而我们的武器比他们的好，最后才打败了他们，真解气呀，一个没留，都被咱们杀了。上尉看咱们占了上风，才进来杀了那个女人。说起来上尉真胆小怕事，咱们在里面拼命厮杀的时候，他躲在外面，根本不敢进来，只管站在那儿嗾人。说起来，还是高斯中尉比他勇敢，他进来了，站在门边，传达上尉的命令，指挥我们作战。把那个受伤的瓦齐里人钉在门上，也是高斯中尉让咱们干的。那个瓦齐里家伙被钉上去的时候疼得挣扎的样子逗得咱们好些人都哈哈大笑。现在，他那副样子仿佛还在我眼前呢！"

泰山听到这里，恨得咬紧了牙，暗想，怎么收拾这帮残忍的家伙呢？冲进帐篷去当然是不明智的，只能等机会。可惜看不见说话的人是谁。这时，一个可怕的微笑浮上泰山唇边，他仍旧一声不响地伏在那里，注意着帐篷内外的动静。过了一会儿，还是刚才说话的那个声音："再见！"

他走出帐幕来，要回自己的帐幕去。这黑人士兵经过的地方离泰山大约十英尺，泰山认为机会来了，暗地里追过去。走到一个僻静的地方，泰山冷不防地背后袭击，一把把那人按倒在地。那人还没来得及喊一声，脖子就被泰山掐住了。泰山把他掐昏之后，敏捷地扛上他，向丛林中飞奔而去。

在半路上，泰山察觉出那人醒过来了，在挣扎，他用土著人的话大喝一声："不许出声！出声就杀死你！"

那个士兵完全清醒过来了，他惊惶地打量着扛着自己的这个人。在黑暗中，只见他是一个半裸的棕色大汉，一脸凶相，他勾住自己脖子的手非常结实有力，自己在他肩上想动都动不了。士兵估计他不是寻常人物，只好任他摆布。

突然泰山问他："你们在庄园的平房里和瓦齐里人交手的时候，杀那个女人的上尉叫什么名字？"

那黑人战战兢兢地回答："他叫施奈德。"

"施奈德现在在哪里？"

"他已经回到前线来了，大概现在在司令部里呢。因为这里许多军官每天晚上都要到司令部里报告战况，听候指示。"

泰山把那人摔到地上说："领我到司令部去！要是你敢暗算我，我要你的狗命！站起来！"

那黑人赶快爬起来，服服帖帖地领着泰山往司令部走。走到一个拐角处，他实在不敢再往前了，就指着一座两层的楼房说："那里就是司令部，你自己去吧！我不敢再往前走，那儿有流动哨兵，我们当兵的，没有命令不准走近司令部，违者枪毙。"

泰山把那黑人上下打量了一阵，眼光又停在他脸上，盯了一阵，他突然厉声问道："是你帮着把那受伤的瓦齐里人钉在门上的吗？"

那黑人听罢，如遭雷殛，立刻全身战抖起来，忙不迭地跪下去，半天他才哆哆嗦嗦地说："不是我们自己的主意，是长官命令我们做的。"

泰山又厉声问:"哪一个长官?说出名字来!"

"是高斯中尉。现在他恐怕也在司令部里呢。"

泰山露出一脸狰狞的笑容说:"好!现在我就去找他们。不过,我还有一笔账要先跟你算清,你帮着钉那瓦齐里人,他在痛苦里挣扎,你却笑得很开心,你刚才在帐篷里是不是这么说的?"

那黑人吓得瘫倒在地上,动都动不了,他明白,这等于给他下了死亡判决书,他决不会有活命的希望。果然,泰山俯下身去掐死了他,丢到丛林里去了。然后泰山大步流星地直向克劳特将军的司令部走去。

在路上遇见了一个流动哨,泰山绕到背后,没容哨兵出声就结果了他。尔后他谨慎而迅速地走到司令部大楼后面,只见楼下的两间房里亮着灯,楼上却是漆黑一片。泰山从窗子往里看,见一间大房间里有许多军官,有的来回走着,在谈论着什么,有的伏在桌子上写字。窗子正好开着,泰山能听到他们说话的声音。他们所谈的泰山都不关心,不外是德军在非洲如何大获全胜。有人在猜测德军什么时候能攻占巴黎,更有人被胜利冲昏头脑,说也许皇帝陛下已经进驻巴黎了。谈起比利时人时,这些军官都又痛恨又轻蔑。

大房间的后面,另有一套小房间,一个脸色红润的大汉坐在一张大桌子后面办公。其他几个军官也各自坐在自己的桌子后面。泰山估计那红脸大汉是克劳特将军,有两个军官站在桌前回答着将军的问话。将军说着话,还无意识地摆弄着桌子上的煤油灯。正在这时,有个副官敲门进来,立正敬礼之后说:"报告将军!佛劳伦·奇翠儿小姐到了。"

将军马上命令："请她进来。"同时向他桌前的两个军官点了点头，他们退了出去。叫奇翠儿的姑娘走进来，她经过屋里的时候，将军的部下们都站起来向她敬礼，姑娘也向他们微笑着打招呼。她容貌秀丽，穿着一身平常的骑马装，脸上却是风尘仆仆。她年纪不大，看上去只有十八九岁。

　　奇翠儿姑娘一直走到将军的办公桌前，将军站起来迎接她，她行了军礼后，就从衣袋里掏出一叠折得很平的纸递给将军。将军请奇翠儿坐下，马上有一个军官送过来一把椅子。这时屋里非常安静，将军把纸摊在桌上，聚精会神地读着。

　　泰山仔细察看屋里的军官，其中有两个穿着上尉军服，究竟哪一个是施奈德呢？他无从分辨。再看这个叫奇翠儿的女子，泰山猜她是情报部门的。她外貌虽然清秀，可凭她干的这份工作，就该判死刑。她既是德国人，当然就是泰山的仇人，不过，泰山现在有更重要的仇要报，可以先不管这小丫头的闲事，泰山一心要找的是施奈德。

　　将军看完了奇翠儿带来的材料，对她说："很好。"接着又转脸对副官说，"传少校施奈德进来。"

　　少校施奈德？泰山听了这句话，气得头发都要竖起来了，这个施奈德不就是杀害琴恩的凶手吗？难道他因为烧了我的庄园，杀了我庄园的人，立了功，反倒从上尉升为少校了吗？

　　在等着施奈德的时候，克劳特将军就和奇翠儿闲聊着有关战争的事。泰山此时还在注意听着，从他们的对话中也得知了一些情况，例如德属东非洲的兵力远比英属东非洲的雄厚得多，战斗开始后英国已蒙受了较重的损失。泰山站在树丛后面，他能清楚地看到里面的一切,可是里面的人却看不见他。幸亏那个流动哨已经被他消灭了,司令部里的人还没有发现哨兵的尸身,不然声张起来,泰山想办事可就难了。

泰山急于见到施奈德,所以非常着急。一会儿,就见一个穿着少校军服的军官进了屋子,走到将军的桌前,敬礼后立正站好。将军点点头,转身给奇翠儿介绍道:"奇翠儿小姐!这位就是少校施奈德……"

泰山没容他把话说完,便按捺不住,飞奔到窗口,轻轻一跳就进了屋。军官们见冷不防跳进一个半裸大汉来,都吓了一跳。泰山几步抢到桌前,顺手抓起桌上的煤油灯,朝克劳特将军的脸上扔过去,将军急忙向后一仰,连人带椅子倒在地上。两个副官看了,想要去制伏泰山,他们哪里有泰山那么快的身手呢?早被泰山飞起一拳一脚,打倒在地。别看奇翠儿刚才非常神气,现在却吓得贴着墙站着,一动也不敢动。全屋一阵大乱,军官们高声招呼部下快进来捉拿擅闯司令部的暴徒。泰山的目的只在施奈德一个人,所以他的眼光始终没离开过施奈德。他趁骚乱中没有一个人敢到他跟前来,一把抓起施奈德,扛在肩上,从窗口跳了出去。

泰山扛着施奈德走到刚才杀死流动哨的地方,把他放到草堆后面。施奈德的胆量本来就不大,经这一场惊吓,又受了泰山那条铁臂的挤压,早已晕过去了,过了几分钟才缓过气来,瞪大了惊慌的眼睛看着泰山,不明白站在自己面前的究竟是什么人。泰山低声断喝道:"不许出声!敢出声我就杀死你!"

泰山见施奈德已吓得魂不附体,就重新扛起他,绕道走出岗哨警戒线，然后把他放下来，押着他一直朝西走。走到半夜，越过铁路之后，他才放慢了脚步。施奈德始终不明白是怎么回事，他一点也不懂，为什么眼前这个野人非要跟自己过不去。仔细看看，确实没见过这个人，什么地方得罪了他呢？渐渐地，施奈德也有点气不打一处来了，于是一路上低声咒骂着，想要向泰山问个究竟，泰山每次给他的回答都是用长矛向他身上不致命的地方戳去。因为泰山一想起琴恩，还有那个被钉在门上的瓦齐里武士，以及庄园内所有冤死的人，心中就涌起天大的仇恨。泰山平时可不愿意一点点地让对手受些小罪，这次却不同了，他一反常态，怎么严酷就怎么对待施奈德。琴恩被烧死在床上的惨状不时地在泰山脑子里浮现，仇人现在落在自己手里，绝不能轻饶。

泰山一路上一直没有说话，仇恨在心里如同熊熊烈火。施奈德这一路上也真是受了活罪，他总想知道个缘由，从何处入手才能活命。可是对泰山哀求也罢，诘问也罢，回答都是一样的：矛尖狠狠地一戳！施奈德被戳得遍体鳞伤，到处流血，到最后疼得几乎连路都走不动了，不止一次跌倒在地，每次又被泰山的矛尖挑起来。黎明时，泰山终于想到了一个绝妙的好主意，他的脸上露出了笑容。为了实现他的绝妙计划，现在需要找个地方，好好休息一下，吃点东西，好让施奈德在赴死之前，能有足够的精力和清醒的头脑去承受痛苦。泰山看到前面有一条小溪，认得是曾经经过的地方。他知道埋伏在野兽常来饮水的地方是最容易获得猎物的。泰山命令施奈德不许乱喊，否则没有好果子吃。一路上，施奈德已经领教够了泰山的狠辣，只要不用矛尖戳自己，他当然俯首听命。泰山观察了一阵，看见前面的小径上，有许多鹿喝完了水，要回林子里去，他就把施奈德推到树丛后面，自己跳上树去。施奈德见逮住自己的这个人居然有这种像猿又像人的动作，非常惊讶，更不明白对方究竟是什么人了。

施奈德不住地观察着。泰山不穿衣服，半裸着身体，他是不是个白种蛮人？黑人倒是多见，而白种蛮人却从未见过。这一路上，只在他把自己扛到草堆后面时听他讲过一句话，讲的还是德文，听那谈吐是上等人的口吻。但看这个人现在的举动，简直又像兽类。施奈德并不知道他肚子饿了，只见他蹲在树上，东寻西看，不知要做什么。过了一会儿，有一群鹿走过来了，在一头老鹿的后面，跟着一头小而壮的鹿。只见泰山看准了小鹿的背，直跳下来，正好跳在上面。施奈德完全没料到他会有这个动作，这一惊又是非同小可，他差一点叫出声来。只见泰山的手迅速地一抬一落，那鹿已经被他杀死了。泰山选好部位，割下几块肉来，准备自己吃，其余的就都甩给施奈德。施奈德以为他一定要点火，谁知他就那样一刀刀割下来，血淋淋地生吃了。施奈德简直吓得目瞪口呆，后来泰山用手示意，让他也吃，施奈德捡了些树枝来，用火烤熟了吃下去。

吃饱后，两个人一直在河边休息到下午，又继续往前走。施奈德糊里糊涂，既不知道泰山要带他到哪里去，也不知道带他去干什么。最后他实在忍不住了，就跪倒在泰山跟前，苦苦哀求，求他说个明白，为什么要捉自己，自己如果什么地方冒犯过他，这一路上被刺得浑身是伤，他气也出够了，求他饶过自己。泰山听着，一脸怒容，还是不出声，仍用老办法提起长矛，一顿乱戳，施奈德便再也不敢言语。

第三天中午,泰山带着施奈德到了一座山的山顶。施奈德往下一看,只见山岩像刀削的一样,下面是一个深谷。有一条小小的溪流,中间有一棵大树,谷中地上却长着绿茵茵的青草。泰山向下一指,意思是命令施奈德下去,施奈德吓得胆战心惊,哪里敢向下走,他明知道如果掉下去就只有摔死的份儿了。泰山一把抓起他,恶狠狠地喊道:"滚下去!"

　　这是三天来施奈德听到泰山说的第二句话。施奈德看泰山的态度,知道没有商量的余地,只好听从他的命令,战战兢兢准备往下爬。哪知他刚要抬腿,泰山却又叫住了他,对他说:

　　"我要你死也死个明白,听我告诉你,我是英国格雷斯托克爵士,你带人到我的庄园,烧杀抢掠,无恶不作,还杀死了我的妻子。现在你该明白我捉你的原因了吧!"最后他提高嗓音猛吼一声,"快滚下去!"

　　施奈德这一下涕泪横流了,忙跪下来哀求:"请饶了我吧!我没有杀死你的夫人,也完全不知道这件事。我只是奉将军的命令,带兵打仗……"

　　泰山没等他啰唆完,就举起长矛怒吼道:"滚下去!"他知道像施奈德这种作恶而又怕死的人,绝不会痛快地承认自己的罪行。施奈德面对死亡,怕得要命,可又受不住长矛的戳刺,只好哆哆嗦嗦地往下爬。为了让他走得快些,有些难走的地方是泰山像提小鸡一样提着他过去的。

　　快到地面时,泰山指着那个洞穴对他说:"剩下的路你自己下去吧!快些!那个洞里住着一只饿极了的狮子,如果你会爬树,最好趁狮子没冲出来之前,爬上那唯一的一棵树,那样,你虽然提心吊胆，可是凑凑和和还能多活几天。到你饿得在树上支持不住，掉下去时，那可就是你该得报应的时候了，狮子会先把你撕碎，然后吃掉你！听明白了吗？这就是你杀人作恶的下场！"说完，他把施奈德往谷底一推，说，"快点跑！爬树！"

施奈德被推到谷底，顾不得浑身伤痛，拼命向那棵救命的树跑去，此时狮子听到外面有声音，已经急不可耐地从洞中蹿出来了。施奈德听见身后狮子狂吼一声，知道是向他追来了，他虽然在拼命地跑，可是离那棵树还有好几米远呢。泰山在崖顶上看着，看狮子就要扑到施奈德了，他感到非常快意。

施奈德还算走运，不知道哪来的一股劲，居然爬上了树，泰山站在山顶上，快乐地看着这场战斗。两者都是为了生存，都在豁出命来，人的惊叫声和狮子的怒吼声混成了一片。人的喊声是面临死亡时悲惨绝望的喊叫，而狮子则发出一种非把猎物弄到口的充满威胁的怒吼。泰山看见施奈德浑身颤抖地蹲在树上，他已经没有力气再挪动一步了，而狮子也吸取了上次的经验，绝不再让这个人从绝壁上溜掉，它等在树下不走，不断地咆哮着。

人猿泰山仰起头来，向着长空和太阳，发出了一声惊天动地的胜利的长啸。

三
在德军前线

　　泰山把施奈德扔在狮子洞口之后，知道他早晚会成为狮子的口中美食，琴恩的仇总算报了。可是全庄园的人被杀，庄园被焚，仍然使他余怒未消。这里还住着成千上万的德国人，纵然泰山有超乎常人的本领，能杀光这么多德国人吗？再说，就是杀死这成千上万的德国人，也再不能救活他的琴恩了！

　　前一次泰山偷偷闯入巴里山的德国军营时，从德军的谈话中听出德国和英国在东非洲，已经有过激战，英国的兵力远远不如德国，受了很大的损失。当时他因为心里搁着琴恩的事，认为自己没有必要再回到文明社会去了，所以也无心去管军队打仗的事。他把施奈德处置完之后，又越过乞力马扎罗山，一路打着猎，往北方走。走了很长一段距离，才发觉所经过的地方都在英德两国战线之内，大小野兽都已逃得干干净净了，他心里很不高兴。于是，泰山找了个地方坐下来休息。一闲下来，他不由得想起施奈德在树上躲避狮子的样子。泰山猜想，狮子等得不耐烦时，也许会回到洞里去，那么，施奈德也可能趁这个空隙，溜下树去喝水，这样，他自然可以延长几天寿命。可是他这样做也非常危险，狮子一听到洞外有声音，一定会马上追出来，同时，施奈德也会越来越疲惫，连饿带吓，加上满身是伤，他不可能很快地爬上树去，只要狮子比他快一步，他准保一命呜呼。这一幕自己虽然看不见，可谁都能想象出来。

泰山在那儿胡思乱想，一会儿想到报复施奈德真痛快，一会儿又想到英国的军队在东非洲受德军的攻击，没有反攻的力量。一想到这里，他还是忍不住发出一声低低的咆哮。他虽然想回到大猿群中去，但他还是不能不承认自己是个英国人。况且，他还承袭着英国的爵士头衔。既然是这样，他就不能忍心不管，自顾自打猎，而看着德军屠杀英国军人。

泰山坐在那儿思前想后，终于改变了主意。回不回文明社会以后再考虑，但目前不能看着英国军队挨打，自己虽然只身一人，但可以尽力帮助他们。于是他站起来，要奔向德国前线。怎么去帮英军呢？这时他心里还没有一个通盘的计划，打算到了那儿见机行事。他这次必须经过能望见狮子洞的那座山，不觉产生了好奇心，何不去看个究竟呢？他爬上山顶，从绝壁的另一面上山并不是很费劲。他走到绝壁处向下看去，只见树上已经空了，狮子也不在树下。他找了块石头，向空场丢下去，狮子听见声音，果然奔出洞来了。泰山细看那狮子，两星期之前，它膘肥体壮，毛色油亮，现在可不是原来的样子了，身子已饿得扁扁的，连走路都显得很吃力。看到泰山在崖上，它认得是堵洞的仇人，吼声也不再那么凶猛了。泰山向它招了招手说："对不起啦，老伙计！你这些天来，日子过得够艰苦的吧？"

接着，泰山又向狮子开玩笑地问道："我给你送来的那个德国人在哪儿？他从树上掉下来时还好吃吗？也许没什么好滋味了吧?我猜他大概瘦得皮包骨头了。"

狮子当然不懂他的话,只抬头向他咆哮着。

泰山说:"狮子!我知道你饿极了,吃完了这里的草,就慢慢地啃树皮吧!你还想吃另外的德国人吗?等有了我给你送来!"说完,他笑了笑,就走开了。

过了一会儿,泰山打到了一头鹿,他肚子也确实饿了,就蹲在那里大吃起来。正吃得高兴,忽然听得背后有声音,他知道一定是有什么野兽蹑足走来了。回头一看,果然是一只鬣狗,泰山捡起一根树枝扔过去,喝道:"滚开!畜生!"

那只鬣狗饿极了,不但不走开,反而围着泰山绕起圈子来,它想找个机会进攻,抢泰山的鹿肉吃。泰山也明白它的用意,装出不理它的样子,暗暗把长矛放在身边,仍旧吃他的鹿肉,眼睛却瞟着鬣狗,一刻也没放松。

鬣狗始终没找到进攻的机会。它听见泰山在发出一种吼声,这声音从人的嘴里发出来非常恐怖,它弄不清泰山是人还是兽。那鬣狗在土著人的村落里曾经进攻过女人和小孩,甚至有些男人,在晚上的火堆旁见它向他们跑过来,也会拔腿就逃。这个外形也像人一样的动物,为什么不但不怕自己,反而会发出像狮子那样的咆哮声来呢?这倒使鬣狗有些害怕了。

泰山本来想把吃剩的鹿肉给那鬣狗吃,但见它十分讨厌,一副没出息的样子,同时又想起被自己害得不浅的饿狮瘦得也怪可怜,于是扛起剩下的鹿肉,朝狮子洞走去。鬣狗指望吃点剩肉,见泰山把鹿肉扛起走了,一点也不给它留,便不死心地在后面追着,总和泰山保持相当的距离。后来鬣狗饿得受不住了,眼睛又看着泰山肩上的鹿肉，越发饿得厉害。最后，它真急了，就想从泰山后面扑上去。泰山虽然没有向后看，但他凭经验早在防着这一手，只见他闪电一样突然向后转身，右手里的长矛就飞了出去，一股巨大的力量灌注在矛尖。长矛非常准确地从鬣狗的肩头进去，直穿入它的肚子里。

鬣狗没吃成鹿肉，反而送了命，泰山从它身上拔回长矛，把它和鹿肉一块扛在肩上，继续向狮子洞走去。爬到悬崖边，看狮子还伏在树下，泰山呼唤着它，它勉强挣扎着，好容易才站起来，认出是仇人，吼了一声，那声音失去了往日的威猛，听起来很凄厉。泰山毕竟有些不忍，把两个猎物都扔给它，说："吃吧！狮子，说不定将来我还用得着你呢！"

狮子见有了可吃的东西，精神大振，立刻贪婪地吃起来。

第二天，泰山走到能够望见德军前线的地方了。从一个树荫浓密的土墩望下去，正是德国军队的左翼。再往前看，就是英国军队的战线了。泰山从所站的位置，正好可以把下面的战地形势看个一清二楚。泰山的视力又比平常人好，自然看得更明白些。他看出敌人阵地的机枪布置得非常隐密，如果从英国的阵地上看绝对侦察不出来。他还发现了隐藏在阵地中间的监听设备。

这时双方正在激战，枪炮声像炒豆一样响成一片，泰山正在仔细观察，忽然从脚下的土墩旁边发出一声枪响。如果换成别人，恐怕发觉不了这声音，但是泰山立即敏锐地注意到了。他马上留神起来，知道这里一定有隐蔽的机枪掩体。等到土墩下再发第二枪的时候，泰山已经看清了这伪装得很好的机枪掩体的地点，立即向那地方飞奔下去。虽然山路很难走，泰山却能做到不发出一点声音来。

为了不惊扰底下的德军,泰山轻轻地穿越树丛。到了一个较低的山坡上,向下望去,看到大约十五英尺以下有一个德国兵,他以乱石堆当掩体,在枝叶葱茏的树丛后面、英国军队的视野之外向英军射击。这家伙的枪法不错,每颗子弹都从德军弟兄们的头上擦过,但绝对伤害不到自家人。他用的是来复枪,这枪不但射程远,火力强,还装有非常精确的瞄准器,他身边带着一架望远镜。泰山看他的时候,他正举起望远镜向英方阵地窥探,不知他是在看上一枪打的效果还是在找下一枪的目标。泰山顺着他的视线,也向英国军队望去。他发现德军的地势非常有利,再加上有精良的来复枪,英国军队显然要吃亏。

泰山一直向下盯视着那个德国兵,只见他放下望远镜,又拿起了来复枪。泰山知道已经刻不容缓了,他猛地从上面跳下来,正砸在德国兵肩上。

这件事来得太突兀了,德国兵一点也没防备到,只觉得有个棕色的人体压在自己身上,而且这人立刻扼住了自己的咽喉,越扼越紧,后来他就什么事也不知道了。

泰山见他已死,就把他扔到一边去,自己则潜伏在他原来的位置上。向下一看,不远的地方就是德国的战壕,有许多军官和士兵在战壕里来来往往。战壕里面还放着一挺机枪,可以非常准确地射击英军,使其处于很狼狈的地位。泰山拾起来复枪,瞄准德国战壕里的那个机枪手。泰山用来复枪也打得很准,这是他过去同文明社会的朋友们一同来非洲打猎时练出来的。他平时不大用来复枪,不过为了多一种技能,有一段时间也认真练习过,因为他目力敏锐，手腕又有力，后来居然练得百发百中了。现在他对德军有着深仇大恨，来复枪当然没有机枪杀伤力那样强，但有一支来复枪，也足够他打死几个德军的。他不断瞄准着、射击着，几分钟之内就打倒了几个机枪手。这时，德国的军官们看见这一突发情况，都觉得十分诧异，便带着几个士兵来侦察。泰山对德军的这一行动也看得清清楚楚，他怕被他们发现，就不再向战壕那个方向射击，免得暴露目标。

泰山居高临下，见德军阵地已经有些骚乱了，因为设置机枪的位置属于军事秘密，除非有人泄露，否则不会受到敌方攻击。泰山趁他们人心浮动之际，又向右边较远的一个机枪手打去，果然又被他打中了。泰山非常沉着镇静，看着德军忙忙乱乱、东撞西撞，又接二连三地打倒了几个杀伤力强、占据重要位置的敌兵。这时候，德国军官都一致认为出了内奸，不然子弹怎么会打得这样准，在这么短的时间内让自己这方面损失惨重呢？他们爬上战壕□望着，有一个军官用望远镜向前方寻找，突然一颗子弹从他身后飞来，准确地穿过他的脑袋，落在地上。大家这时才知道枪是从他们后面打来的。

有一个士兵拾起子弹，仔细一看，竟是德国制造的。这就奇怪了，不是从敌方打来，一定是自己阵地内混进了奸细。不久，他们到底看出点眉目来了，于是把机枪改变了方向，泰山看见机枪都是对着自己的，还没等他们发射，就先把机枪手射死了。德军军官这时更看准了方位，马上指挥着士兵再调两挺机枪过来，目标都是泰山所在的这个地方。

泰山见这个形势，觉得不该久留此地。临走时，他趁敌人的机枪还没架设好，眼疾手快地又打死了一名机枪手，把来复枪扔在土墩的后面，悄悄上树走了。没过几分钟，他就听见机枪的火力向他刚才呆的地方集中过来，但是德军只有空费枪弹了。

泰山一边走，一边自言自语地说："你们杀了华辛布，我也叫你们付出沉重的代价！但是只杀死了一个施奈德，我觉得没报完琴恩的仇，即使把你们全体都杀了，我还嫌不够呢！"

泰山等到黑夜，越过了德军的前线，又越过英国军队的步哨警戒线，一直走到英国军队的前线。他这样来来去去，竟没有一个人发现，谁也不知道两军阵地上竟有这样一个人。

英军由罗得西亚人组成的第二旅团司令部离前线很远，德军方面无论如何也不会侦察到。这时，司令部里灯烛辉煌，柯倍尔上校坐在一张办公桌后面，桌上摊开着一张地图，他一边在地图上指指划划，一边和身边的几个军官谈话。有一株大树枝叶覆盖在屋顶上。屋里桌上摆着一盏灯，地上还烧着一堆火。那时非洲的德军还没有侦察机，所以英军司令部非常放心，不怕被敌军发现亮光。

这些军官们都有着一致的看法，认为敌军兵力太雄厚，几乎数倍于英军，所以英国方面只能取守势，不宜进攻。有好几次他们想突围，都被德国军队用重兵给压了回来。上校也谈到德军阵地上的机枪位置是非常保密的。一个青年军官说："我倒发觉了一个情况，今天下午，不知道为什么，他们有好长时间没打机枪。我侦察了好久，也没能查出到底是什么原因。而且在同一时间，德军右翼似乎显得非常乱，好像有什么人攻击了他们。那时候我曾很快地向上校报告过，我想，上校一定还记得吧？更为奇怪的是,在那一段时间里,他们的枪口的确是向着他们自己后方射击的,当时我还看见尘土飞扬呢。可是我不明白他们那里到底发生了什么事。"

正在这时候,他们屋顶上的树叶摇晃起来,从树上跳下一个半裸的棕色大汉,他竟不请自来地走进司令部里。军官们吃了一惊,都握着手枪,站了起来。他们一看进来的人似乎是个白种蛮族,这人又好像没什么敌意,大家都觉得十分惊奇,不由得一起向上校望去。

上校向来人问道:"先生!你是什么人?怎么敢独自一人闯到这里来?"

泰山用英语回答说:"我是人猿泰山。"

有一位少校欢呼了一声,马上走向前去,把手伸向泰山说:"啊!原来是格雷斯托克爵士!"

泰山也认识这位少校,立即和他握着手说:"你好!普雷斯威克先生!"

那少校笑着说:"刚才乍一见你,我真的认不出来了,记得我们上次见面是在伦敦,那时你穿着晚礼服,风度翩翩,和现在的装束差别太大了。我想,先生自己也会承认这一点,刚才我没认出你来,你不会见怪吧?"

泰山笑着,转身向上校说:"我方才在房顶的树上,听到了各位的谈话,我正是从德军阵地上来的,可以帮助你们。"

上校望了望普雷斯威克少校,目光里似乎在说,需要他出来介绍一下,这屋里别人都不认识泰山,泰山自己说能帮助英军,这话有多大的可信度呢?普雷斯威克少校也马上明白了上校的意思，连忙把泰山介绍给各位军官。泰山向大家简略地说了此次出来的原因，这也就说明了他为什么要帮助英军打击德军。

上校问泰山："这么说，阁下是来正式参加我们的部队了？"

泰山摇摇头说："我不打算正式参军，我愿意做个自由战士。但我一定能帮助各位打击德军，因为我可以自由出入德军阵线而不被他们察觉。"

柯倍尔上校听了泰山的最后这句话，觉得有点离奇，他笑着摇摇头说："你说出入德军阵线而不被察觉？这恐怕不像你想象的那么容易吧？上一个礼拜，就因为潜入德军内部刺探情报，我损失了两个非常好的军官。你一个人能行吗？我那两个军官可都是非常出色的战斗员，在搞情报这项工作中，都是富有经验的老手。先生！我不是不相信你，我也是出于好意，为你的安全着想。因为阁下毕竟没有受过正式的军事训练，不是吗？"

泰山说："难道德国军队的前线，比英国军队的前线还要难以进入吗？"

上校刚要回答，忽然想起了什么，带着非常惊奇的神情问泰山："对了，我还忘了问你，是谁带你到这里来的？你没有碰到流动哨吗？他们是怎么放过你的？"

泰山带着神秘的笑容说："我就是刚从德国前线来，也经过了英军的步哨警戒线，应该说，双方的军队都戒备森严，可是，我就这样无遮无拦地走过来了。如果上校先生不信，请你去问问你的各营士兵，看看有哪个人看见我了？"

上校这下可真是十分不解了，问道："究竟是谁跟你一起来的？不然，除非你是飞过来的，科学叫我无法相信人会变成一只鸟儿。"

泰山见上校怎么都不肯相信地追问,有点不高兴了,就不客气地脱口而出:"实话跟各位说,我确实是一个人来的。你们自幼生长在文明社会,如果走进丛林,恕我说句不客气的话,你们根本没法生存。小猴子都比你们灵敏得多,生存本领也比你们强得多!你们为什么能生存到现在?还不是人数众多,有武器,才保障了你们生存的安全和优越。其实,如果我手底下有几百头大猿,如果它们也像你们一样有知识,我敢说,能把德国人赶到海里去!可惜大猿们太愚笨,不然非洲休想有人类生存的地方。你们到底想不想知道德军安置机枪的地方?今天白天,我可把这些看了个清清楚楚。"

上校一听他这番话,已经顾不得刚才他对人类文明社会的不恭,赶紧高高兴兴地向泰山请教。泰山指着地图上的三个地方说:"这三个地方是德军的薄弱环节,守在那儿的全是当地的土著兵,只有管理机枪的几个人是正式的德军。假如……等一等,我有个想法,你们看行不行,上校可以派兵去攻占德军的战壕,利用他们自己的机枪扫射他们的右翼。"

柯倍尔上校笑着说:"这不是太容易了吗?"

泰山说:"是的,确实很容易,甚至可以不费我军的一颗子弹就把德军赶走。我从小生长在丛林里,林中动物和当地土著人的性格特点,我都非常熟悉。你等着吧,咱们明天晚上再见。"说完,他就转身出去了。

上校拦住泰山说:"请等一等,我派一个军官送你出警戒线。"

泰山笑着摇了摇头，径自走了。刚走出司令部不远，迎面来了一个身材矮小的人，披着一件军官们穿的厚呢子外套，缩着脖子，军帽戴得很低，几乎覆盖到眼睛上了。那人和泰山擦肩而过，泰山在暗淡的光线中看了对方一眼，只觉得有点面熟，好像在哪里见过，一时又想不起来。他平安地过了步哨警戒线，果然没有一个人发现他。到了夜里，泰山疾步越过乞力马扎罗山。他走的不是来时的路，因为他知道，他要找的东西一定在峻峭山岭上茂密的丛林里。这时距离天亮大约还有三个小时，泰山凭嗅觉判断他快到目的地了，于是选一棵大树跳了上去，准备先美美地睡一觉。

四
喂过狮子之后

　　第二天天都大亮了泰山才从睡梦中醒来。他伸展了一下四肢，又用手指梳理好头发，从树上跳下来，顺着昨夜闻到的气味向前找去。到了一个山谷，他又爬到一棵树上去，从树上向下□望，见下面果然有许多野猪，原来这正是他要找的。泰山拔出一支箭来，搭在弓上，同时把第二支箭咬在齿间。第一支箭射中了一头野猪，接着第二支箭又嗖的一声出去了，另外一头野猪也中箭倒地。这时，猪群立刻骚乱起来，只见它们呆站了一小会儿，忽然，不约而同地都向山谷里乱窜。泰山趁它们瞎跑之际，又一连射倒了四头，他觉得已经够用，就听凭其余的野猪逃散了。

　　这时泰山从树上跳下来，见有几头带箭的猪并未死去，索性把它们杀死，然后剥皮。泰山干起这些活来非常娴熟，他不像文明社会里的屠户那样一边剥猪皮一边哼小曲。原来在丛林中长大的动物，一到成年之后，便不再对游戏感兴趣了。当年和泰山一起长大的小猿们，当它们长成大猿之后，就是这样，不再打打闹闹，也不再玩耍了。尤其是雄猿，年龄越大，态度越严肃，性情也越暴烈，动不动就会动武。每逢食物难找、生活恐慌的季节，大猿们常常为了争夺一点食物，不顾一切地和同伴厮打起来。对丛林中长大的动物,维持生命是它们的第一目标,其间没有什么道义可言。泰山也沿袭了这一点,对于狩猎、处理猎物都有一种非常严肃的态度。

泰山仔细地剥着六头野猪的皮,小心地不让它们被割破,力求做到薄厚均匀,因为这几张猪皮他要派大用场呢。他自忖这次计划实在可笑,便强忍住要浮出来的笑容。但这时他并没有放松警惕,一边工作着,仍时时在凭嗅觉和听觉戒备着可能出现的野物。没多大工夫,他果然闻到了一股母狮的味道,它闻到了野猪肉的香味,慢慢向这边走来。

泰山明明知道狮子在向他靠近,却装出若无其事的样子,不慌不忙地剥着猪皮,这时,他已经剥到最后一头了。他把剥好的五张猪皮拉过来放在身边,以防被狮子叼去,自己仍坐在大树底下,熟练且轻快地剥着,始终没有回头。最后的一张猪皮很快就剥完了,泰山听到母狮也已经到了他背后的树丛里,他很快站起来,狮子还没来得及冲上来,泰山就以极快的速度抓起六张猪皮和一具尸体爬到了树上,并且找了一个适当的地方坐好,用刀割着野猪肉吃,母狮在树下对他咆哮着。

母狮吼了一阵,看树上的人对自己并没有威胁,便大胆地走到树下,贪婪地大嚼起泰山扔在那里的野猪肉来。泰山在树上看着它吃,脸上不觉露出一层嘲笑。泰山曾和一位著名的猎手辩论过,对方说狮子是兽王,不是自己猎捕的生物,狮子是绝对不吃的。可惜现在这位辩论对手不在这里,否则让他看看事实吧:狮子虽号称兽中之王,但真饿得受不住的时候,它还是会放下架子来,连死动物的肉也会吃的。

泰山安安稳稳在树上吃饱了，就开始收拾那几张野猪皮，他选的这几头猪都相当大，皮也很结实。他先选出两张来，选一些部位割成半英寸宽的皮条，然后在两张整齐的猪皮边缘，每隔两三寸钻一个眼，再按洞眼用皮条连缀起来，最后缝成一个大口袋，这个大皮囊的袋口处还可以收紧。对另外四张猪皮，他也按照同样的方法，做了四只较小的皮口袋。做完这些之后，泰山背起五只皮口袋向树下看了看，狮子虽然吃饱了，但还没有走，正卧在那里歇着。泰山就摘了一个大浆果向狮子扔去，见狮子走开，便把吃剩的野猪肉挂在一个树杈上，自己从树上跳下，向西南方向去了。泰山走得很快，没用多少时间就到了他原先堵过的狮子洞。他爬到悬崖上，向下望去，狮子并没有在谷底。泰山闻着、听着，总不见有什么动静，他估计狮子一定在洞里。他倒希望狮子正在睡觉，如果这样，他的行动将更方便些，所以他注意着不弄出声音来。

泰山十分小心地从峭壁上往下爬，既要保证安全，又要悄没声息，这当然是非常艰难的。越接近谷底，危险性就越大。他觉得，下到谷底之后，离树有一半路的时候，是最安全的，因为即使狮子这时候出来，两条路都可以让他逃生：或是跑回悬崖上去，或是爬到树上去。如果是上悬崖，他必须迅速地爬上三十英尺才能躲过狮子的追扑，他有过经验，以前好几次都差一点被狮子的利爪抓住。

泰山下到谷底，狮子仍无动静，他就悄悄地像个幽灵一样向大树走去。这时，他又是眼、耳、鼻并用，保持着高度警惕。他很快跳上树去，找一个牢靠的树杈坐稳。那大树的树皮已经被狮子啃过了，有的地方甚至伤到了树干。听了听，狮子始终没有动静。这时，泰山产生了许多猜测：难道狮子因为饿极了，竟推开洞口的石块跑出去了吗？要不就是饿死了？转来一想，又觉得可能性不大。狮子是个大动物，何况这头雄狮原是十分健壮的，即使没有猎物吃，谷底的溪水还可以帮它熬一段时间，更何况自己在几天之前，还送过一只鬣狗和大半只鹿给它吃呢！它不会那么快就饿死的。

泰山大起胆子往树下走，想去看看那洞口，即使狮子出来了，他也来得及返身上树。这时，他听到洞里有动物的走动声，急忙回到树上去，发出了一声低吼，洞里马上传来了疲惫无力的回应声。接着，一头睁大了眼睛，明显憔悴了的狮子走了出来。它走路的样子有点摇摇晃晃，完全不像第一次见面时那样威猛难当，但是两只眼睛里依然放着凶光。狮子看到坐在树上的泰山，瞪着泰山那滚圆而光滑的身体，知道面前摆着一道美餐，只可惜自己气力不够用，不能马上抓到他。尽管全身没劲儿，它还是一次又一次向树上扑去，每次都失败地跌下来，摔倒在地。屡次失败更增加了狮子的暴怒，它的吼声震动着周围的山，泰山安坐在树上，像看耍把戏一样，还不停地挑逗着、戏弄着它，惹得饥肠辘辘的狮子在树下暴跳如雷。

泰山看狮子已经把力气用得差不多了，就在树上站起身来，将随身带的盘好的绳子抖开，把一端挽成一个套，右手拿着，两脚分开，各踏在一枝粗树枝上，保持住稳定的位置，背紧贴在树干上，挑逗着树下的狮子。等狮子再一味地跳起来扑他时，他猛地丢下绳套，一下子就套住了狮子的脖子。他迅速地收紧绳套，同时还注意着力度，既不能让狮子挣脱出去，又不能把狮子勒死。他站在上面的这棵树年月很久了，枝叶繁茂，树盖很大，泰山在树上牵着绳子，慢慢引着狮子远离树干，并选好一根粗壮结实的树枝。等狮子再一次跳起来时，泰山趁势把绳子拴牢在这根树枝上，让狮子直立起来，后爪着地，前爪悬空，这样，狮子不但不能再扑树干，连动也动不了了。

泰山看自己的目的已经达到了，就跳下树来，以极迅速的动作，把那个最大的猪皮口袋套在狮子头上，又将皮带收紧，捆在狮子的脖子上。然后用另外四个小皮口袋如法炮制地套住了狮子的四爪。他还用猎刀把头上的口袋钻了几个洞，让狮子既能看到外面，也能呼吸到新鲜空气。同时他又把狮子颈项上的活扣松了松。

狮子被泰山这样捉弄，更加怒气冲冲。它使出全身本领拼命挣扎着，可是挣扎了半天，一点用没有，它也筋疲力尽了，只好老实下来。狮子被套住头和脚，觉得很不舒服，就用前爪去抓头上的东西，但因爪上也套着皮口袋，怎么抓都抓不掉，气得它乱蹦乱跳。它知道是泰山让它这样受罪的，就跳过来想抓泰山，却被绳套牵住，根本扑不到泰山跟前。泰山看狮子不服，就走过来，用长矛柄在狮子头上猛打了一下，狮子又扑上来要报复泰山，泰山一闪身躲过，照狮子头上就是一拳，狮子本来被吊起来直立着，挨了这一拳，身子就有点摇摇晃晃了。它不死心，还想扑向泰山，泰山又给了它迎头痛击。狮子这样挨了不少打以后，渐渐明白遇见了强硬的对手，虽然不甘心，也只好屈服了。当泰山再往狮子跟前走的时候，尽管它仍旧咆哮发威，身子却直往后退。

泰山看到狮子的动作，知道它开始害怕，便跑进洞去，把自

己原先塞住洞口的石块撬开,使洞照旧畅通起来。打开洞口后,他又回到树下,把拴在树上的绳子解开,打算把狮子赶进去,狮子却不明白泰山的意图,经过半个多钟头的驱赶和敲打,狮子才进了洞,泰山也跟在它后面进去了。这时候狮子还是不肯往前走,泰山就用矛尖在狮子屁股上戳一下,它被戳痛了,洞里又没有地方躲,只好乖乖地往前走。哪知走到洞口,出乎意料,那一直被堵死的洞口现在居然开了,它一下子明白自己又能到外面捕猎食物了!狮子高兴得要命,不待泰山再催促,昂起头,翘起尾巴,飞奔出洞口。

泰山在后面牵着狮子颈上的绳子,他正想匍匐着从洞里出去,冷不防狮子一跑,他倒身不由己地被拖出了一百多米,脸上和身上好几个地方被石块擦破了。出了洞之后,泰山拉着绳子站起身来,不由得想给狮子点惩罚,转念一想,自己还要用它干正经事,还是不要把它弄伤的好。

泰山牵着狮子走进了丛林,人和狮子走走停停,狮子被打扮得怪模怪样,这真是从来没有过的事。它始终觉得不舒服,不肯好好地走,有时索性赖着不走了,不知被泰山敲打了多少次,才终于明白反抗是没有好处的,只好服服帖帖地听从泰山指挥。这样走到黑夜,狮子又渴又饿,实在走不动了,泰山虽然知道该给它点东西吃它才会有劲,可是到底不敢放心大胆地摘掉它头上的皮口袋,只好把口袋上嘴边的洞割大一点,让它能够喝点水。至于食物,暂时不给它,因为泰山想到不久之后要它去做的工作,还是让它饿着肚子效果更好。

第二天早晨,泰山仍旧牵着狮子,从乞力马扎罗山南麓往东面走去。丛林里的其他动物见一个人牵着这样一头怪兽,都吓得逃得远远的。野兽们能闻得出狮子的气味,这本来就足以让它们害怕,何况这头狮子打扮得如此古怪,还有一只巨大的白猿牵着它,自然使野兽们惊恐万状。这时,有一头母狮从这里走过,它从气味闻出这头雄狮是它的丈夫,但看看样子又不像,丈夫怎么变成这副样子,让它认不出了呢?而且为什么在丈夫的气味中还夹杂着白猿和野猪的气味?它走近来看看,仍觉得辨认不清。凶多吉少,还是走远些为妙吧。泰山为了避开更多的危险,就想催狮子快走,同时把长矛拿在手里准备对付不时出现的敌人。谁知跟在母狮后面的竟还有四头雄狮,虽然没有自己牵着的这一头大,可是它们如果发起联合进攻也不好对付。泰山明白,此时如果自己采取什么举措,一定会惹来五头狮子的围攻,所以他不想主动进攻,只是拿好了长矛,仔细观察着狮子们会怎么样。

泰山手里牵着的这头狮子发现有一群同伴在咆哮,它静静地听了一会儿,突然听出有它带着悲音的母狮的声音。它大吼着要向前扑去,自己的怪模样反而把那群狮子吓跑了。狮子还要去追,硬被泰山死死拉住了。它又暴怒起来,转过身就扑向泰山,泰山只好又把它打了一顿,它没有马上认输,耍了一阵性子,才又接着赶路,在路上还不顺服,过了大约一个小时,它的怒气才完全平复下来。这时狮子已经饿极了,很想去捕猎一点什么野物吃,可是被泰山管辖着,它又不敢反抗,只好饿着肚子,跟着泰山走。

泰山带着这头狮子绕过了德国的前线,又到达英国的步哨警戒线,这时天已经黑了。在警戒线外,泰山把狮子拴在一棵大树上。他自己跳上树去,从树上自由自在地穿越过营垒,直奔柯倍尔上校的司令部。这时,军官们正在开会,泰山像个幽灵一样,静悄悄地从树上跳下来,走进屋去,突然出现在他们面前。

他们看见泰山仿佛从天而降,开始时吓了一跳,等他们认出是泰山时,见他这样神出鬼没、来去自如,都不由得哈哈大笑起来。只有柯倍尔有点不高兴地说:"那些哨兵是干什么的?我看该枪毙他们一两个,他们才不敢这样疏忽。"

泰山听了柯倍尔的话,笑着说:"上校!你不能怪他们,他们是恪尽职守的。我走路的方法和人不一样,却和大猿一样,根本不经过地面,他们怎么会看见我呢?任何一个大猿要进你的营地,都可以无遮无拦。你要想不再发生这样的事,除非把你的哨兵都换成大猿。"

柯倍尔说:"若真能这样,我就真用大猿,它们连空中都能管住了,岂不比人好?"

泰山大笑了一阵之后,摇摇头说:"不行!大猿是我的部下,它们可不会听你的命令,它们没有长性,不会精神专注地、长时间地做一件事。只有我可以命令它们,可惜时间太短,我来不及训练。其实,它们更好的本领是速战速决地冲锋陷阵,若让它们当哨兵,兴头一过就会丢下职责,到树林里找吃的东西去了。别看它们个头比人还大,性情却像孩子一样,十分靠不住。"

普雷斯威克少校不解地问:"你管它们叫大猿,又称自己是白猿,这到底是怎么一回事?大猿和白猿有什么区别?"

泰山回答说:"我自幼生长在大猿群中,大猿都是全身长黑毛的,只有我一个皮肤是白色的,所以它们叫我白猿。我的名字出于猿类喀却克族的语言。小时候,猿妈妈卡拉常抱着我,我在它怀里,皮肤雪白,所以大家就叫我泰山,泰山就是猿语白皮肤的意思。它们如果见了你们,也会管你们叫白猿的。"

上校也笑起来说:"爵士!算了吧!咱们不说这些了。你既然有自由出入阵地的本领,下一步你打算怎么办?前次你说的计划能够实行吗?"

泰山问:"那些战壕还是由当地土著黑人防守吗?"

上校说:"是的。你打算怎么做呢?"

泰山走过去,指着桌上的地图说:"这地方是他们的一个无线电监听机关,喏!这儿,他们藏设了一架机关枪。从这里到后方呢,我已经弄清楚了,有一条地道可以通过去。"泰山手指挪了挪,指着另一个地方说,"请你给我一颗手榴弹,当你听到爆炸声以后,就派得力的军队来增援,但他们的行动不要太快,等听到德军大乱之后,他们就可以悄悄地长驱直入,给德军以致命的打击了。你一定要叮咛他们,他们进攻时我也必定在那个地方,他们可千万要认清了,别向我进攻。"

柯倍尔上校仔细听完了,问:"就这些吗?再没有别的?"泰山点了点头,柯倍尔上校马上叫人去拿来手榴弹,给了泰山。他又有点不放心地问:"就你一个人去扫清那战壕吗?"

泰山笑了笑,回答说:"我不是单枪匹马,我有一个非常得力的伙伴,不过我现在还暂时不能告诉你它是谁,我们保证完成这个任务。如果你的部下很勇敢的话,从监听机关的地道进到壕沟里去,至多半个小时,就可以弄明白是怎么回事了。柯倍尔上校!你如果没有别的意见,就请下命令吧!"

泰山走出英军司令部,忽然记起了一件事:他前次从司令部出来的时候,曾经遇见一个身材矮小的军官。他现在忽然想起她是谁了,她虽然把军帽戴得低低的,可还是遮不住面貌,她是自己前一次到德军司令部去捉施奈德时见过的那个女间谍奇翠儿!当时泰山心里正有别的事,所以没去注意她,现在可想起来了。泰山边想边走到拴狮子的地方,狮子见了他,不断用凄凉的声音叫着。泰山笑了,知道狮子饿了,在乞求放开它,或给它一些食物,泰山暗想,这万兽之王原来也有乞求怜悯的时候。

泰山用猿语对狮子说:"别急,再稍等一会儿,就有活物给你吃了,那时你也可以自由了。"

泰山牵着狮子,走到战场中的空地上,这时四面枪炮声还在响,所幸子弹都从他们头顶上过去,打不着他们。泰山十分镇定,可狮子却很害怕,它从没到这种地方来过,它听不惯枪炮声,不知道该怎么办才好,所以紧贴着泰山走,好像希望泰山保护它。

泰山牵着狮子,径直朝德军的监听机关走去,他另一只手里还拿着手榴弹。渐渐地,走到离监听设置已经很近了,能看到待在那里的机枪手的头部和肩部。泰山用足力气,把手榴弹掷了过去,他自己则很快地伏在地上。只过了几秒钟工夫,惊天动地的爆炸声在监听设置处响了起来,那个地方被炸飞了。狮子对此没有思想准备,吓得几乎要逃走,幸亏泰山早就提防着,他把狮子紧紧拉住,并用了点时间安慰它。过了一会儿,见狮子已经镇静下来了,他才拉着狮子走到被炸的地方去。只见那里的士兵、武器、工事全被炸毁了,到处是炸碎的血肉,只是那挺机枪还没坏。

泰山知道德军听到这里的爆炸声,必然会从地道里奔袭过来。于是他把狮子推进地道,用机枪口堵着地道口,然后用猎刀割掉狮子头上和四个爪上的猪皮口袋，自己赶忙避到机枪后面。狮子被皮口袋套了这么多天，一下子恢复了自由，快活得不得了，一边发着咆哮声，一边头也不回地顺地道往前狂奔。泰山在后面看着狮子，只见它忽然跳了起来，泰山心里明白狮子闻到了人的气味。泰山拖着机枪，在后面赶着狮子，只一会儿工夫，地道前面，德国军队和狮子不期而遇。地道没有多宽，当然没有躲避的地方，于是，德军的惊呼声和饿坏了的狮子见到食物的怒吼声乱成一片。这时，泰山的嘴角挂着得意而又狰狞的笑容。

泰山看着这一切，不由得自言自语："让你们杀了我的瓦齐里武士，又杀了伟万里的儿子华辛布，这下可叫你们尝尝狮子的厉害了。"

泰山走进战壕的时候，里面竟一个人也没有了。他长驱直入地穿过了几条战壕，一直走到第四条时，才看到十几个德国士兵被狮子堵在角落里，浑身哆嗦，没有办法逃走。

有几个德国士兵看见张牙舞爪的狮子，实在吓慌了，就没命地朝前线跑去。结果正好碰上英国的增援部队向德国前线攻来，他们只好乖乖地当了俘虏，被解除了武装。但罗得西亚第二团的兵士们简直弄不懂是怎么一回事，这些德国兵怎么了？一边跑一边喊，像被鬼追着一样。他们怎么就跟吓掉了魂似的，一点也不抵抗就当了俘虏呢？再仔细一听，怎么敌人阵营里还夹杂着狮子的吼声呢？英军也被弄糊涂了。

英军将要迫近战壕时，听到了机枪的响声又看见一头狮子叼着德国兵冲出来，飞快地跑到丛林里去了。英国军队这才有点明白，这大概就是那位自称人猿泰山的裸体白人所用的战术。他们又继续往前走,果然看见泰山坐在战壕的护墙上,用机枪扫射着敌人。

泰山只顾咬牙发狠地用机枪扫射德军,没提防身后有一个德国军官,握着一支上了刺刀的长枪,轻手轻脚地从地道中走出来,已经快走到泰山背后了。英军虽然看得清清楚楚,但是不敢开枪,因为柯倍尔上校曾再三叮咛他们,无论如何不能伤着泰山。他们只有高声叫喊,以提醒泰山注意后面,可是当时枪炮声非常密集,泰山根本听不到。那德国军官已经到了泰山身后,端起刺刀,对准泰山的背部刺去。

泰山的敏锐毕竟胜过常人,瞬间,他感到背后有危险了,飞快地转过身来,一眼就看到那德国军官的肩章和符号,和在庄园里挖出来的德国人的肩章符号一模一样!泰山的牙立即咬紧了,真是仇人见面分外眼红,只见泰山狂吼一声,一纵身跳起来,飞起一脚踢飞了德国军官手里的长枪,把他一把抓起来,狠狠地摔在地上,又像提一只小鸡一样把他提起,乱抖一阵,后来,只听得"喀嚓"一声,德国军官的颈骨被折断,倒在地上死去了。英国士兵看到泰山站在敌人的死尸旁边,脸上露出了快意的笑容。

士兵们都想奔上前去,为泰山的脱险和胜利欢呼一下。但他们的欢呼声还没出口,冷不防听到一声凄厉的长啸,一时都被吓愣了。再向前望去时,只见泰山一脚踏在德国军官的尸体上,高仰着头颅。

英国士兵走过去一看那尸体,认得是德军中尉,冯·高斯。

泰山此时不再理会英国军队,跳出战壕,自顾自地大踏步扬长而去。

五
金鸡心盒

东非洲这支英国军队人数虽然不多,但是在泰山的帮助下,竟取得了以少胜多的辉煌胜利。德军士气涣散,溃不成军,沿着坦噶铁路向后退却了。英军在总结战绩的时候,都谈到这样大的胜利绝大部分要归功于泰山和狮子。取胜的那天夜晚,罗得西亚人组成的第二团占领了战壕之后,就用密集的炮火向其他阵地进攻,德军实在抵挡不住,几个星期后便败退了。德军从丛林地带撤退,附近没有泉水,使得他们非常苦恼。

泰山自从杀了德国军官高斯之后,就一直在德属东非洲一带游荡,再也不和英军会面,罗得西亚第二团司令部里的军官们都很为泰山担心。柯倍尔上校不止一次忧心忡忡地说:"泰山会不会被德军杀了呢?德军可确实扬言过一定要把英国的格雷斯托克爵士捉去当俘虏,可是据我看,他们想是这样想,要办到,恐怕没有那么容易。"

英国军人都在那里为泰山担忧,但泰山并不像他们想象的那样,他不但活着,还活得挺快活的。几个星期以来,他做了不少事。他侦察到了德军整顿以后的新编制状况,以及军事设施的分布情况,还弄清楚了德军怎样调节武器和军粮的运输。把这些都侦察清楚之后,他就尽自己所能,最大限度地扰乱和破坏德军后方。他已经知道德军司令部里,有一个很厉害也很受重用的女间谍,就是他第一次去德军司令部的时候碰见的那个叫奇翠儿的年轻姑娘。她当时曾把一叠文件交给德国将军,将军看完后对她非常嘉许。后来,泰山又在英国军营里意外地遇见过她,她当时穿的却是英国军官的制服,足以证明她做军事谍报工作能量不小。

泰山估计德军溃败之后,她不大可能还留在英军司令部里,于是有意在德军司令部附近严密查访她的踪迹,希望能再找到她,把她捉来,送到英军司令部去。这样,就可以从她口中得到德军军事部署的准确情况。有一天夜晚,泰山藏在德军司令部的草地里,偷听官兵们谈话。有一个人正在有声有色地讲述几个星期以前的新闻,说战壕里不知怎么,突然出现了一头大狮子,还有一个半裸的高大白人,据大家传说,这两个可能都是丛林里的魔鬼。

有一个军官高声说:"你说的那个半裸的白人,说不定就是前次到咱们司令部抓走施奈德的那个家伙。我真不明白,他怎么就偏偏看中了可怜的少校。其实那天晚上,施奈德本来不在司令部里,是将军命人叫他来的,那个白人大汉眼睛只盯着施奈德一个人,尽管冯·高斯就在他身边,就连克劳特将军也只和他隔着一张桌子,可这些人他都不抓,只认准了施奈德一个人。上帝才知道施奈德的命运到底怎么样,我估计他不会还活着了!"

另一个军官接着说:"这件事的内情到底是什么,恐怕只有豪蒲曼·弗立茨·施奈德本人才能说清楚了。在司令部抓人那件事发生之后,他曾经告诉我,他哥哥被抓,恐怕是个误会,那白人大汉要抓的多半是他,而不是他哥哥。将军只说了个施奈德,并没有说全名,所以,他一直认为是那白人大汉抓错了。一直到狮子跳进战壕那天晚上,那白人大汉又杀了冯·高斯,豪蒲曼·施奈德才完全确定他的估计是对的,因为冯·高斯是豪蒲曼·施奈德的部下。同时还有施奈德手下的一个士兵,也在施奈德少校被抓走的那天晚上被人掐死了。把这些事归纳起来看,那白人大汉要抓的人肯定是豪蒲曼·施奈德上尉,而不是他哥哥施奈德少校。当时在场的人也说,克劳特将军正要把奇翠儿姑娘介绍给施奈德少校,施奈德的名字一出口,那野人就跳进窗来,把他抓走了。"

他们正闲聊到这里,忽然听到营地边上发出一声低低的咆哮声,大家都一愣,不敢言语了。有一个人惊奇地问:"这是什么声音?"

大家不约而同地望向丰茂的草丛。原来这声音就是泰山发出来的,因为他从他们的闲聊中,听出了前一次被自己抓去喂狮子的是仇人的哥哥,不是仇人本人,而真正的仇人全名叫豪蒲曼·弗立茨·施奈德,这个坏家伙原来还逍遥自在地活着呢!他气得怒吼起来。

军官们听到这异乎寻常的声音,都拔出手枪四下张望着。他们这里已经不止一次有士兵被害了,而且被害的人死的样子全都很惨,几乎个个都是被掐死的,脖子上都有手指掐过和牙齿咬过的痕迹。众人此时都草木皆兵了,一个军官看见草丛被风吹动了一下,马上一枪打过去。然而,泰山并没有在那里。十几分钟后，泰山趁着军营里一阵骚乱，已经找到了施奈德的宿营地。原来，德军的一般士兵是睡在外面地上的，只有军官才睡帐篷。泰山这一次深入德军营地进行侦察确实很冒险，因为德军也总结了过去的经验教训，防范得十分严密。但是泰山仗着艺高人胆大，一点儿也不害怕，既谨慎又镇定地潜入了营地。

他匍匐在地上，爬行过去，经过几重岗哨，爬到一座帐篷旁边。听了听，里面有鼾声，他断定其中一定有人睡着，而且从声音听来，里面只有一个人。泰山用刀割断了拴帐篷的绳索，从底下钻进去。他动作非常轻，细心地不发出一点声音来。爬过去一看，床上有一个人睡得很熟。泰山踌躇了一阵，他无法判断这个人是不是施奈德。他希望这一次能准确地抓住烧过他庄园的仇人，不要再像上次那样误杀，因此，他上前去摇醒了那个人。那人睡眼惺忪地翻过身来，嘴里还发着含糊不清的抱怨声。

泰山靠近他的耳朵低声喝道："不许出声！不然我就杀了你！"

那人被吓得清醒了，看见一个半裸的高大白人站在自己床前。他刚要喊叫，那大汉一只手按住他的肩膀，另一只手已经卡在他的喉咙上了。

泰山又低低地斥责："不许喊叫！只许你小声回答我的问话。你叫什么名字？"

那人战战兢兢地回答道："我叫卢帕尔。"这时他心里十分害怕，他知道营里有许多士兵都是被这白大汉杀死的，而且死得非常可怕，他以为这次一定轮到自己了。他用颤抖的声音问道："你，你，你来此有何贵干？我，我愿意回答你的问话。"

泰山问："豪蒲曼·施奈德在什么地方？哪一座是他的帐篷？"

卢帕尔回答说："他不在营里,昨天,他奉命到威廉镇去了。"

泰山说："好!你回答了我的问话,我不杀你。倘若你不老实,骗了我,我到威廉镇去找不到施奈德,一定回来跟你算账,你可要小心着。"卢帕尔听到他说不杀自己,巴不得这白人快点走,就说:"我说的是实话,不敢骗你。"

泰山刚要走,又转回身来问道:"你可知道豪蒲曼·施奈德的哥哥,那位施奈德少校,是怎么死的吗?"

卢帕尔摇摇头,以为对方改变了主意,要杀自己呢,不禁全身战栗起来。

泰山说:"我却知道他是怎么死的, 他是你们德国兵营内死得最惨的一个,他的死法,你们想都想不出来。我要走了!现在你转过身去睡觉,闭上眼睛,不许动,也不许发出任何声音,你要敢不听我吩咐,杀死你是非常容易的。"

卢帕尔此时只想保命,就完全按照泰山的吩咐做了。泰山走出了帐篷。他潜行出德军营地,一口气奔往威廉镇。他知道威廉镇是德国军官在东非的避暑地。

正当泰山往威廉镇去的时候,奇翠儿却在丛林里迷了路,她又羞又气,一个刺探情报的军人居然连路都找不到了。平时她非常自负,可是这次在潘加尼和坦噶铁路之间,她竟真的摸不着方向了。原来,她也要到威廉镇去,她明明知道威廉镇在东南方向,大约有五十英里的路程,但这时却怎么也辨不出来,急得满身是汗。开始时她走的是过去行军的熟路, 在途中, 她得到个情报——在潘加尼的西面,有一支英国游击队在活动,这支游击队正向南面过来,有可能截断坦噶铁路。这可是个重要的消息,她必须尽快告诉德军。

为了不耽搁时间，奇翠儿就放弃了那条熟路，打算穿过丛林走条捷径。但是正巧在这个时候，天阴沉起来，黑云密布，森林里就更显得黑暗了，她没学过如何从树木身上辨认方向，所以在漫无边际的丛林里干脆分不出东西南北了。由于走得慌忙，偏偏指南针又没带在身上。于是她瞎摸着走，向西走了一阵，觉得不对，又转过来向南走。她想，无论如何要避开英国的游击队，否则，不但送不成情报，倒是把自己给敌人送上门去了。当她再由向南转到向东时，她已经找不到去威廉镇的那条大路了，就这样瞎撞到傍晚。这时，天渐渐黑了下来，周围一个人也没有，她不觉胆战心惊起来，暗暗问自己："我该怎么办？我该怎么办？"

奇翠儿被困在荒林里，不但自己疲惫不堪，就连她的马也一整天没吃没喝，筋疲力竭了。但奇翠儿思考了一下，与其被困在这荒林里过夜，不如冒险乱闯一下，或许还有找到路或者住宿地方的可能。一个人一匹马在丛林里过夜，她实在没有这个胆量，况且这时天色晚了，必须赶快想办法。她策马又往前走了一段路，果然发现了一块小小的空场，地上长着草，但草并不高，也有几株稀疏的树木。她看这绿草正好给马当饲料，自己也可以拿它当毯子盖着睡觉，还可以捡些干树枝来生火，以防野兽的侵扰。休息一夜，到第二天再赶长路，岂不很好？

奇翠儿就打定主意在这里露宿了。到了夜晚，四周漆黑，什么光亮都没有，她把马拴好，捡了些枯枝，生起一堆火来，拿出自己带来的干粮和水，勉强吃了一些。这时，四周较远的地方传来野兽的咆哮声，在更远的地方还能隐隐听到炮声。她在草地上躺了一阵,被火堆烤得暖暖的,加之刚吃了食物,渐渐入睡了。

一觉醒来,天已经大亮了,可喜这一夜没发生什么可怕的事。今天是个大晴天,太阳很好,已经可以比较容易地辨别方向了。奇翠儿很高兴,骑上马,又向东走去。她以为这样走一定能平安地到达威廉镇,一点也不知道正有危险等着她呢。那炯炯的黄绿色的目光从树丛里射过来,窥伺着奇翠儿,她本人却毫无觉察。正当她骑着马往前走时,这只狮子突然扑出来,挡住了她的去路。马被狮子一惊,立即想逃走,但已经太迟了。马直立起来,前蹄还没有落地,就被狮子扑倒了。狮子并不立即去咬马,却转过头来,怒视着奇翠儿,也许觉得她是更可口的食物吧。但是这时奇翠儿根本动不了,因为马倒下的时候,她没来得及下马,半个身子竟被马压住了。

这时奇翠儿听到"喀嚓"一声,原来狮子把马的脖颈咬断了,那马抽搐了几下,就再也不动弹,显然是已经死了。死马的身体变得更沉重,死死地压住她,使她根本抽不出身子来。狮子似乎并不急于吃马,一直盯着她,她不敢直视狮子,只感觉到狮子呼吸的热气,带着一股臭味,直扑向她的鼻子。这一段时间,她觉得非常非常漫长。奇翠儿过去虽也不止一次经过枪林弹雨,但面对的毕竟是人,这一次却是狮子,自然更是可怕。她摸了摸,自己身边带有防身手枪,她知道用手枪是很难打死狮子的,万一打伤了它而又没打死,反而会惹起它的暴怒,她这样一想,就更没有拔枪射击的勇气了。奇翠儿被压在死马的身体底下,闭起眼睛来,只听得狮子咆哮一声,开始撕扯着吃马肉了,这样,也许不会马上来伤害她。她心里暗暗祈祷,这一次如果逃不过一死的话,只求让她死得痛快些，不要活受罪。

　　奇翠儿想趁着狮子吃马的当口儿努力把身子慢慢抽出来，可是马的尸体非常沉重，狮子又在按着马，更让她无论如何也抽不出来。狮子也似乎发现了她这个动向，抬起头向她咆哮了一声，像是在警告她不要轻举妄动。她被逼无奈，要拔手枪了。这个动作立即被狮子发现，一只前爪向奇翠儿胸前伸来，当胸一抓，把她按在地上，狮子目光凶狠，似乎还要采取下一步动作。就在这千钧一发之际，奇翠儿忽然听到身后传来一种奇怪的声音。

　　狮子的耳朵比奇翠儿更敏锐，它同时也听到了这声音，抬头看看，又怒吼了一声，接着却往后退了一步。按在奇翠儿胸口上的前爪幸而用力不大，只撕坏了她的衣服，并没伤着她的皮肉，只是胸口部分袒露了出来。

　　原来，泰山正巧从这里经过，看见狮子扑倒了这个德国女间谍。狮子如果真把她吃了，泰山并不觉得可惜，只是现在她对泰山还有点用，必须暂时留下她来。泰山清清楚楚地记得，第一次到德军克劳特司令部时就见过她，后来又在英国军队的营地里见过她，那时她已改穿英军制服了。根据这些，泰山决定活捉她，然后把她送到英军詹·斯摩特将军的大本营去，非强制她说出德军的军事秘密不可。等问出了真实口供之后，再置她于死地。

　　泰山仔细看了看，巧得很，狮子竟也是他熟悉的。在平常人眼里看来，每只狮子似乎都是一个样，其实不然，在丛林中生活惯了的生物觉得，每只狮子都有它的特别之处。但它们不是像我们人类这样用眼睛去辨认面貌，它们的办法是辨别气味。人类经常碰到这么一种情况，只是可能大家忽略了，那就是狗听见你叫它，虽然它熟悉你的声音，它会先看看你，即使认识，它还是要走过来闻闻你。其他兽类也有这个习惯，它们认为只有嗅觉才是最可靠的。

泰山一眼就认出了狮子，原来它就是曾经被自己用猪皮口袋套上脑袋，利用它攻打德军战壕的那一头。他断定它也一定会记得他。因为这头狮子在较长时间内，尝够了他长矛的厉害，而且泰山多次到狮子洞去过，它也会熟悉泰山的声音。于是泰山用猿语命令狮子走开，狮子听这声音很熟悉，又看看泰山手中握着的长矛，顿时害怕了，虽然还在咆哮着，却开始往后退缩。这时狮子的脑子里不知在转什么念头，它是被泰山用力量加计谋降服过的，在这个强手面前，面对到口的美食，是进攻？是退让？它不会没有思想斗争吧？

泰山趁狮子一愣的瞬间，冲上前去，大声喝道："走开！狮子！你要敢不走，泰山还会套上你的脑袋，用绳子牵着你走，而且几天几夜不给你东西吃。看见了吗？我手里的长矛，你头上没少挨它的打，不记得了吗？快走开！狮子！我是人猿泰山！"

狮子虽然极不情愿，张开大嘴不住地怒吼着，但对泰山的威逼还是挺畏惧。泰山用长矛刺过去，它举起前爪打了一下，身子却不住地向后蜷着。泰山逼退了狮子，往前跨进一步，站在死马面前。奇翠儿惊奇地睁大了眼睛，看着眼前这个高大的白种人，不知道他有什么魔力，居然能够赶走一头暴怒的狮子，而且迫使狮子放下口中的食物！奇翠儿在这一瞬间，似乎也记起了自己是见过这个白大汉的，是的，就是他！那晚闯进克劳特将军的司令部，把施奈德营长扛起就走的，不就是这个人吗？

泰山等狮子退到几米以外，回过头来，用纯粹的德语，向奇翠儿问道："你受伤了吗?"

奇翠儿听他语气平和，不像有加害自己的意思，不觉胆子壮了几分，答道："我没有受伤，只是我的腿被马的尸体压住了，我自己无法抽出来。"

泰山对她说："你自己再努一把力试试看，现在狮子不在了，可能好一点。我现在还不能过去帮你，因为我喝令狮子走开，很难说能管住它多长时间，说不定我一挪动，它还会扑过来。"

奇翠儿拼命挣扎了一阵，没有用，最后她还是倒在地上了，说："不行，我自己实在抽不出来。"

泰山看这情形，自己不帮是不成了，只好一手握住长矛，一手拖起死马，奇翠儿这才得以脱身，站了起来。

泰山问她："你能自己走吗?"

奇翠儿揉了揉腿说：

"我可以自己走，腿只是麻了，并没有受伤。"

泰山又对奇翠儿说："很好。你慢慢走到我身后来，不要跑，也不要走得太快，免得狮子追过来。有我站在这里，它不敢动。"

泰山等奇翠儿慢慢蹭到自己身后，便带着她向丛林方向退去。狮子站了一小会儿，吼了一声，也渐渐跟着他俩走过来。泰山很难猜测狮子是什么意图，是要过去吃马肉呢，还是要攻击他俩?如果狮子真是奔他们来的，那么，他和奇翠儿之间总会有一个要受到伤害。那狮子走到死马跟前，泰山始终注意着它的动作。只见狮子似乎很饿，低下头去，又去吃马肉了。这下他俩才放下心来，但还是不敢拔腿就跑，仍继续慢慢向后退着，渐渐退进丛林里。这时,奇翠儿劳累加上惊吓,已经支持不住了,要不是泰山把她扶住,恐怕不像她刚才说的那样还能自己走,她几乎软得要倒在地上了。

奇翠儿走了一小段路,定了定神,向泰山致歉说:"我刚才实在被吓坏了,所以才这样全身无力,请你别见怪。幸亏有你救我,现在总算脱离危险了。我该怎样感谢你呢?哦,对了,我想请问你,你怎么不怕狮子,看样子狮子反而怕你呢?你到底是谁?"

泰山笑了笑说:"狮子认识我,所以它见了我害怕。"

现在泰山才有从容的时间仔细端详一下奇翠儿了,他站在姑娘对面,认真地看了她一会儿。她长得应该说蛮漂亮,可是泰山并不觉得她可爱,这当然与她的职业有关。泰山如果不是确切地知道,他几乎很难相信面前这么一个清秀美丽的姑娘会选择这么一种可怕的职业:刺探军情,帮助别人用枪炮杀人!她是德国人,是一个敌军间谍,也是他报仇计划中该杀的对象之一。他无意间看到了她裸露的胸部,因为刚才狮子把她前胸的衣服抓破了。泰山在她胸前看见了一件东西,不由勃然大怒,原来那是一根金项链,项链上连着一个鸡心形状的小盒!这正是泰山送给琴恩的结婚纪念品,也就是被豪蒲曼·施奈德从庄园中抢去的重要失物。奇翠儿没发现泰山陡然变色的脸,刚转身想走,泰山恶狠狠地一把拉住她的手臂,神情十分严厉地问她:"你这个东西是哪里来的?"

奇翠儿没防到他这突如其来的一拉一问,倒被他吓了一跳。泰山手快,没等奇翠儿答复,已经把项链摘下,自己拿着。

奇翠儿误解了泰山,以为这是一个轻薄的动作,马上严肃起来说,"住手!你太无礼了!"

泰山没有理她,仍旧牢牢地抓住她的手臂追问,"告诉我!这项链和这鸡心盒,你是从哪里得来的?"

奇翠儿非常奇怪地说:"这是我工作上要用的东西,与你有什么相干?你为什么这样苦苦逼问?"

泰山说:"这物件原是我家的东西,快点告诉我,是谁给你的?敢说半句谎话,我抓你去喂狮子!我可是说到做到的。"

奇翠儿想起刚才他从狮子口中救了自己,那狮子对他竟是那样俯首帖耳,她不由得害怕起来,问道:"你真的会拿我去喂狮子?"

泰山说:"你不说实话,我当然会这样做!别以为我不知道,你是一个间谍,假使英国军队捉住你的话,理应判处死刑的。"

奇翠儿没想到面前这个人竟这样了解自己的底细,她有点慌神,惊恐地问道:"那么,你会杀我吗?"

泰山说:"我不打算杀你,我要把你押解到英军司令部去,他们审问完你之后,你听凭他们处置。但是,狮子可和英军不同,它的发落办法是既简单又残酷的。如果你执意不肯把这金盒的来历告诉我,我马上把你去交给狮子,它会非常欢迎呢!"

奇翠儿只得说了实话:"是施奈德营长给我的。"

泰山说:"好!我言而有信,你说了实话,我决不拿你去喂狮子。跟我到英军司令部去吧!现在快走!"

奇翠儿只好跟着泰山走,但是她心里在打着主意。他们在向东走,这是去威廉镇的路,这一点正合她的意。在这荒野里走路,她又没了马,在路上的时间要长得多,身边有这么一个大汉起到保镖的作用,可以免除许多危险。同时她心里也在偷偷庆幸,泰山没有解除她的武装,手枪还在自己腰里挂着,这不能不说是他的一个疏忽,有了机会,她也可能利用这支手枪逃跑。他们默默地走了一阵之后,她壮起胆子问泰山:"你怎么知道我是个间谍?"

泰山回答说:"我在克劳特的司令部见过你,后来又在英国的军营里遇到你。我看见你把一叠材料交给克劳特了,这一切,你难道赖得掉吗?"

奇翠儿心里明白,她不能老老实实地让泰山把她带到英军司令部去。一来,如果到了英军司令部,自己不会有好下场;二来,自己身上还有对德军很重要的军事情报,非要送到威廉镇去不可。她也想过用手枪对付泰山,可是,自己能不能把这么高大的一个人一枪打死?她没有把握。万一打不死他,自己可就有性命之忧了。尤其是那个小鸡心盒,她必须带到威廉镇去,这是她接头用的信物,现在这东西还在泰山手里。现在,泰山和她的距离只有一两英尺的样子,她把手枪握在手里。奇翠儿估计,距离这样近,不会打不中的,只要自己手指扳一下,就可以要他的命,这样,自己不但可以顺利完成任务,而且也能改变处境。当然,这有点冒险。她心里这样想着,手就有点抖。真的要动手的时候,良心忽然使她产生了犹豫:刚才就是这个大汉从狮子口中救过自己的命,现在自己却要用枪结果他,这多少让她有一种负罪感。可是奇翠儿转念一想,职责不允许自己有这么多恩恩怨怨的想法,她必须完成任务,必须取回鸡心盒,威廉镇才是她该去的地方。为了这些,她非狠心下手不可。她怕子弹推上膛的声音引起泰山注意,情急之间,就用枪柄使劲向泰山后脑勺砸去,这一下真够狠的,泰山像一头牛一样倒在了路旁!

六
复仇与怜悯

泰山晕倒在路旁,奇翠儿从他身上拿回鸡心盒,一个人偷偷地溜了。大约一小时之后,有一头猎豹出来猎取食物,它望见一英里外树顶的天空里有一只老鹰,总在那一带盘旋。猎豹瞪着黄绿色的眼睛,注意地看了它许久。它看见老鹰盘旋着,做着准备姿势,隔好长时间才往下扑一次,过一小会儿,又飞上天空。猎豹凭它的经验,知道一定有什么活物在那里,老鹰大概见那东西还没有完全死,或者有别的野兽在那里吃它,所以总盘旋着不走,可是又不敢扑下去。猎豹既然估计到那里有食物,就打算自己先去抢,它轻轻地往那儿走。走了不长的路,它忽然闻到一股人的气味。

猎豹停住了脚步。它不想吃人肉,因为它还仅仅是一头小豹,有生以来还没吃过人。近一段时间非洲有战争,丛林里常常有军队经过,它才渐渐地闻惯了人的气味。但是今天不同于往日,它实在是饿极了,管它是什么肉呢,反正能填饱肚子,不妨过去看看。它从老鹰盘旋不去而又不敢扑下来的情形猜想那个人恐怕没有抵抗力了,对鹰来说,它不敢去啄来吃,可是对一只猎豹来说,要吃他没有什么困难。这样想着,猎豹慢慢走出了树丛,朝那个目标走去,等到临近了,它才看清楚,原来是一个白人大汉倒在路边。

我们再回过来说被泰山喝退了的那头狮子,它饱餐了奇翠儿的死马之后,便叼着剩余的马肉走进丛林。它向东走去,想找它的母狮来共同享用。肚子一饱,它就有点想睡,所以走得很慢,也很轻,有点懒洋洋的样子。

狮子走到一条窄路上,它估计这里可能隐藏着别的野兽,为了防范食物被抢,它左顾右盼起来。忽然,它看见前面不远的拐角处,有一只样子凶悍的小豹,在矮下身子走着。它顺着小豹前进的方向望去,哦,看见了,原来小豹是要去咬一个倒在地上的半裸白人。狮子停住了脚步看着,它认出这白人是多次和它打过交道,也给过它食物的老朋友,便低低地咆哮了一声,算是对豹发出警告。那猎豹听到吼声,从泰山身边转过头来,两双凶悍而可怕的眼睛对到一起了。

这两头猛兽的脑子里各自转着主意。猎豹认为,这个白人是它先找到的,按理该归它吃,狮子没有理由分一份走。而那狮子呢?它想的比猎豹要复杂,那人曾驯服过自己,狮子已不知不觉地把他看成老朋友,甚至是主人了。虽然这个人整治过它,堵过它的洞,让它挨饿,用口袋套过它,用长矛打过它,但给自己不止一次送食物的不也是这个人吗?狮子对他产生了敬爱之心,决心保护这个白人,这样做不仅帮助了老朋友,也不失自己作为兽王的威严。狮子抖擞起精神来,怒吼了一声,奋力向猎豹扑去。

那头小猎豹太不懂事了,简直不知天高地厚,居然还站在原地没动,并且拱起脊背,竖起尾巴,摆出一副挑战的样子。狮子原先看它年少幼稚，本没打算杀它，现在瞧它这么一副挑衅的架势，太冒犯自己兽王的尊严了，勃然大怒，直扑上去。这时猎豹要逃避已经来不及了，只好准备战斗。这猎豹毕竟是乳臭未干的小家伙，哪里是这头大雄狮的对手？才交手没多大工夫，它便被狮子按在底下，一口咬断了喉咙。猎豹送掉了它年轻的生命，狮子身上也有好几个地方被猎豹抓破了。疼痛使它更加愤怒，又把猎豹的尸首咬了几口。它稍微气平一点，才走到泰山身边，来细看泰山。

狮子把泰山从头到脚闻了一遍，然后用嘴拱着他，让他翻过身来，脸朝着天。它又重新闻闻他的身体，然后用它长着细刺的舌头去舔泰山的脸。这使得泰山醒过来了，他睁眼一看，身边竟是一头大狮子！狮子呼出的热气直喷到他的脸上，还在不住地舔他。泰山这几十年来虽然遇到过各式各样的艰险，但是今天这样的危险在他倒还是第一次。他的头被奇翠儿打了一枪柄，到现在还昏昏沉沉，隐隐作痛，自然想不起这头狮子原是自己认识的。过了好一会儿，他神志才稍微清醒了一点，只是站不起来，看了看，原来狮子的一只前爪还按在自己身上。

泰山不敢冒失地推开狮子的前爪，怕惹怒了它，反而会伤到自己。这时他头脑渐渐清醒，已能记起一些事了。他想起自己曾经抓到了女间谍奇翠儿，看现在的情况，多半是她把自己打伤后逃跑了。想到这里，他心里又急又气，一定要去追她，再把她捉住。泰山正在想着这些，狮子见他已经睁开眼，知道他还活着，便用平和的声音发出一声低吼。狮子的吼声泰山是听得懂的，知道它没有发怒，而且也不饥饿，他就放心了。

狮子呼出的热气直喷到他脸上。

泰山说："狮子!走开!"同时伸出手去把狮子推开。他立刻站起来,把长矛握在手里,以防狮子有什么伤害自己的动作。但是他第一眼看见的却是一头猎豹的尸体,细看看狮子身上也有伤痕,还在流着血,他一下子明白了,原来是狮子从猎豹口中救下了自己。

这回泰山认出来了,它是自己熟识的那头狮子。他心里非常感激,就回过身去替狮子检查伤处,看到它伤得并不重,也就放心了。狮子见泰山对它这样好,不禁非常高兴,用耳朵在泰山身上蹭来蹭去,泰山也把狮子抚摸了一阵。然后,泰山提起长矛,上路去寻找奇翠儿的脚印。果然被他找到了,奇翠儿是向东走的。他再一摸,自己身上的那个小鸡心盒也不见了。泰山气得咬紧牙关,虽然后脑部被奇翠儿打过的地方还在疼痛,但这点伤对泰山来说并不算什么,他非要追上奇翠儿不可。开始他看不起这个小丫头,到现在他倒有点佩服她的勇敢。她居然敢用手枪趁他不防备的时候,狠狠给他一下,而且,她只凭着一支手枪,居然敢翻山越岭,独自一人赶到威廉镇去,还真是不能小看了她呢!泰山对于勇敢的人一向十分看重,但这个丫头可不同于别人,她是个间谍,越是勇敢就越是坏事,决不能放过她,一定要在她到威廉镇之前捉住她。泰山这样想着,脚步不觉加快了。

泰山算了一下,奇翠儿要赶到威廉镇去,必须步行三十英里,这至少要花她两天时间。泰山往前走着,忽然听到从东面传来一阵火车鸣笛的声音,他这才知道原来这几天火车又通了。继而一想,不好,如果火车通了,奇翠儿很可能乘火车走,那可就快多了,而自己身边没有钱,又是这副半裸的样子,是不能上火车的。泰山思谋着这些,听见火车停下来的声音,大约过了两分钟,一声汽笛响,车又开了。听那声音,火车是往南去的,泰山估计奇翠儿一定搭车走了。他赶快追到铁路边,一看,果然再没有奇翠儿的脚印了,这证实了自己的猜测。现在没有别的更好的办法,泰山只有拿出自己最快的行走速度,一直追到威廉镇去,希望在那里不但能找到奇翠儿,而且找到自己更想找的人——豪蒲曼·施奈德。

傍晚的时候,泰山终于赶到了威廉镇外。他躲在外面,却不敢进去。一个原来他没想到的问题摆在他面前:镇子里的人都是衣冠整齐的,自己这样一副野人的样子闯进镇去太惹眼了,也许会被人当疯子抓起来,只有等天黑后再想办法。于是他伏在镇外一个僻静处等着,没多久天就墨黑一片,他猫着腰,沿着建筑物的黑影走,碰到步哨,就往地上一伏。好容易混进了街道,走到几间茅屋前停下来。谁知这时候偏偏来了一条狗,它向泰山走来,还不住发出呜呜声。泰山很着急,又不能打它,越打叫得就越凶,泰山只好闪在一棵树底下躲起来。探头向茅屋里看去,只见里面有灯光,几个军官模样的人影在晃动。泰山生怕那条狗惊动了屋里的人。那狗见泰山躲着它,越发狂吠起来。这时,茅屋的后门开了,有一个人出来唤狗,狗一见主人来了,愈发狗仗人势,竟猛地向泰山扑过来。

这是一条大狼狗,也许是一条军犬,因为它进攻的姿势很像狮子。泰山不出声音,蹲下去等着,等它扑上来时,就掐住它的脖子,只一会儿工夫,那狗就断气了。泰山顺手把狗扔到一边,站了起来。他听到从茅屋后门出来的那个人似乎在唤着狗的名字:

"辛巴!回来!"

　　那人喊了半天,见没有动静,就走到树这边来看。借着从门缝里射出来的灯光,泰山看到这个人穿着德国军官的衣服,就往树后一闪,开始打他这身衣服的主意了。那人一边走一边叫着狗,等他走到临近,还在低着头找狗的时候,泰山以极快的速度扑了上去,一下卡住他的脖子,这个人一声都没喊出来,没多大工夫就被剥掉了军装,和那条死狗躺到一块儿去了。泰山此时又想按照大猿的习惯,踏着死尸长啸一声,但他马上止住自己。不可以这样做,如果惊动了敌人,就什么事也做不成了。他迅速地把军官那身衣服穿好,幸好这个人和他身量差不多,这衣服他穿着还真合适。他想,有了这个,他就可以在威廉镇上大摇大摆地走路了。几分钟之后,泰山变成了一个德国军官,整理好一切,从树后走出来。

　　泰山并不知道德军住在哪里,只好顺着街道乱走,留神寻找,从他身边走过的人没有注意他,更没人会知道他是个假的德国军官。泰山想,他第一个该注意找的是旅馆,只要把旅馆找对了,不但可以找到奇翠儿,也可以找到豪蒲曼·施奈德。因为泰山认为,他俩即使不是一对情侣,也一定是很要好的朋友。只要找到他俩,那个宝贵的鸡心盒就又可以回到自己手里了。这次一定不放过施奈德,非杀了他给琴恩报仇不可。

　　泰山找了几家旅馆,看了看,住的都不是军人。最后,他找到了一座有两层小楼的旅馆,它的建筑比其他旅馆讲究。他想恐怕是这里了,就留神观察着,见进出的果然都是德国军官。他没有入住,怕被识破,反而坏了大事。泰山绕到后面,找一个僻静的地方,悄悄地跳上屋顶,一个房间一个房间地逐个侦察,始终没找见奇翠儿。

最后,泰山注意到,在楼的拐角处,有一间房间,窗户关得很紧,里面却有谈话的声音,而且还有一个女人的影子在窗户上闪动着,他便靠近窗子去静听。果然,里面是一个女人和一个男人在说话,可惜声音太低,听不清楚他们在说什么。

泰山向周围张望了一下,见隔壁的一间房间没有灯光,泰山过去试着推了推窗子,恰好窗子没有从里面插上插销。他仔细听了听,房间里也没有人在睡,泰山就从窗子爬了进去,里面果然是空的。他打开屋门向外一望,很巧,走廊上一个人都没有。

泰山就站在门外静听,在这里比较容易听清楚了。一个女人在说:"我带了这个金鸡心盒来,还不够吗?你还要什么别的证据?这不是你和克劳特将军约定好的信物吗?现在我有这信物,你还推三阻四的,到底是什么意思?快把文件还给我,我好早点走,我在来时的路上已经耽搁了不少时间了。"

又听那男子嬉皮笑脸地讲了几句话,几乎像是在耳语,还夹杂着吃吃的笑声,泰山听不清他讲了些什么。只听那女人稍稍提高了声音,有点气急败坏地说:"不许胡来!我看你能有多大胆子,施奈德!别要无赖,快放手!不然我喊起来,有你好看!"

泰山听到这里,已经能断定这两个人就是自己要找的奇翠儿和施奈德了,他无声地推开房门,轻轻跳进屋子。只见一个身材魁梧的德国军官正用一只手臂搂着奇翠儿的腰,一只手抚摸着她的脸颊,把嘴凑过去想吻她。奇翠儿一边往后退,一边用两只手拼命推那军官,想把他推开。看来,奇翠儿的力气不够,那军官的嘴唇就要凑到她嘴上了。

施奈德仿佛听到屋门那里有一点响动，立刻转过身来看，竟看见一个从未见过的军官自顾自地闯到自己的房子里来了。他马上放开奇翠儿，厉声责问道："你是谁?你有什么理由擅自闯进我的房间?快出去!"

泰山根本不理睬他的问话，只从喉中发出了一声低低的咆哮，这种咆哮声不但吓得奇翠儿发起抖来，施奈德上尉也从来没听到人嘴里发出过这种声音。他马上想起了他的哥哥，恐怕这个魔鬼今天真的找到自己头上来了，他脸上立时变了色。施奈德刚把手枪抽出来，泰山手疾眼快，只用手一挡，手枪就被甩出窗外，掉到几米远的地方去了。

泰山退到门背后，关起屋门，慢慢脱去军装。他说的每个字都像从牙缝里挤出来似的："你是施奈德上尉吗?"

施奈德说："你问这个干什么?你找施奈德上尉有什么事?"

泰山说："我是人猿泰山，我想，如果我没认错的话，你就是施奈德上尉。既然如此，你一定明白我到这里来的目的了。"

施奈德和奇翠儿直愣愣地看着他，看他把军装脱完，半裸着身体，腰里只围着一块狮皮。奇翠儿马上认出了他。她刚想摸手枪，泰山已经注意到了，喝斥她说："放开你摸手枪的手!好好地给我走到这里来!"

奇翠儿知道泰山的厉害，不敢违拗，只好听从泰山的命令走过去，她的手枪也被泰山扔到窗外去了。豪蒲曼·施奈德这时已吓得魂不附体，泰山知道眼前这个人才是杀害琴恩的真正凶手，这次，他可绝对饶不过他了。

施奈德明知死到临头,却还心存侥幸地想寻觅一线生机,他故作镇静地问:"不错,我就是豪蒲曼·施奈德,我不明白你找我有什么事?"

泰山说:"找你偿还你杀害瓦齐里人的那笔血债!"

施奈德还要说什么,泰山锁上屋门,转过身来低声而严厉地对奇翠儿说:"你躲开些,别碍手碍脚,人猿泰山要杀人了!"

施奈德见势头不妙,就开始苦苦哀求:"我家还有妻子儿女,我没有做过什么坏事,我……"

泰山不等他说完,就厉声说:"住嘴!你该以命偿命!你杀我庄园上那么多人,那时候你想到你的妻子儿女了吗?你杀了我的全家,我也应该拿你的全家来抵命。你手上染满了鲜血,还讲什么求饶的理由!"他边说边向施奈德逼近,施奈德为了保住命,只有拼一拼了,于是也向泰山迎过来。

奇翠儿眼看着要出人命了,吓得直往墙角躲,看着这两个大汉厮打,一动也不敢动。她心里十分清楚,施奈德决不是泰山的对手。只见施奈德也用出拼死的力气,要用手去卡泰山的喉咙,他的动作哪里有泰山那么快?泰山已经用牙齿咬住他的喉管。施奈德也是个魁梧的大汉,好容易挣脱出来,要往窗子那儿跑,还没容他跑两步,泰山伸手又把他抓了回来,趁势把他按在墙壁上,拔出猎刀,刀尖向着施奈德的肚子。他咬牙切齿地说:"你残酷地杀死了我的妻子,今天你就该这样死!你这个德国猪!"

这时候奇翠儿却疯了一样地跑过来说:"啊!上帝!快别这样,别这样做!泰山!你是个勇敢的人,不能像野兽一样地杀人!"

泰山回过头来看了看奇翠儿,见她面对杀人的场面脸上充满了恐惧,他想了想说:"不错,我不能让他肠子流出来,短时间内又死不了,我不是德国人。"他便把刀尖向上挪了挪,对准施奈德的胸口刺了进去。施奈德在临死的时候,只大叫了一声:"我没有杀你妻子,她并没……"

施奈德倒在血泊里死了以后,泰山又向奇翠儿走去,伸出手来对她说:"把金鸡心盒给我!"

奇翠儿指了指倒在地上的施奈德说:"在他身上呢。"

泰山过去在施奈德身上找了一阵,果然搜寻到了。他又转身对奇翠儿说:"把文件也给我!"

奇翠儿这时一点也不敢反抗了,顺从地把文件从身上取出,递给泰山,泰山拿了过去,两个人谁也没有说什么。

泰山凝视了一阵地上施奈德的尸身,奇翠儿满以为下一个该轮到自己了,吓得不敢喊也不敢跑。泰山转过身来,冷冷地对奇翠儿说:"我原想押你到英军司令部的,不过从这儿把你带出去很不容易。其实我也很想杀了你,第一因为你是德国人,第二因为你是为德军搞情报的。但是,你刚才说我不应该用野兽般残暴的手段杀人,我自然更不该用这种手段对付妇女。我既然没有用最凶残的手段杀豪蒲曼·施奈德,那么,我索性就饶了你吧!你到底不是在我庄园上的行凶者。"

这话大出奇翠儿意料,一时她几乎不敢相信是真的。等泰山打开窗子跳出去,走得没了踪影之后,她好像才从一场噩梦中醒过来,定了定神,想起了自己该做什么。她马上走到施奈德的尸身前,蹲下去搜寻着什么,找了半天,终于找到一小卷纸,把它塞到自己的内衣里。然后,她奔到窗前,高声呼救。

七
讨还血债之后

　　泰山从楼窗里跳出来之后,回想了一下刚才的事,心里又有点后悔,德国女间谍已经捉到手了,为什么又要放过她呢?真是不该!他越想越不痛快。若再回去,又多有不便了,只好作罢。他暗暗算着:豪蒲曼·弗立茨·施奈德和冯·高斯都被自己亲手杀掉了,那些参与焚烧庄园、杀瓦齐里人的德国士兵也死了不少。剩下的还有一个重要的,就是豪蒲曼·弗立茨·施奈德手下的一个中尉,名叫奥伯葛茨的,总也没有捉到。最近打听到的消息是,他奉了上司的命令,到其他地方去执行任务了,不知他到底还在非洲呢,还是回欧洲去了,泰山只好暂时把他撂下。总的说起来,焚杀和劫掠庄园的仇人大部分被杀了,还有少数漏网的,毕竟不能画上句号。尤其是由于自己的一点恻隐之心,竟在威廉镇旅馆里饶了奇翠儿,虽说也不是毫无所得——从她手里拿到了一卷文件,足以使英军有力地打击德军——但到底放跑了这个狗特务。泰山非常悔恨,自己当时太婆婆妈妈了。

　　泰山之所以会对妇女忍让,不能不说是文明社会给他的熏陶。因为在文明社会里,他看惯了男人让女人先走,男人为女人开门等等,另外一个原因就是,他虽然自幼生长在荒野丛林里,性格中有了不少野蛮的成分，但他毕竟从已故的父母那里秉承了贵族血统，身上存有很多英国贵族的气质。

泰山在文明社会里交往过的朋友并不少，但真正称得上知心的可就不多了。这少数知交中也包括生死之交，但这些人却没有一个到东非洲来。现在自己已经帮助英军在非洲战场上打败了德军，叫德军从东非洲溃退了，看来目前似乎没有其他事可干。琴恩已经死了，与其自己在人群中孤孤单单、郁郁寡欢，还不如隐居到山林里去，再回到年轻时代的丛林生活，倒还自由自在些。好在自己并没有正式参军，也没有宣过誓一定要为英国国王服务，所以他决定回丛林去的时候，也觉得没有必要向英国军队道别，就这样无声无息地走了。等英军中那些军官想起他来的时候，他早已跑得无影无踪。

泰山多次想过，他并不爱那个文明社会，以前他之所以肯停留在那儿，受那些繁文缛节的束缚，多半是不忍违背琴恩的想法，如今琴恩已不在人间，何必留下来呢？他情愿老死在丛林中，永远向文明社会告别。

泰山这一次所走的路，所去的地方，恐怕是从来没有人走过的。泰山并不害怕，反而觉得这种探险味的生活很有趣。泰山的性格本来就足够勇敢，他总觉得既然生为一个人，就应该走遍全球，当然要敢为天下先。他这一段路上主要问题不过是食物和水，这些事在泰山看来根本是小菜一碟。从小生长在丛林里，什么问题他没有遇到过呢？在他的记忆里还没有什么事把他难倒过，大不了受点伤罢了。

泰山进入森林的最初几天比较顺利，随时随地都能找到食物和水。因此他一路缓缓走来,有时打猎,有时钓鱼,有时在林中的动物群中重新称王称霸。那些小猴儿们和泰山最要好,有什么新情况都会来向他报告,譬如前面有了蛇或别的什么东西。泰山想找大猿,就向小猴儿们打听消息,它们告诉他,这里大猿很少,大猿们趁着这个季节,都到北方猎食去了。

其中有一个非常调皮的小猴,它歪着脑袋向泰山提出了一个问题:"这里没有大猿,可是猩猩很多,你愿意去找猩猩吗?"

这只小猴之所以这样问,是带着一种挑衅和鄙薄的意思的。泰山多年生活在兽群中,他知道,在猴子眼里,林中所有的动物都怕猩猩。泰山听了小猴的问话,当然明白它的意思,于是昂首挺胸,高举起拳头来,大声说道:"我是泰山,泰山在儿童时代就杀死过猩猩,猩猩有什么可怕的?不过,泰山和大猿才是朋友,所以不愿意去找猩猩。如果猩猩敢来找我,泰山当然会杀死它的。"

丛林里动物的脑筋本来就简单,它们听泰山这样一说,不由得都对他肃然起敬起来。从此以后,只要有一点关于大猿的消息,它们都争先恐后地来向泰山报告。

有一天,突然有一只小猴又来报告大猿的消息了。它举起棕色的小毛手,先指指北方,然后又指指西方和南方,说:"大猿们是到那边和那边去的,因为那些地方有较多的食物。可是,要到那里去,必须经过一大片平原,平原上却没有食物,也找不到水喝。"

泰山听了小猴说的这个消息后想了一想,他知道大猿都比较懒惰,自己要追,一定能追得上它们。但泰山不想沿着有水有食物的路走,因为那样必须兜一个大圈子,他决心跨过荒原直接到那里去,这样就可以减少三分之二的路程。于是泰山开始向西走,越过一座小山之后,向下一看,前面果然是一片干旱的荒原,一点草都没有,往远处看,荒原的尽头才是高山峻岭。泰山猜大猿们一定在高山后面生活着。他想,在越过荒原高山找到大猿之前,不如在这儿逗留几天,再到儿童时代游玩过的地方和父亲亲手建的海滩小屋里去看看。泰山筹划着:到了那里,在海滩小屋的旁边,再建一座仓库,囤积一些食物,以备找不到食物的时候用。这些计划当然不是大猿们能想得到的。泰山还希望,如果能找到自己从小就生长于其中的大猿群,自己或许还可以恢复王位,如果能那样,他就把从人类那里学来的知识都教给大猿。只是怕大猿缺少恒心,对稍微复杂点的知识浅尝辄止,过不了几天,就不想再学了。

泰山踏上那片荒原后感到路很难走。脚下尽是硌脚的石头或极细的沙尘,一脚踏下去,灰尘就飞扬起来,不但弄得自己浑身是土,有时甚至连眼睛也睁不开,他想,这大概就是人们常说的石戈壁吧!石戈壁上的阳光似乎也特别厉害,天上一片云都没有,太阳火辣辣的,久居山林的泰山也有点经受不住了。

泰山在荒原上走了一天,望望远处的高山峻岭,它们似乎还和早晨看见时一样远,他想起了人们常说的"望山跑死马",这话确实从生活实践中来。一路上根本找不到食物,只有一只兀鹰在天空中飞翔着,忽远忽近地追随着泰山。

一天中,泰山一点食物也没吃,一滴水也没找到,到了夜晚就觉得浑身无力了。他原想趁着夜色赶路,现在看来已经办不到,便躺在地上休息。泰山本来是很喜欢非洲的,因为他从小生长在这里,也到过著名的撒哈拉大沙漠,但今天走的这种干旱的荒原，他还从未遇见过。不过，无论如何，泰山不会灰心，他没有知难而退的想法。他又渴又饿，一夜都没睡好，一直等到天亮。这一天，他已经攀登到第八座悬崖了，它比昨天经过的还要险峻，下面是深谷。若不是在饥渴状态下，泰山走过去不成问题，现在他不得不考虑自己的体力，有点踌躇起来。

泰山并不怕死，自从知道琴恩死了，他甚至有过自杀的念头，幸而他素来性格好强，很快就打消了这个想法。他遇到危难的时候，一贯是勇往直前，想法战胜困难。现在之所以犹豫，不是因为畏惧什么，而是为前途打算。

突然有一个黑影从他面前掠过，泰山抬头一看，原来那只兀鹫还在跟着自己。泰山看它在自己头上不住地盘旋，不禁有些恼怒，猛地站起身来，走到悬崖边，抬起头对着那只兀鹫发出了一声长啸，高声喝道："我是泰山，是林中之王，人猿泰山不是让你啄来吃的。快到别的地方找腐肉吃吧！泰山决不会把他的身体留在这个深山绝谷里，留给你这老兀鹫。快给我走开！"

泰山走下悬崖，过了深谷，迎面又有一堵峭壁挡住去路。现在他想攀登上去，却实在没有气力了。他又急又气地咆哮了一阵。日光照不到峭壁上，他休息了约一个小时，觉得四周黑黝黝、阴沉沉的，好像置身于墓穴里。泰山沉默着，稍感晕眩，他想这样躺下去不是个办法，就勉强挣扎着站起来，活动活动四肢，心里对自己说："我不是人猿泰山吗？是的！人猿泰山的英名可不能丢失在这里！"

他往前走了几步，看见峭壁脚下似乎有一样东西，看上去不像是峭壁凸出来的地方，与石头有些不同，十分刺眼，东边峭壁上的夕辉返照在上面,它又似乎是一块奇形怪状的山石。泰山走近一看,原来是一副人类的骷髅,上面还留有衣服和装饰品的痕迹。泰山并不感到恐怖,反而因此忘记了自己处境的危险,很有兴趣地研究起这枯骨来。

这人死在这里有多久了呢?他无法知道,更无从了解这人死亡的原因。从骨骼的长短看,这人生前一定很高大,说不定还是一位勇士呢。他身边留有一顶铜盔、一柄长剑、一支古老的火绳枪。泰山边看,边猜测着这位勇士全副武装地深入非洲来做什么。他有过什么样的经历? 当然没法知晓这位英雄的尊姓大名了。衣服的每一寸皮革都被兀鹫吃干净了。在一只手骨的下面,泰山捡到一只约八英寸长、二英寸宽的金属圆筒,虽然久经风雨,幸而还没有损坏。泰山把圆筒打开一看,里面竟有一小卷年代久远的纸张。纸张已经变黄变脆,上面还写着许多字。泰山辨认了一阵,好像是西班牙文,泰山并不认识,大概是什么秘密文件吧?只有最后一页,是手绘的一张简单的图,上面还标着许多符号,泰山端详了一阵,一点也不懂这张图的意思。他认为对自己可能没什么价值,就随手丢在一边了。忽然,他又觉得自己这样做似乎不妥,于是把那卷纸重新拾起来,照原样卷好,仍装入圆筒内。他想,如今自己处在这个险恶的环境里,是生是死,很难预料,会不会也身不由己地倒下来和这具枯骨做伴呢? 若真如此,也许过了若干年之后有人再到这里来,在自己的遗骨边发现这个圆筒,他会不会拿给考古学家去考证?想到这里,泰山不禁哑然失笑。

泰山又看了骷髅一眼,还是决定不留下来陪伴它。他开始爬峭壁,爬了几次,几次都滑下来。挣扎着起来再爬,用了很长时间,终于爬到了峭壁上。这时,他的精力几乎已经用尽,甚至神志都有点模糊。他颤巍巍地直起身来,两腿都在发抖,但他知道,为了活命,必须继续往上爬。回头望望荒原那边的高山,它们在太阳的余辉中直立着,似乎离自己并不远。他知道越过了脚下这重山,下到那边山下,就到大猿们居住的地方了。他只希望前面的路好走些,不要再遇见荒山深谷,不然,自己这条命真要送在这里。那只兀鹫还在他头顶的空中盘旋着,一直不罢休地追随着他,而且越飞越低,仿佛知道泰山的精力快用完了,只等他一倒下,就扑过来啄食。

泰山几天没有喝水,又在烈日下暴晒,嘴唇都干得要起泡了,但他仍发出嘶哑的咆哮声,努力一步一步往前走。他浑身都在疼痛,由于虚弱,心脏跳动的声音似乎都能感觉到。他完全凭着毅力挣扎着,向上爬,向上爬,向上爬!最后,他还从精神上鼓励自己,把悬崖看作德国人,他们曾经杀过自己的家人。他用这个办法激起报仇的怒火,鞭策自己无论如何也要爬上去。最后,他攀登悬崖的动作都几乎成了机械性的了。

泰山就这样极艰难地向上爬着,他的精力像将要耗尽油的灯一样,时刻都有熄灭的可能。最后,总算爬上崖顶了,他也仿佛用尽了气力,被一块石头绊了一下,就倒在地上一动不动。那只兀鹫鼓动着巨大的双翼,想飞下来啄他。泰山努力翻过身来,面向天空,看着那兀鹫,自己问自己:"难道我真的快死了吗?就这样喂了兀鹫?"他又鼓励自己说,"不!不能就这样死去,我必须活着找到大猿们!"

忽然,他灵机一动,想出了一个攫取食物的办法,他那肿胀的嘴唇上露出一丝狡猾的笑。他躺在地上,闭上眼睛,用手护住眼部,专等兀鹫飞下来,但决不能让它啄伤自己的眼睛。他就这样一点不动弹,等待着机会。这时,浮云正好遮蔽了阳光,泰山乏极了,真想睡去,但几次都在警告自己:决不能睡!若真睡过去,就没有命了。他就这样一动不动,装作睡熟的样子,全身的肌肉却在随时准备着拼命的一搏。那兀鹫真以为泰山已经死了,就徐徐地向低处飞,渐渐地飞近,飞近,眼看就要靠着泰山了。泰山为了这一搏能成功,耐住性子等着,他心里明白,这次出手可就是你死我活呀!

　　那兀鹫警惕性也非常高,并不大胆地立刻飞下来,有几次几乎落到泰山胸前了,却又飞了开去,幸而泰山没有过早动手。它最后一次飞下来时,似乎认为试了几次,已经有把握了,于是胆大起来。它刚飞近泰山护住眼睛的手臂,泰山就用闪电一样快的动作,把兀鹫的利爪抓住了。

　　任凭兀鹫用多大力量挣扎,它到底没有泰山的力气大,不多一会儿,泰山的牙齿已经咬住了兀鹫的喉咙,结果,鸟肉帮他解决了饥饿的问题,鸟血让他不再口渴。泰山没舍得一口气都吃完,还留了一些,到后面的路上找不到食物时再吃。吃完兀鹫之后,泰山觉得舒服多了,他现在最需要的就是睡觉,以恢复体力,于是他躺下身去,真的睡着了。

　　究竟睡了多长时间,泰山自己也不知道。只觉得有几点水滴在他脸上,他这才惊醒过来,原来是下雨了。泰山用手接了点水润润喉咙。虽然那雨水只有一点儿,但是口腔和喉咙马上觉得湿

泰山用闪电一样的动作把兀鹰的利爪抓住了。

润多了。有兀鹫的肉、血、少许的雨水，加上一场熟睡，泰山已经恢复了精力，又和平时一样了。泰山低头看看悬崖，自己到底一步步征服了它，虽然这时天色渐暗，阳光早已散尽，但他觉得天朗气清，似乎一切都是明亮的，自己这条命算保住了！

泰山又吃了几口鸟肉，振作起精神，开始冒雨下山。下山的路并不像上山时那样难，天黑之前他就到达了山麓。这时雨刚刚停住，乌云还没散去，不便于认路，所以泰山在山下找个地方睡下，临睡之前，把所剩的鸟肉吃完。一直睡到第二天早晨，遍地阳光明媚动人，他才醒过来。

这时他看清楚了，这边山下和东边大不相同，原来是一个秀丽的山谷，中间还有好几棵大树，丛林之中一条河流弯弯曲曲，而且整个山谷面积很大，在更远的地方还有高山，山顶是白皑皑的积雪。风景这么美丽的好地方，这么肥美的水草，连泰山都很少见到。他把整个山谷大致巡视了一遍，这里似乎没有人的足迹。

八
泰山和大猿

泰山在这个丰美的山谷里休息了三天,彻底恢复了体力。他摘些树上的鲜果,猎些小野兽来充饥,到了第四天才出发去寻找大猿。现在,泰山对于时间并不太注意了,荒野本来和文明社会就不一样,他现在既已摆脱了一切束缚,和那社会没有关系了,当然就没有必要按照文明人的方式生活。现在他可以十分逍遥自在地独来独往。林中的动物非常多,其中虽然也有凶猛的,但绝大多数可以当作朋友。

泰山走到第四天,闻到了一股浓厚的黑人气味。他还嗅出其中夹杂着一个白种女人的气味。泰山为了很快追上去,就跳上树,向气味浓的方向直奔而去。泰山知道人类的视觉、嗅觉、听觉远比动物迟钝,不临近他们身边,他们是不会发现的。今天他追的是人,就不必像往日追捕野兽那样,要绕着大圈子往下风向躲,人类绝不可能有动物那么灵敏,泰山完全可以放心大胆。

没多久,泰山就追上这群人了。他藏在一棵大树上,向下望去,看见一大群不成队形、秩序凌乱的黑人正从树下经过。他们有的人还穿着德国军装,泰山看得出来,这种制作很粗的军装是德军专门给从非洲土著人中抓来当兵的人穿的。这些人的军装已经不完整了,有人上衣是军装,有人裤子是军装。队伍中间还有许多黑人妇女,她们似乎有点讨好这些士兵,为了不让他们欺侮自己,勉强和他们说笑。再看那些士兵,拿着的都是德国的枪支。整个队伍里面却没有一个白人军官。这当然引起了泰山的猜测,这样的一支队伍到底是怎么回事呢?泰山又仔细观察了一阵,见这支队伍还是有指挥的,那人也是当地的土著兵。泰山想,他们原来一定是德军的一支小队伍,可能发生过哗变,白人军官虐待他们太厉害,被他们杀掉,因此他们带着军械,穿着残缺不全的军装逃到丛林里来了。至于队伍中那些黑人妇女不会是这支队伍中原有的人,大概是士兵们逃出来之后从当地村落中抢来的。他们很可能想在这一带找个适当的地方定居下来,仗着有些武器,干点杀人越货的勾当,就在这里以打劫为生。

泰山特别注意到,在队伍里,两个黑女人中间,有一个身材纤细的白人姑娘。她穿着骑马装,但衣服已经被扯得粉碎,帽子和外套也都没有了。那两个黑女人还时不时地大声喝斥她。泰山仔细一看,原来是他放跑了的德国女间谍奇翠儿!自己本来也想杀掉这个女特务,不想一时不忍放了她,现在她落到这群黑人手里,也活该受点罪。泰山毕竟受过文明社会的熏陶,又和琴恩共同生活了那么长时间,他当然不愿意亲手杀死一个妇女,如果这样做,他认为是以强凌弱,是不应该的。

现在她受人摆布,这也是间谍的应得下场,可以说是咎由自取,没必要去救她。所以,泰山就在树上看着黑人们把奇翠儿押走,他并不想去惊动他们。其中有一个黑人因为想方便一下,离开了队伍,等他再出来,已经跟大队拉开了相当的距离。泰山看这人的面貌,很像从前孟格村酋长的儿子库龙格,而库龙格正是当年杀死泰山养母卡拉的人。泰山脑子里不由起了复仇的念头。泰山在树上不声不响,事先把草绳绾好一个活结,等着下手的机会。看他走到树下,泰山就把草绳扔出去,正好套在那黑人的颈项上。黑人被突然袭击吓了一跳,立刻惊叫起来,这一声惊动了前边大队的人,他们都回过头来看到底发生了什么事。只见他像飞起来了一样,越来越往上去,手脚都乱动着,已经到了半空中。

黑人们被这意想不到的景象吓呆了。其中一个叫乌三格的士官下令派几个人去看看到底怎么了,这些人带着武器包围了大树。乌三格向上面呼喊着那个黑人的名字,叫了好几声,不但没听到答应,也看不见树上有什么动静。五十多个黑人亲眼看到自己的伙伴飞上了这棵树。有一个黑人说:"让我上树去看看。"他爬上树去,找了一阵,下来报告说,树上什么东西也没有。

这下,所有的黑人都害怕起来,胆战心惊地继续往前走,整个队伍似乎被一种恐怖气氛笼罩着,再也没有谈笑的声音了。大约走过一英里路,忽然有一个黑人高兴地叫起来,对后面的伙伴说,他看见刚才失踪的那个黑人正躲在前面的树上等着大家呢,他说他已经瞧见那个人的脸了。大家听他这样说,就加紧脚步往前走,先赶到树底下的人喊着那人的名字,叫他下来,谁知他一动也不动,像没听见一样。这些人惊异地睁大眼睛,先向周围看了一遍,唯恐那里藏着什么可怕的东西会猛然跳出来。等了一阵,看看没有危险,大家才走到树跟前,仔细去看。原来那个失踪的黑人已经没有了身子,只剩一颗脑袋,卡在树枝中间,仿佛在向前窥探的样子。所有的黑人都几乎吓得半死,大气也不敢出。

只见他手脚乱动着，已经到了半空中。

大家暗想，这次出行不知冒犯了林子里的什么神，所以都主张从原路退回去，免得再招致什么祸患。但是乌三格不同意，主张继续往前走，因为他知道退回去也没有活路，德军对于逃兵的处置十分严酷，若被他们捉到，等于去送死。最后大家想了想，乌三格的话也有道理，只好壮着胆子跟着他继续往前走。

　　就像儿童刚挨完打，泪珠还在脸上挂着，一会儿就会笑出来一样，没走半个小时，他们已经忘了刚才的恐怖，又说说笑笑起来。哪知他们才平静下来，又一个惊恐接踵而至，在前面的路上，竟横躺着那个失踪伙伴的尸体！他们又惊叫起来，无论如何也弄不明白这到底是怎么一回事。这使他们吓得战栗着，大白天都会发生这种杀人的事，如果到了黑夜，鬼知道还会有什么可怕的情景。他们都认为丛林不是可以久留的地方，假如再待下去，说不定大家都会死在这里呢！

　　奇翠儿看了心里也觉得害怕，但她与黑人们的想法不同，因为现在她处于俘虏的地位，说不定将来会受到什么样的凌辱和残害，如今假使能意外而干脆地死了，倒也不见得是坏事。自从被俘以来，她已经受了不少虐待，多亏有那些黑人女子总在身边，总算没有玷污了清白之身。黑人男子中最不怀好意的就是乌三格，幸而他的妻子也在这一群人里，她非常凶悍，连乌三格都怕她。乌三格做什么事非得征得她的同意不可。虽然她对奇翠儿也很凶狠，但也多亏有她在旁边，乌三格才不敢胆大妄为，奇翠儿暗地里拿乌三格的老婆当了护身符。

　　快天黑的时候，在他们走的丛林边上，一条河流的旁边，出现了一个小村落。隔着栅栏望去，村子里有很多茅屋，栅栏外还有一片广场。村里的黑人听村外有声音，都跑到栅栏边来看热闹，乌三格带着两个黑武士要求见酋长。原本他们想用武力强占这个村子，但经过泰山神神鬼鬼的一番折腾，他们惊慌失措，胆子也小了。乌三格要探问的第一件事就是这个村子里的人们和丛林里的神有没有来往，如果有，就必须小心三分，不能造次。

乌三格和酋长互谈条件，酋长说他村里有很多食品，但必须用枪支子弹和衣服来换，这使乌三格大失所望，自己这支队伍哪里有多余的武器给别人呢？他窝了一肚子火，恨不得马上攻打这个村子。幸而村里有人建议，劝酋长让他们在这里借宿一夜，第二天全队人马出去打猎，猎获的动物全部交给酋长作为酬谢。双方把条件谈妥之后，酋长立即命村里人腾出一部分茅屋，暂借给他们过夜。他们双方讨价还价足足磨蹭了一个多钟头，这种交易办法在非洲土著人当中已经成了习惯，彼此都觉得不吃亏了便成交。谈判结束，乌三格才整顿自己的队伍，鱼贯进村，有意让村里人看看他的队伍是有秩序的。

乌三格对女俘虏奇翠儿始终不怀好意，这个鲜艳嫩脆的苹果如果不尝到口，他怎能甘心呢？进村之后，他有意把奇翠儿一个人留在靠近栅栏的一间小茅屋里，正好在村子街道的尽头，没有捆绑她，也没特别派人看守。乌三格把她送进这间茅屋时，曾警告过她："我不用绳子捆你，在这个小屋里，我给你完全的自由，你要是不知好歹，私自逃跑，到了林子里，遇见了狮子和猎豹，只有当它们的口粮，你自己掂量着！"

临走，他又转回身，对奇翠儿嬉皮笑脸地说："你应该放聪明点，好好伺候我乌三格，我决不会伤害你的。今夜，等大家都睡了,我到这小屋来找你,咱俩的交情就从这儿开始吧!"

奇翠儿等乌三格走了之后,越想越害怕,看来,今夜这一关不好过了!她也想过逃跑,可是她又觉得乌三格的话不无道理,自己孤身跑出去,若真遇到猛兽,还真是难以活命,上一次不是碰见过狮子吗?幸亏泰山救了自己,这次逃出去,若再遇险,恐怕就没人来救了。她想起乌三格临走时说的话,不觉浑身都战栗起来,独自坐在茅屋的地上,用手捂着脸,简直无计可施。她明白,乌三格不派人来看守她是别有用心的,也说明他下决心要糟蹋自己!她想来想去,只有一个人能为她解围,那就是乌三格的老婆。乌三格要干这件事,他的妻子知不知道?她想,这个黑女人平时很泼,而且多疑,她丈夫有什么坏心思,她不会察觉不到。奇翠儿想来想去,只有她来,才能救自己。可是,该用什么办法,让她知道今夜要出事呢?

她忽然想起,泰山杀施奈德那天晚上,自己从施奈德身上取到一卷文件,至今还在自己身边。现在,她就把它从内衣里掏出来,心里乱纷纷的,自己费尽千辛万苦,总算尽到职责,可是这份材料却不能呈交到总部去,真是太可惜了!如今,自身都难保,这卷东西放在身边还有什么用处?欲待撕碎,她又觉得舍不得,于是握在手里,一筹莫展。

那些黑人士兵似乎都忘记了小屋里还有个女俘虏,没有一个人到小屋里来过,也没有人给她送食物和水。她从自己的小屋中完全能听到其他茅屋里的谈笑声,他们咀嚼食物和痛饮土制啤酒的欢快的声音也清清楚楚。奇翠儿心里非常凄凉,自己孤苦伶仃,被困在这非洲中部的蛮村里,只有自己这么一个白种女子,即使今夜侥幸闯过去,未来面对的还不知是什么样的危险。她只希望那些士兵,连同乌三格,都喝个烂醉如泥、人事不知,这样,她或许可以苟安一夜。

奇翠儿一直提心吊胆地等到天黑,始终没有人来过。她非常害怕乌三格真照他说的半夜里来找她。她想,与其坐以待毙,不如争取主动,自己去找乌三格的妻子纳拉图。她探头看了看,茅屋外恰好一个人也没有,于是就大着胆子向村子里的街道走去。村民和士兵们都围坐在火堆前,有几个士兵喝酒喝得高兴,脱去衣服在那儿跳舞。旁观的人都在狼吞虎咽地抢着吃肉喝酒,好像都忘乎所以了。

奇翠儿从黑暗中渐渐走近火堆,没想到被一个黑女人看见了,她扑过来要打奇翠儿。幸亏有一个黑武士出来把那黑女人挡住,他说:"士官吩咐过,只许看住她,不准伤害她。"那黑女人只好罢手。乌三格这时也看见奇翠儿了,就笑嘻嘻地走过来问她:"你要什么?要吃的喝的东西吗?跟我来!"

奇翠儿大声喊道:"不是!我要找纳拉图!纳拉图在哪里?"

乌三格一听这句话,着实吃了一惊。幸而纳拉图没在附近,他赶紧命令士兵把奇翠儿送回茅屋去,并严加看管。士兵们拿了一壶啤酒,叫奇翠儿在前边走,把她送进茅屋之后,他们就坐在茅屋前面的地上喝起啤酒来了。

奇翠儿坐在茅屋的角落里,心里七上八下,根本没有心思睡觉,一心只在盘算怎样才能逃出险境。大约半个钟头之后,有一个看守她的黑武士喝得醉醺醺地走进屋来,把他的短刀倚在墙上,靠着奇翠儿坐下来,和她闲聊。

过一会儿，那黑武士竟伸出胳臂来要搂她，她使劲推开他，大叫起来："别胡闹!你要再胡来，我去告诉乌三格，他决不会饶你!你快给我出去!"

那黑人士兵似乎真的醉了，舌头都短了，只会狂笑着，又伸过手来搂抱奇翠儿。奇翠儿拼命地挣扎着、喊叫着，这时，另一个男人从黑暗中闪进茅屋里来，大声喝斥道："谁在这里?要干什么?"奇翠儿从声音就听出来进来的是乌三格。这时候他来似乎能解燃眉之急，但她明明知道，乌三格对自己同样不怀好意，不啻于赶走了狼，又来了虎。她知道要制伏乌三格，只有找他老婆来。

乌三格走进茅屋，一看这情况就急了，自己准备享用的玩物，岂能容别人染指呢?他狠狠地一脚把黑人士兵踢出屋去。奇翠儿却没有因此得到平安，她必须对付这第二个想要凌辱自己的人，同时她也知道，对付乌三格比对付那个黑人士兵更难。这时乌三格已经醉得踉踉跄跄的，奇翠儿几次躲闪，他还是不断地追过来，茅屋只有那么大，实在没地方躲了，奇翠儿就使足了劲推他。乌三格本来已站立不稳，有两次竟被奇翠儿推倒在地。乌三格十分生气，从地上爬起来，一下扑过去，伸出有力的手臂死死搂住了奇翠儿。奇翠儿见情况危急了，只好动武，拳脚齐来，对他乱打一阵，一边打，一边还用纳拉图的名字吓唬他。乌三格见来硬的不成，就改用软的一招，想出各种温柔的话来哄骗她。哄了半天，见奇翠儿不吃这一套，只得又改用武力来压服。不料那个被踢出去的黑人士兵跑出去报告了纳拉图，纳拉图马上火冒三丈，风风火火地就赶来了。一看乌三格在纠缠奇翠儿，纳拉图立刻抓住他猛打，乌三格见到老婆，只好往外逃，纳拉图不肯放过他,还是追着打。

奇翠儿听着他俩吵闹的声音渐渐远去,刚刚放下心来,却没想到刚才被乌三格踢出去的那个黑人士兵又趁机溜进屋来。他嬉皮笑脸地蹿到奇翠儿面前说:"这里现在可没人管了,谁还会来打扰?来吧!白女人!"

再说人猿泰山,他杀死了那个酷似库龙格的黑人士兵之后,又吃饱了鹿肉,按道理说,他远离了尘嚣,回到神往已久的森林故地,总该心安理得了。可是刚才看见的黑人摧残奇翠儿的种种惨状总在他眼前晃动,弄得他心绪不宁,怎么也不能把这些从脑海里完全抹掉。他问自己:她不是个德国间谍吗?那么就是仇人了,既然如此,尽管她也是白种人,又何必怜悯她呢?泰山怎么也想不出该去搭救奇翠儿的理由,但心里总隐隐觉得不忍。他又想:在威廉镇,自己放了那个女间谍,事后不是很后悔吗?那么,为什么还想去救她呢?不!不能去,也不该去!

入夜了,泰山还是矛盾着,说不出个道理来。他跳上树去,打算睡觉。但是,他怎么也睡不着,一闭上眼睛,仿佛就看见一个白种女人在被黑人毒打,又仿佛看见许多黑人士兵在黑暗中凌辱她。泰山想着想着,实在忍不下去了,于是腾身而起,从树的枝叶上跳着往前飞奔,去寻找乌三格率领的队伍经过的路。奔了一会儿,果然被他嗅到了气味,泰山知道自己已经找到他们了,他跳下树来,轻轻翻过栅栏,潜入这个蛮人村落。

他跳进村后,顺着路一间间茅屋嗅过去,一直嗅到路尽头的一间小房子里,这里有白种女人的气味。这时候,恰好黑人士兵们都酒足饭饱,预备回各自的茅屋睡觉了。虽然没有一个人发现泰山，但他为了不暴露自己，还是不发出一点声音。

泰山走到小房子前，侧耳听了听，里面没有任何声音，好像连呼吸声都没有，但是泰山从气味中断定有白种女人在屋里。他于是进了茅屋，站了一会儿，还是没有声音，好像里面根本没有人一样。泰山不觉疑惑起来。自己必须谨慎从事，弄清了情况，再采取行动。他的眼睛渐渐适应了小茅屋的黑暗，已经能看清楚东西了，他仿佛见到地上有一个人躺在那里不动。走到近处一看，原来是一具黑人士兵的尸体，胸口上插着一柄短刀，仰卧在地上。泰山嗅了嗅刀柄，微笑一下，他对这里发生的事已经了如指掌。

泰山知道奇翠儿杀了黑人士兵逃走了，他点点头，觉得很满意。但他还没有立刻想到，奇翠儿如果逃入丛林，对她来说更危险。而对泰山来说，在丛林中过夜，和在伦敦或巴黎过夜一样安全。泰山又重新跳上树去，走到村子的栅栏外面，这时万籁俱寂，泰山却隐隐听到一阵咚咚声，这可是泰山童年时代极为熟悉的声音呀!久违了，这欢乐的声音。泰山此时忘却了一切烦恼，只觉心地澄明，他含着幸福的微笑，站在树顶，静静倾听着，像在欣赏最美的音乐。听了一阵之后，他昂起头，发出一声大猿的长啸，向发出咚咚声的地方奔去。这一声长啸却把村中的黑人士兵们都吓醒了，他们马上跑出茅屋，看自己的村寨里发生了什么事。最后他们发现女俘房奇翠儿失踪了，有一个黑武士在她的小茅屋里被杀死，他们都非常惊慌，这件事引起了种种的猜测。

这时候奇翠儿正满心惊惶地在丛林中奔跑着，希望更快地离蛮村远些。跑得越远，他们把自己捉回去的可能性越小。至于究竟要逃到哪里去,连她自己也说不清。这一夜,似乎上帝可怜她,她竟没有碰到猛兽。一直走了几个小时之后,听见前边隐隐有咆哮声,奇翠儿怕有危险,马上爬到一棵树上去。据她估计,黑人不大会捉到她了,现在对她有威胁的是林中的猛兽。

她在树上找一个合适的地方坐下来,向下一看,对面有一块空场。明亮如银的月光正照在空场上,能见度非常好,她看见二十多个像人一样但比人更高大的大猿,都用前爪支撑着站在那里。月光照着它们身上的长毛,竟是闪闪发亮的,她觉得挺好看。

几分钟之后,又陆陆续续来了一些大猿,有成群结队来的,也有单独来的,她略数了数,共有五十多个。在有些母猿的肩上,还伏着些小猿。等了一阵,大猿们似乎都到齐了,他们自动地围成一个圆形,在场子中坐下。其中有三只老母猿不知从哪里拿出三根很粗的短木棒,击着中间的一个鼓形的东西,居然也发出咚咚的声音,在这野外,鼓声能传出很远。奇翠儿从来没见过这个场面,也不知他们要干什么,就好奇地看下去。只见大猿随着鼓声,站起来踏着拍子,身体一高一矮地像波浪一样起伏,样子有点像人类的舞蹈,可是动作要简单笨拙得多。

奇翠儿看他们跳着跳着,慢慢分成两圈,外圈是母猿和小猿,里圈是高大的雄猿。当外圈的大猿停止跳跃的时候,里圈的大猿便跟着鼓声,向四周转着走。奇翠儿看得很出神,兴味盎然。正在这时候,从她逃来的那个方向忽然传来一声尖锐而悠长的叫啸。大猿们这时也听见了,忽然都停止了动作,连鼓声也停了,他们都在静静地听着,过了一会儿,竟不见再有什么动静。其中有一个顶高大的大猿昂起头来,也回应了同样的一声。奇翠儿在这夜晚的丛林里,听到这样两声凄厉的叫啸,觉得非常可怕,她想,自己最好缩在树上,可千万别被他们发现。

停了一阵之后,鼓声又响了起来,大猿仍继续跳跃着。奇翠儿想到自己藏身的地方恰是枝叶茂密,只要小心点,不发出声音来,就不会被大猿们发现。看他们这个场面、这些举动,她虽没有见过,但也看出像是在举行什么庆祝会。她伸手到内衣里摸摸文件,文件并没有遗失,还好好地在那里,于是她放了心,打算索性把这场从未见过的戏看到底。

大约过了半个小时,那个最高大的大猿跳到场子中央去,别的大猿都自动退到四边去了。它独自一个前俯后仰地咆哮跳跃了一阵,后来又对着月亮大叫了一声。原来,这是大猿挑战的表示,奇翠儿当然不知道,仍旧当作一个节目看。她正看得莫名其妙,意外地听见自己身后又传来一声像刚才一样凄厉的吼叫,紧接着,一个半裸白人从附近的树下也跳到空场中间。

大猿们一见来了生人,马上骚乱起来,都对跳出来的人张牙舞爪,向他示威。奇翠儿吓得屏住了呼吸,她心想这个人真是疯了,他一个人怎么能抵抗得了五十多个大猿呢?这不是来送死吗?她看他并没有害怕的样子,一直走到大猿群中。她觉得这个人似乎是见过的,借着月光仔细一辨认,好像就是在克劳特将军的司令部里抓走了施奈德少校的人,也就是曾经从狮子嘴里救过自己,然后又被自己用枪柄打晕了的人,还是在威廉镇旅馆内,杀了施奈德营长,最后开恩放自己一条活命的人。

奇翠儿又好奇又害怕地看着,只见他泰然自若地走到大猿中间,听他也在那里咆哮着,声音竟和大猿一样。若不是她耳闻目睹,她怎么也无法相信,他明明是个人,还和自己说过话,现在,怎么会从他的喉咙里发出这种声音来呢?

奇翠儿继续看着他,只见泰山走到外圈的母猿处站住了,竟用一种咕噜咕噜的自己听不懂的语言对母猿说起话来。奇翠儿当然不知道,泰山用的是猿语,他在向母猿们说:"我是人猿泰山,属于另外一个族群。我不是来侵犯你们的,你们愿意接纳我这个成员吗?还是非要打一架?一切都听你们的。现在,泰山要找你们的王。"

说着,他拨开母猿和小猿,走到圆场中间:"我是泰山,泰山也要参加兄弟们的庆祝会,和你们一起跳登登舞。你们的王在哪里?"

泰山说着,仍不停步地一直向前走,奇翠儿藏在树上,心跳得咚咚响,她以为一场流血的惨剧就要发生了。她怕大猿们一拥而上,把泰山撕个粉碎。她瞪大了眼睛,目不转睛地看着,只见泰山推开张牙舞爪的猿群,走到最高大的雄猿面前,对它说:"我是人猿泰山,我来这里是想加入这个族群,和兄弟们一起住,我愿意和你们和和气气地相处,决没有冒犯的意思。如果你们不肯收留,泰山愿意和你们任何一个一比高下,总之,泰山已经来了,就一定要住下来。你们这里既在举行庆典,泰山愿意和兄弟们一起跳登登舞。"

那高大的猿王说:"我是苟赖特,大猿之王。我要跟你打!打!打!"

奇翠儿在树上神情专注地看着,她分明看见那猿王猛然扑上来时,泰山并没有准备,似乎一定会被猿王扑倒。没想到猿王刚一近身，他便用几乎像闪电一样快的动作伸出右手，把猿王的左臂抓住，只轻轻一拧，就把猿王的右臂也抓在自己的右手里了。原来，这是泰山从文明社会里学来的东洋武术，这样，他很容易拧断大猿的尺骨，但他停下来了，并不真这样做。

泰山这时又说了一遍："我是人猿泰山，你们到底是愿意和泰山一起跳舞呢？还是非要和泰山打架？"

猿王苟赖特高声喊道："我坚决要打！打到底！不分个输赢，决不罢手！"

泰山听了，很快一用力，轻而易举地把猿王摔倒在地上，他又大声问："我是泰山，大猿之王！你愿意讲和呢？还是要打？"

苟赖特暴怒了，挣扎着站起来，高声吼道："打！"

泰山又把它重重地摔了一下，这次猿王跌到地上，有点喘不过气来了。泰山又说："我是人猿泰山，我是来和你们一起跳登登舞的。"那些母猿看这场精彩的决斗看得太出神了，连打鼓都忘了。泰山于是指挥着母猿敲鼓，鼓声才响，苟赖特也爬了起来，泰山又逼近它身边问道："我是人猿泰山！你到底愿意让泰山和兄弟们一起跳登登舞呢？还是要继续打？"

苟赖特睁着血红的眼睛看着泰山，说："我认输了，人猿泰山可以和兄弟们跳登登舞，我苟赖特和泰山一同跳舞。"

奇翠儿看泰山和大猿一起跳起了舞，他跳舞的野蛮劲比大猿更可怕。她只顾专注地看前面这个从未见过的场面，却没注意到自己身后闪着一对黄绿色的眼睛，有什么在慢慢地靠近她。原来一头猎豹已悄悄地爬上树来，要从背后抓奇翠儿。

等奇翠儿听到声音，回头一看，这下可真差点把她吓死，她发现自己已经没有退路了,只好拼死跳到圆场上,把自己暴露在大猿们面前。大猿们一看,在月光下,不知从哪儿掉下这么个人来,它们都停止了跳舞,围过来看她。树上的猎豹看这里有这么一大群大猿,也不敢去惹它们,只好悄悄地回丛林去了。别说是一头猎豹,就是一头狮子,在这么一大群大猿面前,也是不敢轻易冒犯的。

泰山和其他大猿一起转过头来,看这个从树上跳下来的人,他认出是跟自己打过交道的德国间谍奇翠儿。他想,这次可不用自己动手,奇翠儿一定会死在大猿手里了。可他又有点不忍,自己和奇翠儿到底都是白种人,看着能服从自己指挥的一群大猿把她撕碎了吃掉,自己能不感到惭愧吗?他想了想,觉得还是应该再救她一次。

泰山赶紧趁大猿还没动手,一下子跳到了奇翠儿身边。大猿们突然间不高兴了,觉得泰山不顾大家,自己先抢这送上门来的食品,它们都有些愤愤不平。

泰山连忙说明:"她是泰山的伴侣,大家别伤害她!"泰山知道,现在只有这个办法能保护奇翠儿了,他说这话实在是迫不得已。

为了装得像些,他走过去,搂着奇翠儿的腰,好在奇翠儿不懂猿语,不知他说的是什么。但是用这种方式保护一个敌人让泰山自己也挺矛盾的。

不管怎么说,泰山又救了一次奇翠儿,这样做到底对不对,他也说不出所以然,只好在心里这样为自己辩解:只是个权宜之计罢了,她毕竟是个白种女子,我能见死不救吗?除此之外,我还能有别的办法吗?

九
迫降的侦察机

　　驻扎在东非洲的英军司令部最近听到一个传闻，有一队德军要从西海岸登陆，支援这里的军队。虽说只是传闻，但英军也不敢忽视，因为在作战情况下，传闻时常会变成现实。据估计，如果这部分德军真上了岸，作为援兵，只消十天，最多十二天，就可以到达东部。为此，英军也拿出相应措施，派了一位名叫哈尔罗·珀西·史密斯·奥尔德威克的皇家空军少校，驾机去进行侦察。

　　史密斯少校熟练地驾着侦察机低空向西飞去，一路上仔细侦察着有没有德军的踪迹。地面上是丛林，很不容易发现目标，因此他非常留心地寻找着敌人的伏兵。在他的机翼下，高山、草地、沙漠都一片片地过去了，却始终没有德军的踪影。他想，哪怕找到一点点被德军损坏了、遗弃了的东西也好，譬如破碎的军用卡车、残破的炮车，或扎过帐篷的痕迹，都算是有所收获，可是，没有，什么都没有。他继续向西飞着，到了下午，他看见一片四周有树木的平原，平原中间还有一条河流。他考虑了一下，要不要在这里休息一会儿呢？他决定还是算了，因为机上的汽油还很足，机身也没有什么问题，他完全有把握在天黑之前飞回驻地。

　　他又充满信心地继续向前飞行，突然，出乎意料的事发生了,机身不知出了什么故障,不听他操作,直往下落。他本来飞得就很低,这下可没有回旋余地了。他向东看看,东边有浓密的树林,飞机是不能降落的,他努力顺着河边草地降落下去,总算平安到了地面。史密斯自己会检修飞机,便在这块草地上干起来。

史密斯一边检修飞机,一边哼着歌,这支歌是去年他在伦敦音乐会上听来的,非常流行。如果看他哼歌的那种闲适神情和娴熟稳当的动作,谁都不会以为他独自一人被困在非洲荒野,而好像是在英国的飞机场上呢。

史密斯非常英俊。他长着一头金色的卷曲秀发,眼珠是蓝色的,像晴朗天空的颜色,两颊显得很红润,身材颀长。这套合身的空军军服更显得小伙子帅气、漂亮。

史密斯是个有素养的军人,虽然他神情泰然自若,却并没放松警惕,他不时地向四周扫视着。这时,他一点也不知道,凶险已经埋藏在周围了。原来,在树林里丰茂的草丛后面,正有一群吃人的生番藏在那里,窥伺着他。这群生番有二十多人,看着他从天空降落下来,都觉得十分奇怪,因为这些人从来没见过飞机。但史密斯没有在丛林里工作的经验,一点也没觉察,他向四周扫视,见没有什么兽类,他就专心于检修工作。一直到修理完了,他还试了一两分钟,见确实没有什么毛病,完全可以再飞上天去了,便放下心来,准备抽一支纸烟,休息片刻,就登机飞回。现在,史密斯用轻松悠闲的目光欣赏着风景,他觉得这个地方比英国的公园还美,因为公园人工气太重,这里却是纯天然的,山明水秀,可惜地处荒僻,不然,会成为一个很好的旅游景点。

史密斯抽着烟,走过去欣赏那遍地野花。这些花虽是野生的,无人灌溉管理,却照样长得明艳动人。有一丛特别美丽的花吸引着他走过去看,这丛花生长的地方离他的飞机约有一百米,史密斯恰好被吃人生番宛马宝族的酋长,名叫努玛宝的野蛮黑人看了个清清楚楚。努玛宝认为时机已到,发出一声呐喊,带着他的手下人飞快地向史密斯扑过去。

这位年轻的英国空军完全没有防备,他大吃一惊,抬头一看,只见有二十几个蛮族人向自己冲过来。他们一直飞快地冲到他跟前。史密斯看这形势,这群人是要截断自己通往飞机的路,同时他也明白他们对自己不怀好意,只是不知道围攻自己的意图是什么,该不会是要抢飞机吧?他看这群人都带着长矛和弓箭,虽然自己带着防身手枪,但若交起手来还是会寡不敌众,很难取胜。史密斯在非洲已经住了一段时间,多少懂得一些当地土著人的习性,他想先冷不防用枪打倒一两个,给他们一个下马威,他们或许被吓住,士气涣散。这样一来,蛮族人想要重整队伍、卷土重来,就一定要费相当的时间,必须经过一番叫嚣、狂吼,还要乱蹦乱跳一阵,才能重新振作起来。而自己也许能趁这一段时间冲到飞机那儿去。

史密斯环顾他们,只见努玛宝冲在最前头,似乎是个头头,他不停地吆喝着、指挥着别人。史密斯想,只要把为首的打死,这一群乌合之众多半会作鸟兽散的。于是他对准努玛宝开了一枪,谁知这一枪并没打中努玛宝,却把他身后的一个黑人打倒在地。这些人也并没有因此往树林里逃,反倒向飞机跟前退去了,这给史密斯造成了更大的困难。

史密斯想看他们下一步要干什么。没有人去动飞机,看来,他们似乎还不懂得去抢飞机，只是站在那里，看着史密斯，然后又大声地商量了一阵。史密斯听不懂他们的话。只见一个黑人先跳出来，舞动着长矛，狂喊乱叫着一些野蛮的战歌，其余人也学着他的样子，他们叫出来的声音非常惨厉，非常难听。

他们叫了一阵，冲了一阵，又后退了一下，似乎要看看史密斯有什么反应。见史密斯并没有动，他们第二次冲上来，逼得更近了。史密斯用手枪打倒了一名黑武士，可是自己身上也被他们用长矛刺中了两三下。他知道自己的手枪里只剩五颗子弹，对方的黑武士却还有十八个人，手枪不够保护自己的，史密斯脑子里在不停地想着办法。这帮野蛮人要伤害自己，决不能让他们轻易得逞，即使不能取得胜利，也要他们付出较大的代价。他心里盘算着，黑人那边也在商量对策。不久，黑人改变了阵势，分三路向他夹攻过来。他们似乎也看出史密斯的枪弹打完了，就准备活捉他。这群黑人是吃人的一族，活捉到一个白人，他们又可以美餐一顿，在他们看来，人肉比兽肉好吃得多。

几分钟之后，努玛宝下了活捉史密斯的命令，史密斯虽然还想反抗，但到底人单力弱，立刻被他们打昏了。等他醒过来，发现已经被这些黑人们扛着走向丛林。他想要挣扎，却被捆得动弹不得。

他们在一条狭窄的林间小道上走着，史密斯猜不出他们活捉自己到底是为什么。他看了看周围，这片蛮荒是非洲的腹地，世界大战的消息估计不会传到这里，他们捉自己也决不会是因为从军服上看出自己是一名英国的皇家军官。那么，恐怕是自己不小心，误入他们的辖区，才被活捉。至于要把他扛到哪里去，最后会怎么处置他,他实在猜想不出。

走了半个多小时,史密斯看见一条河边有一块空场,另一边有成排的茅屋,原来这就是蛮村了。黑武士捆一个白人回来,这可是少有的新鲜事,立刻惹得一批妇女小孩哄出来看热闹。她们一拥而上,就要到史密斯身边了,看样子还要动手动脚,幸而努玛宝下了命令,叫武士们赶走妇女和孩子,这才让史密斯免了一顿毒打。他们把史密斯推到一间茅屋前面,史密斯这时才发现村里还有另一批土著士兵,竟穿着不完整的德国军服,样子十分狼狈。说从西海岸开来一些德国军队,恐怕就是这些人了。这时他以为,他的被捉与战争并非无关,看来,他是落到了敌方手里。

史密斯以为自己明白了,苦笑着,他知道自己已入敌手,从这里逃出去的可能性很小,于是也就不再抱着活命的希望,只可惜这意外发现的军事秘密无法报告给英军司令部。

这群穿破旧德军军装的士兵中间有一个特别粗壮的黑人。原来他就是乌三格。他见捉回来的竟是个英国军官,不禁惊叫起来,他原先的一些部下也跟着叫嚷,看样子要跑上去在史密斯身上出出气。

乌三格问努玛宝:"你是在哪里捉到这英国人的? 他们的军队人数多吗?"

努玛宝说:"他是从天上飞下来的,只有他一个人。他在天上骑着一个非常古怪的玩意儿,我们从没见过,样子像一只飞得挺快的鸟儿。起初我们以为又遇到了什么怪物。后来,我们藏在草里,仔细看了半天,才知道那像鸟儿的东西不是活的,而且,下来的又只有这一个白人,于是我们就围攻了他。我们这边虽然也损失了几个兄弟，可到底把他捉住了。"

这一次，轮到乌三格瞪大了惊奇的眼睛："他真是从天上飞下来的吗？"

努玛宝颇有几分得意地说："这还有假？我亲眼看着他骑着一个像鸟儿一样的东西从天上飞下来，飞到地上之后，他还摆弄了它一会儿，弄完了就开始抽烟。那个像鸟儿一样的东西现在还在河岸边第二个转弯的地方，第四棵树旁边。我们不知它到底是什么东西，怕惹出什么灾祸来，所以没敢动它。那个东西如果自己没飞走的话，现在恐怕还在原来的地方。"

乌三格毕竟比努玛宝阅历多，他说："只要这个白人没在那东西里面，那东西是不会自己飞走的。这是一种非常可怕的东西，从前我们在战场上打仗的时候，到了夜里，它会飞到我们头上来，扔下一种叫炸弹的东西，炸弹到了地上会爆炸，一下子就会炸死很多人，他们的尸首没一个是完整的，恐怖极了。努玛宝酋长！今天真是万幸，你带着部下捉住了这个白人，不然，说不定就在今天晚上，这个白人骑着大鸟飞到你的部落上空，一下子会杀尽你的村民的。"看来，乌三格见过飞机，可是他不懂得侦察机与轰炸机的区别。

努玛宝说："他不会再骑着大鸟飞了，本来嘛，人怎么能在空中飞来飞去呢？只有邪恶的魔鬼才有这种本事。让我努玛宝来处置这个白人吧！"说完，他把英国军官推进一间茅屋里，还在自己走开之前，派了两名健壮的黑武士，拿着长矛看守在茅屋外。

屋里只剩下史密斯一个人。他想努力挣脱绳索，可绳子绑得很紧，他用尽力气，还是挣脱不开。正好这时，乌三格进来了，史密斯发现他懂英语，便对他说："他们究竟要把我怎么样?我们并没有向非洲当地的土著人开火，他们有什么理由扣留我?你会讲他们的话，请你去告诉他们，我不是他们的敌人，我们英国国民对黑人一向是友好的，请他们放我回去。"

乌三格听了史密斯这番话，笑了说："你别傻了，他们根本分不出来英国人和德国人，他们只知道凡是白种人，都是他们的仇敌。所以即使我对他们去说了，他们也决不会放你的。"

史密斯不解地问："他们既认定我是仇敌，那么为什么不杀死我呢?为什么要活捉我?还费那么大劲把我扛回来，这是为什么?"

乌三格见他如此问，就说："你跟我来!看看就明白了。"他领着史密斯走出茅屋，只见村子尽头的空场上烧着一堆熊熊大火，还有一大群黑女人在走来走去地抱木柴，往火堆里添。空场中间竖着一根木棒，火堆上还烧着许多瓦罐，他这才明白了:原来自己要被割碎，煮熟后给这群黑人当食物!

乌三格注意看着史密斯的面部表情。他以为对方看了这个场面一定会吓瘫的，哪知这位青年军官经过严格的军事训练，他深知投身到战争中，随时都有献出生命的可能。由于平时有这个思想准备，他没像乌三格想象的那样害怕，只是耸了耸肩，冷冷地问道:"真想不到你们会这样做，你们这帮乞丐真饿到要吃人的程度了吗?"

乌三格说："吃人的不是我领导的部落，我们只是借住在这里，我的部落从来不吃人肉。捉住你的是宛马宝族，他们吃人肉。你若是被我们捉住，我们只是杀死你就完了。"

史密斯立在茅屋门前，看着黑人们做着一切吃人肉的准备，知道自己面临死亡，心里虽然不免难过，可是脸上一点也不露出来。乌三格看他此时的神情，倒有点暗暗佩服这位青年军官的勇敢。乌三格之所以现在来找史密斯，是因为以前在东非洲的英德战役中受过英国军队的袭击，正好借此出一口气，所以想吓吓史密斯，谁知他这个卑鄙目的并没有达到。这时，他带几分幸灾乐祸地说："现在你可不能再驾着那个飞鸟一样的东西飞到我们的头顶上，轰炸我们的军队了，你也休想再驾着它逃走，等一会儿，乌三格就要给你送终。"他说着，得意地看着那些黑武士和黑人妇女在木棒边一面忙碌一面谈笑。他最后斜睨了史密斯一眼，昂首走开了。

史密斯看着乌三格走远，就回到茅屋里去。他觉得事不宜迟，必须赶快筹划逃出险境的办法，作为一个军人，决不能坐以待毙。

在宛马宝族蛮村北面几英里之外，河岸旁边，森林的边缘处，有一个小高原，高原下面的一片浅草地上是一座新建的茅屋。那里的一个男人和一个女人正忙着在茅屋周围安装防御野兽的鹿砦。这两个人都默默地工作着，除了必要时说一两句有关工作的话之外，谁也不跟谁闲聊。

那男人只围着一块狮皮，其他部分都裸露着，风吹日晒中皮肤已经变成了褐色。他的体力非常好，即使搬运很重的东西，也看不出来多费力的样子。原来这男人就是泰山，女的却是奇翠儿。

奇翠儿在泰山全神贯注低头工作的时候常常偷眼看看他。她觉得这个人言语行动神秘莫测。他的性情里既含着超乎常人的因子,有时也含有野兽的基因。奇翠儿这样一个孤身女子流落在蛮荒的非洲中部,竟和这么个半人半兽,说恩人也行说仇人也行的人相处,总感到十分害怕。自己曾用手枪柄把他打昏过,谁知他会不会哪天忽然记起仇来呢?若是他报复起来,自己可决不是他的对手,到那时准难活命。

奇翠儿手里做着泰山教她的工作,脑子里却不禁在回忆往事:记得她第一次看见泰山,是在东非洲德军克劳特将军的司令部里。那天,他活捉了施奈德少校,此后,这位少校的生死存亡谁都不知道了,现在,能解这个谜的人就在面前,她却不敢问他。第二次,是他从狮子嘴里救了自己,并说她是间谍,还说仅凭这种职业就该杀死她,因而要押她到英军司令部去。自己用手枪柄打晕了他,乘车逃走了。可是不知道他怎么会那么快,当天晚上又在威廉镇中出现,在旅馆里杀死了施奈德。当她以为自己一定会死的时候,他却莫名其妙地放过了她。这些事搅在一起,奇翠儿越来越不明白泰山的用意。最近,自己在宛马宝族的野蛮部落中杀死黑人守卫,逃入丛林,被大猿围住,又恰恰是泰山救了自己。他心里到底是怎么想的?她实在百思不得其解。不过不管怎样,泰山对自己从来没有过什么不良的企图,这一点完全可以肯定。

奇翠儿虽是当间谍的,毕竟也是个少女,平时性情比较活泼,喜欢和人谈谈笑笑。在德军中,大多数人都对她挺好,她人缘不错。泰山却不同于常人,有他独特的个性。他从小生长在丛林中,大猿群里语言本来就很简单,所以他自然养成了沉默寡言的习惯。他虽然嘴里不说话,思想在脑子里却没有停滞过。对于奇翠儿也是如此,除了工作上必须说的话外,一句闲话也没有。奇翠儿虽然觉得寂寞,可是,从旁冷静地观察他,他确实没有害人之心,渐渐地她也就不大害怕泰山了。只是她心里有许多疑问,却始终不敢问他。譬如,泰山是怎样的一个人?有着怎样的身世?听他说话,一定在文明社会里生活过,那么,他从事过什么工作?最使她不解的,是他怎么会说猿语?他怎么会和那些大猿处得很好?难道他和它们从前是相识的?这又怎么可能呢?她越想越糊涂了。

有一次,奇翠儿大着胆子,试探着问泰山茅屋盖好了之后他打算怎样?

泰山说:"这儿的茅屋、鹿砦都完工之后,我就要回到西海岸去,那里是我自幼生长的地方。至于在那儿要逗留多长时间,我自己也说不定。从前我在丛林中住惯了,那时从来不计算时间。在丛林里,不像在文明社会,为生计为工作忙碌奔波,我们在林子里到处是家。我在这里已经住腻了,一定要到西海岸去。不过,在我走之前,得先做好两件事:第一,我必须替你盖好这座茅屋,好让你有个栖身之处;第二,我必须教会你打猎捕食的方法。这样,你才能在丛林里活下去,我也可以放心地走了。"

奇翠儿听了,不觉悲伤起来,问道:"你真的要把我一个人丢在这里吗?你真的要让我独自留在这让人提心吊胆的丛林里,当野兽和吃人生番的牺牲品吗?这个地方离白种人的殖民地少说也有几百英里,我怎么能住在这蛮荒的地方呢?我……"

奇翠儿后面的几句话几乎都带着哭音了。泰山说:"这有什么不可以?又不是我带你到这里来的,你是随德国军队来的。现在我倒要问问你,如果是你们德国人,在这种地方遇到敌军的女子,肯保护她吗?"

奇翠儿颤声说:"是的,我想德军也一定肯这么做的。我相信没有一个男人会把一个白人女子独自留在这么怕人的地方。"

泰山听了只耸耸肩,看来,他去意已决,不想多说了。而且他也不愿意说德文,一说德文,他就会想起家仇,想起琴恩的惨死。后来,他忽然想起奇翠儿当间谍时,曾经改扮成英国军官混进英军的司令部,既如此,她一定会讲英语,所以他问她:"你能熟练地讲英语吗?"

奇翠儿很坦然地回答:"我当然能啊!可是这么多天来,我始终不知道你也会说英语啊!"

泰山听了,觉得她讲的也有道理,所以没再说什么。泰山始终觉得她毕竟是个没有太多生活经历的女孩子,根本看不出他是个英国人。也许,她只以为他是个蛮族人,由于常出入德国的殖民地,因而学会了说德语。泰山低头看了看自己身上,不觉暗笑起来,凭自己现在的这一身装束,她怎么会看得出自己是英国人呢?当然她更不会想到他是个英国贵族,在英属东非洲还拥有一座庄园。泰山认为,奇翠儿不知道自己的身世和经历倒也有好处,这样更便于从她嘴里多知道一些德国的军事情况。奇翠儿是间谍,心里肯定藏着许多军事秘密,若她只认为他是个没有国籍的,专和白人作对的林中蛮族,就不会对自己存戒心,从她那儿了解情况也容易得多。泰山的这些想法奇翠儿当然不会识破,从他活捉和刺杀施奈德两兄弟的行动看,泰山确实也像一个专门和白人为仇的蛮族。

他们俩又继续默默地工作着。泰山知道干这些活儿本是为了奇翠儿今后的生活,她本人应该参与,但是看到她搬运荆棘确实勉为其难,荆棘的刺又扎得她两条手臂鲜血淋淋,心里便有点不忍。他干脆让她不要干了,自己手脚利落地干起来。

奇翠儿问:"为什么不叫我干,你却一个人干呢?"

泰山说:"你一个女孩子家,这些粗活本不该你们干,还是我一个人做好。如果你愿意干点什么的话,可以拿着我早上带来的葫芦到河里去打点水来,我走后这个葫芦就留给你用。"

奇翠儿听了,有点惊慌,又有点难过地问:"你走了之后?这么说,你要走吗?"

泰山说:"是要走,但不是马上走,等鹿砦安好了,还要去打猎。明天我带你一起去,教教你打猎的方法,等你能独立生活了,我再走。"

她听了,虽然心里又伤心又害怕,不知将来自己独自一人怎么过,只好拿起葫芦到河边打水去了。奇翠儿边走边想着将来,自己一个人留在这蛮荒之地,怎么办呢?什么时候才是个头?她总觉得泰山走了之后,自己不定会遇见什么,没有他的保护,恐怕也活不长久。想到这里,她不禁百感交集,悲从中来。

她一个人默默地走着,一腔悲怨没有地方可以诉说。她也知道没有理由拦阻泰山,能替自己想到做到的事,人家都想了做了,自己还怎么张口要泰山再留下来呢?当她把葫芦装满水往回走的时候,冷不防迎面一头大猿挡住了她的去路。原来这大猿正是猿王苟赖特,它独自出来打猎,远远看到奇翠儿到河边打水,故意走过来看看她的。依人类的眼光看来,苟赖特是凶猛可怕的,可是在它的族群中,尤其在那些母猿眼中,它却是一头极出色的年轻大猿。它披着一身黑色而闪着银光的长毛,一对极粗极健壮的长胳臂长得过了膝盖,宽厚的肩膀,粗短的脖子,肩上却长着一颗像枪弹似的脑袋,上尖下方,血红色的眼珠露着凶光,还有大鼻子、宽嘴巴、尖利的大牙齿,这副模样在奇翠儿看来既丑陋又可怕,苟赖特自己可是甚以为傲的。

苟赖特走到奇翠儿跟前,认出来她是那晚和白猿一起来的。记得那白猿说过,这是他的伴侣,所以苟赖特更想把自己的优美之处在她面前展示展示,还希望能博得她的欢心。哪知道它越表演,奇翠儿越觉得它可怕,最后终于大叫起来。泰山听见姑娘的惊叫声,知道一定出了什么事,赶紧跑过来。等他跑近了,苟赖特和奇翠儿都听见泰山在高声咆哮,那声音竟和大猿发出来的一样。

苟赖特马上向泰山解释说:"我并不想伤害你的女人,你不要恼怒。"

泰山说:"我知道你已认识她了,不会伤害她,可是她却不明白你的意思呀!你吓着她了。她和林中其他兽类一样不懂大猿的语言,她一定以为你要伤害她,不然,她不会这样惊叫。"

泰山走到奇翠儿身边,对她说:"它不会伤害你的,你不用害怕。这头大猿曾经被我打败过,它不会忘记。它知道我是丛林之王,它不敢欺侮人猿泰山的人。"

奇翠儿听了泰山的话,心里稍稍安定下来,同时又有点奇怪,泰山为什么在大猿面前说自己是"人猿泰山的人"呢?抬头看看泰山的表情,仍是冷冰冰的,才知道自己误会了,泰山只不过是要在大猿面前保护自己,没有别的意思。她镇静下来说:"但我实在觉得它很可怕。"

泰山说:"你行动上别露出害怕的样子来。以后你在这里生活,会经常碰到这些大猿的,你必须要镇定,因为这才是安全的秘诀。在我离开这里之前,我一定教会你自卫的方法。大猿的力气很大,如果它们有几个在一起,林中的其他野兽见了也不大敢惹它们呢。如果能和它们熟悉起来,你在林中的生活安全就比较有保障了。你越怕它们,就越会遭它们小看,尤其那些母猿,也许会因嫉妒而拿你寻开心,到那时候就不好办了。它们现在能听我的话,我自会告诉它们你有独立生活的能力,也能自卫,有些地方甚至还比它们强。我要教给你这些,才能让它们尊敬你。这样,我走后也更放心。"

奇翠儿说:"那我现在就试试看,看我能不能保持镇静,可是这头大猿实在长得太凶猛可怕了,我怕自己心里会稳不住劲。"

说话间,另外的大猿们也来了,它们不知发生了什么事,好奇地把泰山和奇翠儿包围在中间。它们都认识奇翠儿,因为跳登登舞的那天晚上,她曾经从树上跳下,冲到场子里来,当时泰山介绍过她,所以大家没有什么要冒犯奇翠儿的表示。奇翠儿心里还是害怕,但她用劲克制自己,不让惊恐的心情表露出来。

泰山对大猿们说:"现在泰山要和他的女人打猎去了,以后,她就住在这里。"他把新筑的茅屋和鹿砦也指给大猿看,说:"以后,即使我不在这里了,你们谁也不准欺侮她,而且,看在我的面子上,必要的时候,你们还该帮一帮她。能做到吗?"

大猿们都点点头,表示答应。最后苟赖特代表大家说:"我们决不伤害她,泰山是我们的朋友,她也是我们的朋友。"

泰山说:"这就对了,我知道你们一定会答应的。咱们大猿可向来是说到做到的,如果你们谁欺侮了她,泰山一定会杀掉谁!"

泰山转过身来对奇翠儿说:"现在我要去打猎,你可以先到茅屋里去。大猿们已经答应不会伤害你,我把长矛给你留下,只带猎刀和绳子走,你用这根长矛足够保护自己了。我想你不会有什么危险,我用不了多长时间就会回来。"

泰山把奇翠儿安顿好,就大步流星地往丛林里去了。奇翠儿望着他的背影,看他那健美的身材、轻捷的脚步,虽然半裸着身子像个野人,却掩盖不住一种雍容的风度。她目送他走到丛林边,看他一闪身就跳到树上,转眼间连人影都看不见了。奇翠儿按照泰山的叮嘱,回到茅屋里去。这时,只剩她一个人了,她忽然想到,自己颇有自信地从军,在人们眼里工作也还算出色,怎么也没想到今天会流落在蛮荒,还不知何年何月才是出头之日。一股悲凉与绝望袭上心头,她不禁躺在地上,失声痛哭起来。

十

落入野蛮人手中

　　凭泰山的生活经历，他认为最好吃的肉是野猪肉和鹿肉。现在他就想去找这两种动物，可偏偏找不到。于是泰山想了一个办法，沿着河流走，他以为这样做总会碰到来河边喝水的鹿或野猪的。哪知这两种他想找的动物没有找到，宛马宝族土著人的气味却被他嗅到了。他从树上腾跳着循着气味找去。临近蛮村，他从横在栅栏上面的大树上向下望去，看见全村正在忙忙碌碌，为屠杀俘虏准备着盛典。男男女女都欢天喜地、手脚不停，根本没有人注意到树上有人。

　　泰山最喜欢愚弄和戏耍这些吃人生番了，更喜欢把他们要吃的人劫走，让他们疑神疑鬼，产生恐惧心理。他便从树上四下侦察村子，想知道俘虏关在什么地方。没想到他趴在上面的这棵大树某些树枝看起来很粗，实际却被虫子蛀空了，他所伏的这一根正是这种情况，它承受不住泰山的重量，忽然"喀嚓"一声断了，掉了下来。泰山栖身的那根树枝是较高的，所以他跌得很重。泰山仰身跌到村里道路的中间，竟晕过去了。

　　树枝掉下来的声音也惊散了黑人，他们纷纷奔逃，去找武器。因为事情发生在几秒钟之间，他们以为有敌人来进攻，树枝才会掉下来。等他们拿到武器奔回来的时候，只见村中道路上躺着一个身材高大的半裸白人，他们摸不清是怎么回事，都不敢走近。黑人们又查看了一阵周围的树，断定再没有第二个帮手，他们的胆子才又壮起来。有十几个黑武士拿着长矛一拥而上。开始他们都以为这个白人已经摔死了，伸手到他鼻孔处试了试，觉得还有呼吸，知道是摔晕了，并没有死。有一个武士举起长矛，要向泰山的胸口刺去，酋长努玛宝眼疾手快给拦住了，他喜滋滋地对部下说："把他绑起来！这是老天给咱们又送来了一个俘虏，今晚，咱们的人肉宴不是可以加倍丰盛了吗？"

那群黑人听了，也高兴起来，觉得到底是酋长比他们高明。他们七手八脚地把泰山捆好，也扛到监禁史密斯的那间茅屋去，把两个俘虏放在一起。史密斯在那里被捆得结结实实，还没逃掉。努玛宝怕手下人心急先把俘虏杀了，又另外加派岗哨，不许闲人出入。

那个年轻的英国军官也听见了外面树枝折断的声音，现在他看见黑人们抬泰山进来，真不知道这个人是怎么被黑人捉住的。史密斯很少见过身体这样健壮的人，他全身的肌肉比运动员还发达，虽然被捆在那里，但仍可以看出他十分高大。使史密斯奇怪的是，看这个人的装束像个蛮族，然而面貌和肤色却完全证明他是个白种人。等了一会儿，泰山似乎醒过来了，史密斯看他眼皮在动，慢慢地，他睁开一双灰色的大眼睛。后来泰山完全清醒过来了，挣扎着坐起来，发现这茅屋里还有另外一个白人，知道他就是自己要找的俘虏，于是坐到史密斯的对面。泰山见史密斯也像自己一样被捆在那里，不觉苦笑着说："今晚，这群饿鬼要吃咱们两个人的肉了。"

史密斯也笑得苦兮兮的:"这帮乞丐,看他们的样子,真像饿疯了。他们捉住我的时候,像要把我活生生吞下去似的。他们是怎么把你捉住的?"

泰山耸耸肩说:"我该算是自投罗网,因为我不小心从树上跌下来,被他们捉住了。那棵树很粗,我想不到它的粗枝会断,跌了个倒栽葱,把我给摔昏了,不然他们不是我的对手,根本捉不到我。"

史密斯低声问泰山:"我们有没有什么办法从这里逃出去?"

泰山说:"以前我曾遇到过很多次危险,都逃出来了,我也多次看到别人逃离险境。给我印象最深的是,有一次我看见一个人,就像我俩今晚将被吃掉的时候那样子,已被绑在木棒上,火苗眼看就要烧到脚跟了,矛尖也已经戳到胸口,最后还是有人把他救走了。朋友!看咱俩会有什么样的机遇吧!有时候人是会绝处逢生的。"

史密斯不禁打了一个冷战,用悲惨的声音叫出来:"上帝啊!救救我们吧!我希望别受这种酷刑,火渐渐烧到身上来,人又是被绑住的,动都不能动,这怎么受得了呢?我想当我被烧被刺的时候,脸上若忍不住流露出痛苦表情,那群魔鬼一定会开怀大笑吧?"

泰山说:"你不用害怕,受火刑的痛苦也是很短暂的,因为人被烟一熏,用不了多大工夫,就会失去知觉。这种场面我已经见过很多次了。身上着了火的人只要不在地上打滚,会死得很快的。据我看,人生早晚都有一死,怎样死法,什么时间死,都由不了自己,我们也就用不着多想了。"

史密斯说:"你对人生的看法倒是很对,不过,我们就这样束手待毙,我总觉得有点不甘心。"

泰山说:"其实,要逃走也不难,你滚过来,我用牙齿帮你把绳子咬断。"

史密斯听泰山这样一说,觉得有希望,就马上滚到泰山跟前,泰山用他结实的牙齿咬着、扯着、撕着。哪知有一个守卫凑巧这时进来看见了,劈面一掌把泰山打开,又把他们身上的绳子捆得更紧些,而且把他们俩面对面地绑在了墙角的两根木棒上,这下,他们谁也动不了。那个守卫走了之后,泰山看史密斯十分沮丧,就笑着安慰他说:"别灰心!只要我们活着,就还有希望。"

史密斯苦笑着说:"可是,老兄!咱们没有时间了呀!你看看天色,恐怕很快就到晚饭时间了。"

在大猿苟赖特的族群里有一头大猿,名叫祖塔格,在猿语里就是"大脖子"的意思。这一天,它正自个儿出外打猎,远远地离开了苟赖特的群体。这祖塔格年纪很轻,长得十分结实,而且在苟赖特一族之中,要算顶聪明顶能干的。苟赖特早就防范着它,预感到这家伙一旦机会成熟一定会谋取王位。祖塔格也知道苟赖特老拿眼睛盯着自己,所以它凭着体力和智力,常常独自出去打猎,不和族群中任何大猿搭伴,这样不但躲开了苟赖特的盯视,自己也得到更多的锻炼机会。

今天,它又单个儿出来打猎,到了南头河水处,自然要经过宛马宝的村落。它平时对黑人的生活总感到非常好奇,因而一有机会,就想多看一看。今天,既然走到这里了,它就顺便跳上树去,想看看村里人在干什么。祖塔格恰好看见一群黑人在那里七手八脚地捆泰山。它仔细一瞧,被捆的白人是它认识的,就是苟赖特称王的那一晚要求参加跳登登舞,后来打败了苟赖特又不稀罕争王位的那个英雄。它对泰山十分敬佩,看泰山被捆,便起了打抱不平的心,决心设法搭救泰山。

祖塔格没有莽撞行事,它知道如果就这么跳下去,不但救不了泰山,恐怕连自己也要搭进去。所以它小心着,不弄出声音来,以防惊动黑人,脑子里却在想办法。开始它想是否可以直接进茅屋营救泰山,可又看黑人太多,没法保证不被他们看见,成功的希望不大。祖塔格想,这件事可不比平时打猎能够单独行动,现在要靠集体的力量了。于是它打定了主意,回去搬兵。祖塔格咬紧牙关,一声没出地溜下树来,向北方飞奔而去。

那时,猿王苟赖特和它的一群大猿都还在泰山给奇翠儿新建的茅屋前的空场上。有几个在树林边找吃的,另外的一些懒洋洋地躺在树荫下,自由自在地打盹。

奇翠儿痛哭了一场之后,心里觉得好过了些,又一想,哭也无用,就擦干眼泪,走出茅屋来,向南面的树林边凝望着,盼望泰山早点回来。同时,她也提防着周围的大猿,虽然泰山已经告诉过她大猿知道她是自己人,不会伤害她,可是,谁说得准这群大猿什么时候兽性发作,会冲破鹿砦来伤害自己呢?她手里这时还握着泰山留给她的长矛,可是她明白,长矛也不过像根灯草一样,对付这群大猿根本不顶用。况且自己的体力和大猿相比悬殊甚大,如果它们的一只前爪打下来,自己的尸体都不会是完整的。

正当奇翠儿胆战心惊地和大猿们处在一起的时候,南边树林里跑来一头年轻的大猿，看样子，它似乎跑了很长的路，累得气喘吁吁的。在奇翠儿眼里，好像所有大猿都是一个模样的，辨别不出跑来的那一头和身边这些有什么差别。她仔细看看，只见它身材粗壮，脑门宽阔，目光锐利，身上最大的特点是脖子特别粗。看它走得非常匆忙，似乎有什么要紧的事。祖塔格这副样子，不仅奇翠儿一个人注意到了，整个大猿群都注意到了，它们都咆哮着迎上前去。苟赖特警惕性最高，它没有马上往前迎，而是露出大牙等待着，看祖塔格是不是来向它的王位发难的。大猿王平时对那些年轻的雄猿本来就十分注意，怕它们有侵夺王位的心，对祖塔格更加防范，后来，苟赖特看出它确实没有挑战的意思，才放心地也迎上前去。

祖塔格等猿群都静下来了，赶紧把事情的原委说明，要求大家都去救泰山。可是苟赖特却完全不同意，它说："白猿遇到了倒霉的事，就随他的便吧！关我们屁事，何苦兴师动众？"

祖塔格听了，勃然大怒说："他也是一头大猿，还曾经来到咱们苟赖特族中帮助咱们打猎，从来不欺侮谁，和大家相处得很好。咱们看在这个份儿上，也应该把他从黑猿手里救回来呀！袖手旁观存的是什么心？咱们大猿族可从来都是讲义气的！"

苟赖特咆哮着，走得更远些，离开了大猿群。

祖塔格十分气愤地说："如果你苟赖特怕黑猿不敢去的话，我祖塔格自个儿也要去救他！"

猿王觉得这话伤了它的尊严，也怒气冲冲，挺起胸膛吼着："谁说我苟赖特怕黑猿的？我不去是因为那白猿本来就不是我们族的。你要去你去好了，把白猿的女人也带去，省得她在这儿碍手碍脚。"

祖塔格说："祖塔格当然是要去的。带上白猿的女人也成，我还要带上苟赖特族勇敢的兄弟们一同去！"说着，它向围在四周的大猿看了看，大声问，"谁有胆量和祖塔格一同去和黑猿斗一斗，把我们的白猿兄弟救回来？"

那些年老的大猿都比较世故，这一去，胜负莫卜，吉凶莫卜，它们觉得犯不上为此丧了命，一个个都摇着头跟苟赖特走了。只有八头年轻的雄猿血气方刚，又想起泰山平时对族群很好，就都站到祖塔格这边来了。

祖塔格高兴地大叫："我们不需要那些年老的一同去，我们要去和黑猿打仗，一定得要有胆量、有力气的年轻兄弟！"

老猿们对于祖塔格的激将法不去理会，可是站在祖塔格一边的那八头年轻的雄猿听了它的话，都非常得意，不禁欢呼雀跃起来。它们的吼声把整个丛林都震动了。

这时候，奇翠儿圆睁着两眼，看着它们，不知它们分成了两拨到底要干什么。她听了那八头雄猿的叫啸，吓得不得了，她觉得这丛林之中，再没有别的声音比大猿的长啸更凄厉了，叫人毛骨悚然。正在她六神无主的时候，祖塔格他们一群九个已经向鹿砦走来。它们是很容易越过鹿砦走到她面前的，她只好鼓起勇气，握着长矛，准备自卫。看来，为首的那只大猿对她似乎并没有恶意，只管咕噜咕噜地说着什么。她这时如堕五里雾中，祖塔格走到她面前对她说着猿语，她却什么也听不懂。祖塔格急得没有办法，就夺下她手里的长矛，过来抓起她的胳臂，看意思是让她一同走。奇翠儿也看出它没有恶意，却仍旧非常害怕，吓得往后退着。祖塔格一面不断地说着什么，一面指指丛林的南头，又指指茅屋和鹿砦，指指它自己，也指指奇翠儿，最后，捡起地上的长矛又指指丛林的南面。奇翠儿看了它这一连串的手势语，似乎明白了一点，它大概是说：泰山在南面出了什么事，它们要她一起去救他，如果真是这样，她觉得自己义不容辞。她便跟着祖塔格它们走出了鹿砦。

　　由于急于去救泰山，祖塔格领着八头大猿，在丛林里走得飞快，奇翠儿跟在后面跑得上气不接下气，还是跟不上它们。祖塔格跑了一段，回头看看，奇翠儿已经落后得很远，张大了嘴在喘气，祖塔格只好跑回来拖着她走。后来奇翠儿实在跑不动了，被地上什么东西一绊，跌了一跤。祖塔格非常着急，这边要扶奇翠儿起来，那边它的伙伴们又在催着它带路。祖塔格也觉得这头母白猿实在是尽了最大的努力，以她的体力无论如何也追不上队伍，瞧那样子累得怪可怜，但是营救泰山又是火烧眉毛的事，不能耽搁时间，只好把她背起来向树上跳去。幸亏奇翠儿穿着骑装，下身是长裤，不像裙子那样会在树枝上挂来挂去。她伏在祖塔格的背上，只觉得这只大猿在树枝间一悠一跳，速度飞快，有好几次她都觉得要摔下去，吓得连眼睛都闭起来，结果却只觉得两耳生风，平安地过去了。被大猿背着在树上赶路的事，在奇翠儿是从来没有过的，这种又新奇又恐怖的体验她毕生也不会忘记。

　　开始时奇翠儿害怕，不时地把眼睛闭起来，后来一直没出危险，她胆子渐渐大起来，就睁开眼，低头看着林中的景物从自己脚下向后奔过去，觉得另有一番快感。她想起坐在火车上看风景的样子,所不同的只是隔着车窗往外看,风景在两旁,现在却是风景在脚下。如果是从飞机上往下看,由于飞机飞得高,又看不了这么清楚。她越来越觉得伏在大猿背上十分安稳了。这样飞奔了一阵,已经到了黑人村落外面的树上,他们能听到村里黑人们的喧闹声,里面还夹杂着女人的说笑声和狗的狂吠声。奇翠儿从树缝往下一看,马上认出了这个地方,哎呀!这不正是自己杀死了一个守卫之后,没命地逃出去的那个蛮村吗?这时她又害怕起来,自己再度到这儿来岂不是自投罗网?她可不愿再尝当俘虏的滋味了。想到这里,她真有点猜不透祖塔格非叫她一同到这里来究竟安的什么心。

大猿们继续悄悄地前进,跳到村落边的一棵大树上。祖塔格找了一个树杈把奇翠儿放稳,然后给她指指对面的几间茅屋。奇翠儿大体领会了它的意思,大概泰山被他们捉住了,就囚禁在那一排的一间茅屋里。奇翠儿所站的树离那排茅屋并不远,可是她不知道该怎么做,她当然不敢冒冒失失地跳下去,因为到下面也没办法救泰山。万一被黑人发现,岂不连自己也被捉去?

天渐渐发黑,看来,黑人们的人肉盛宴要开始了,煮肉的瓦罐下面,熊熊的火堆上,跳跃着欢快的青绿色火苗。她从这场面上已经猜出这些黑人要把泰山割碎吃他的肉。奇翠儿心里火烧火燎的,同大猿一样,她也决心要救泰山,因为他毕竟三次救过自己的命,这个大恩非报不可。虽然她觉得泰山很古怪,对他不得不提防,但是她也清楚地觉察到,他对自己没有歹心,在危难中他懂得出手相助。他样子虽然像个野蛮人,但心肠是好的,她对泰山不仅感激,而且敬佩。尽管泰山说过要把她一个人扔在蛮荒里,但他毕竟为自己建造了茅屋和鹿砦,为自己的生计做了打算。还能再要求他什么呢?

祖塔格领着另外八头大猿在树上各自找隐蔽的地方藏好,等待着动手的时机。它们看见下面有二十多个黑人簇拥着一个像酋长模样的人,在底下指指点点、议论纷纷。这样又过了十几分钟,有两个黑武士向对面的道路跑去,过了一会儿,他们扛了一根木棒来,和原有的一根木棒并列着立起来。奇翠儿看他们竖起了两根木棒,倒疑惑不解了,看来,这群吃人生番今晚除了要吃泰山,似乎还要吃另外一个人,这人又是谁呢?

奇翠儿借着火光看到,有一群黑武士往刚才祖塔格指过的那几间茅屋跑去了。不大会儿工夫,他们从屋里推出两个俘虏来,一个真的就是泰山,另一个却是穿着英国飞行员服装的军人,奇翠儿并不认识他。这时,奇翠儿才明白为什么要竖两根木棒。可是有一点她还是不明白,泰山走时明明说要去打猎的,还说过一会儿就回来,他怎么会和这个英国空军一起被捉了呢?

奇翠儿这时候救泰山心切,也不感到害怕了,她从树上站起来,拍拍祖塔格的肩头说:"来!都跟我来!"这时她也顾不得祖塔格懂不懂她的话,一下子跳到一间茅屋顶上,从这里再跳到地上去就很近了。等她双脚沾到地面,便借助于茅屋的黑影,轻轻地、一步步地向杀人场走去。她回头看看,祖塔格等九头大猿也跟在她身后,她立时胆壮了许多。

走到将近村中第二条街道,她发现离她不远处有一间茅屋的门开着,她心里一惊,急忙往黑影里一闪。仔细看去,茅屋里并没有人。这时,人们都到杀人场上去了,就连不吃人肉的乌三格的部下也赶去看热闹。那群吃人的生番对着木棒边的两个白人，都显出一副面对美食，馋得不得了的样子，根本没有人注意到奇翠儿和她身后气势汹汹的一群大猿。奇翠儿忽然想到手里需要个武器，就拐进一间茅屋里去，身后的大猿不知她要干什么，也跟了进去。奇翠儿在茅屋里摸到一根长矛，便抓在手里，仍旧从门口出来，那群大猿也莫名其妙地又跟了出来。

泰山和史密斯两个人都被绑到木棒上去了。史密斯侧脸看了看泰山，见他依旧神态自若，脸上什么表情都没有，史密斯从心底里佩服他这个英雄。于是他低声对泰山说："咱们要分别了，再见吧！好朋友！"

泰山也侧头向他道了别，并含笑说："假如你愿意早点走，你就尽力地吸浓烟吧！这样很容易昏死过去，你可以少受许多疼痛之苦。"

史密斯回答说："谢谢你！"

由于有烟熏着，他的脸色显得有点暗淡，但他还是挺直了身子，不失军人的风度。那些黑人妇女和儿童围在四周坐着看，武士们的脸上这时都画上了既丑陋又可怕的脸谱，他们预备跳死亡之舞了。

泰山又对史密斯说："如果你想让他们扫兴，千万别露出害怕的神情来，无论多难受，你都别叫一声，这样，脸色不变，不出声音，他们会觉得乏味了一大半。再见吧！难友！"

史密斯只点点头，没再说什么，他咬紧牙关，准备承受痛苦了。他暗下决心，自己是个男子汉，是个军人，绝不能让这群吃人生番在自己身上找到乐趣和满足。

武士们开始跳舞,只等努玛宝的矛尖刺进俘虏的胸口,扎出第一股鲜血来,他们就可以接着动手,同时把俘虏脚边的柴火烧旺,叫他们饱尝烟熏火燎之苦。

酋长努玛宝领头跳舞,他越跳离火堆越近,火光映照着他焦黄的牙齿,血红的嘴唇,加上那像鬼一样狰狞可怕的脸谱,真是难看极了。他们跳舞的姿势忽然一变,都矮下身去,几乎贴着地面了,过了一阵忽然又直起来,身子蹦到半空中去。努玛宝舞到接近泰山的时候,把长矛对准泰山的胸口准备直截进去,谁知就在那一瞬间忽然响起了一声女人的喊叫, 中间还夹杂着兽群的咆哮。泰山虽然隔着浓烟什么也看不见,可是他从声音里已经听出是他的大猿朋友们来了。他只以为大猿们碰巧遇见才闯进来救他,却怎么也料不到,九头大猿是奔跑了很长的路程,专为营救他而来的。

黑人们也听到了这不寻常的声音,立刻停止跳舞。这时,奇翠儿和祖塔格领着八头大猿直奔黑人酋长而去。泰山这才看清楚。看他们已杀进黑人的重围,他急忙喊住祖塔格说:"你快别让黑猿们到我这里来,叫那女人来给我松绑。"他又对奇翠儿说,"你快过来解开我身上的绳子,我已命令大猿们去打黑人,它们能抵挡一阵子。"

不多一会儿,泰山从木棒上被解下来了,他告诉奇翠儿说:"我去帮大猿,你赶快把那个英国人也解下来!"说完,他马上跳过火堆,跑到大猿群中,帮它们打黑人。努玛宝和他们的武士们不甘示弱,已经杀死了三头大猿。当泰山赶到要保护猿群的时候,一看形势已经非常严峻了,黑人人多势众,大猿虽然有力气,但它们不会使用武器。他向四面一望，急中生智，提起装满了沸水的瓦罐，向黑人们兜头带脸泼去。那些黑武士们没想到泰山会有这一手，不少人被烫伤了。他们又疼又叫，赶忙躲闪，一时阵脚大乱。泰山却非常得力，接二连三提起罐子，向黑人密集的地方直扔过去，这一下，黑人只有逃走的份儿了。

这时候泰山已经从黑人手里夺到了武器，回头看看奇翠儿和史密斯，他们手里也都拿着长矛。于是三个白人带着六头大猿，边战边走，渐渐退到村外。努玛宝眼看着他们远去，一点办法也没有，自己的部下再也鼓不起士气来了。本来好好的一场人肉宴席被一群大猿搅得落花流水，他十分沮丧。

泰山虽然侥幸死里逃生，却不像常人那么高兴。他在兽群中这么多年，从来都是凭着自己的力量和聪明智慧去救别人，可是今晚恰恰相反，他这条命是靠别人救出来的。而去救他的人，又恰恰是他所憎恶的德国间谍！这个念头总在困扰他，所以一路上他不时地摇头，不时地低声咆哮。史密斯和奇翠儿对他这一表现十分不解，看他面带怒容，又不敢去问他。而大猿们认为他的咆哮是出于对黑猿余怒未息，一切正常，因而处之泰然。

十一
找到了那架飞机

　　人猿泰山肩上扛着一头鹿,从外面回来。当他经过丛林边空场的时候,看见奇翠儿和史密斯从河边向茅屋走去,知道他们是去汲水了。

　　泰山摇了摇头,叹一口气,向西方望去。他此时思念着遥远的西海岸,他亡故的父亲建筑的那间海滩小屋。虽然已经很多年过去了,小屋里的每一件东西还都留有他父母的手印。小屋正对着海滩,那儿有潮汐,有海边特有的细沙,景色既幽静又美丽。自己年轻时,因为琴恩的关系,很久没有回海滩小屋,现在琴恩不幸去世,自己和文明社会的缘分已经断了,久被遗忘的童年和故乡之思不禁又涌上他心头。

　　如果现在泰山是孤身一人,他完全可以说走就走,尽管海边小屋离此还很遥远,但路途的长短对泰山来说不成什么问题。只是茅屋这里还有史密斯和奇翠儿,总不能自己甩手一走,不把他们妥善安顿下来。史密斯是英国空军,当然不能让他久留在这个地方,至于奇翠儿,自己虽然憎恶她,可她毕竟救过自己,也不能扔下她不管。要救这两个人彻底脱离险境恐怕不是一天两天能办到的事,自然要等待合适的机会了。

泰山极不愿意和史密斯、奇翠儿住在一起,觉得很别扭。自己像个野蛮人,而他们俩,一个是英国军官,另一个是女子,而且还是自己深恶痛绝的德国间谍。若能把他们送回东海岸去,是最好不过的办法,可是从这里到东海岸,不但道路漫长,而且中间还要经过崎岖的山路,这两个人全靠步行恐怕不行。如果带他们到西海岸自己的海滩小屋里去住,泰山也不愿意,只是史密斯一个人去倒还可以,至于那个德国间谍奇翠儿,泰山是无论如何也不能容忍她去玷污他神圣的海滩故居的。泰山想到这里,不禁低低地咆哮一声。他想来想去,总得给他们找到一条安稳的路,自己才能离开。他最后决定还是慢慢找机会送他们到东海岸去,即使不得已而求其次,也要把他们送到英国殖民地,然后再想下一步的办法。

　　泰山之所以这样翻来覆去地想,实在是因为这蛮荒野地里危险太多,自己帮助他们义不容辞。他观察着史密斯,虽然是个男子,可是体力和在丛林里独立生存的能力都非常弱,甚至连一头小猿都不如。小猿还会自己躲避危险,史密斯的感觉却非常迟钝。在泰山没被宛马宝部落捉去之前,他倒是打算把茅屋和鹿砦给奇翠儿建好之后再教教她打猎,自己就可以抽身走了,至于她以后怎么办,会遇到什么,只好叫她自己听天由命,谁让她本来就是敌人呢?可是如今多了一个史密斯,他和自己不但一起死里逃生,而且还都是英国人,对他的责任和对奇翠儿的不一样,自己无论如何不能把他扔在这蛮荒里一走了之。

　　今天早晨泰山是出去替他们找食物的,正好猎获了一头鹿。他们决不会自己找食物,顶多打点水喝。就拿现在来说吧,他们打完了水,向茅屋走去,竟丝毫没有察觉泰山就在离他们很近的地方,一点也不知道泰山敏锐的眼睛看着他们。他们更不知道除了泰山之外,还有炯炯的目光也从树丛中射出来,正凝视着他们。可泰山却注意到丰茂的草丛中有一个地方草尖在动,他就知道那里隐伏着一只不怀好意的动物了。

泰山仔细观察着,同时也用鼻子嗅嗅,知道草丛里伏着一头猎豹,它正等史密斯和奇翠儿再走近些,就向他们扑去。泰山着急了,高声叫他们不要再往前走。他们两人莫名其妙地停了脚步,还四下找寻泰山,一点也不知道危险就在离他们不远的地方。

泰山高声叫道:"快到我这里来,但不要跑,那边草里伏着一头豹,你们要是一跑,它会立刻扑向你们。"说着,泰山迎着他们走过来。

猎豹也发现了泰山,唯恐他夺走就要到嘴的美食,不顾一切地追了上来。

奇翠儿一看见豹向他们追来,吓慌了,抓住史密斯的胳膊大叫着。史密斯到底是个男人,虽然他手里什么武器都没有,但他还是把奇翠儿推到自己身后,用身体护住她,自己面对猎豹准备见机行事。泰山在旁边看着,很佩服史密斯的勇敢,但他知道史密斯没有打败猎豹的本领,需要自己去帮助。

那猎豹想抢在泰山的前面,它照直向奇翠儿扑去,但是速度到底比不上泰山。史密斯见泰山陡然改变了方向,像一阵旋风一样从他身边冲过,接近猎豹的时候猛地一跳就骑到了猎豹身上。他迅速伸出结实的手臂,紧紧抱住猎豹,人和豹都使出浑身解数一起在地上打滚,有时泰山在上面,有时猎豹在上面。猎豹不时愤怒地咆哮着，泰山嘴里也发出一种近乎野兽的吼声，两种声音听起来同样让人恐怖。

这时奇翠儿稍稍镇静了一点儿，她放开抓住史密斯的手，抬头看着他说："我们能帮帮泰山吗？在他没有杀死猎豹之前，我觉得我们该帮他一把，这样扭打很消耗体力，万一他体力不支了，会吃亏的。"

史密斯听了她的话，马上向周围看看，想找一样能抵抗猎豹的武器，却一时什么也找不着。奇翠儿见他这样耽搁时间，急了，便一边跑向茅屋，一边说："你就等在这里，不要动！我去拿长矛来，这是他特意留给我的。"

史密斯紧张地看着人和猎豹决斗，只见泰山两手紧紧抱住猎豹的脖子，两条腿勾住猎豹的腰死死不放。那猎豹也十分厉害，蹦跳翻滚，想方设法要把泰山从身上甩下去。这时，奇翠儿拿着长矛跑过来，她因为心里着急，来不及把长矛递给史密斯，就自己跑到人和豹跟前。她拿着长矛站在那里，就是不敢刺过去，因为泰山和猎豹扭作一团，动作变化又极快，若刺不准，说不定会伤了泰山。最后，猎豹的体力渐渐不支了，动作稍稍慢了一点，奇翠儿看准这个空隙，狠狠一矛刺过去，正刺中猎豹的心窝，那猎豹松开四爪，马上不动了。

泰山见猎豹已死，便从豹的尸身上站起来，甩了甩头发，就像野兽抖一抖身上的长毛一样。他这个动作确实是从兽类那里学来的，每逢战斗之后，他往往会忘记自己是个人。这在泰山来说是习惯动作，可是史密斯和奇翠儿觉得十分怪异。

泰山看了看奇翠儿，神情间丝毫没有谢意，相反倒有几分不愉快,因为他觉得,怎么又让德国间谍帮助了一次!其实,即使她不帮忙,自己最后也会取胜的。不过,尽管他心里不高兴,他还是佩服奇翠儿的勇敢,毕竟她还是个年轻的女孩子啊!

泰山捡起地上的鹿肉,对史密斯和奇翠儿说:"这是我打回来的一头鹿,你们不会生吃,就烤熟了去吃吧!我可不爱吃烤过的鹿肉。"

他们三个人一同回到茅屋里去,把鹿肉分割开,泰山自己留了血淋淋的一大块,其余的都给了那两个人。奇翠儿到外面拾柴生起一堆火,又找几根结实的木棒,支成一个架子,然后把鹿肉挂在架子上,让它烤熟。史密斯看着奇翠儿做这一切,觉得她动作很灵巧,就没有去帮忙。泰山在离他们较远的地方坐下来,撕着生鹿肉吃,史密斯也走到泰山身边。

看泰山吃生肉吃得这么香,史密斯觉得很奇怪,他不知泰山怎么学会这一手的,但又不便问。他把目光向忙碌着的奇翠儿投去,低声问泰山:"她真是个聪明姑娘,是吗?"

泰山边吃着鹿肉,边冷冷地答道:"她是德国人,还是个军队里的间谍。"

史密斯大吃一惊,以为自己听错了,转过脸来直盯着泰山,问:"你说什么?"

泰山说:"你没听见我说的话吗? 她是个德国人,还是个间谍!"

史密斯惊奇地叫起来了:"怎么会是这样?我简直无法相信!"

泰山说:"随便你信不信吧,反正我说的都是真话。我第一次看见她是在塔韦塔附近的德国军营里, 她去见德军司令部的一位将军,当时在场的那些军官们都叫得出她的名字。我亲眼看见她把一叠材料交给将军,将军还夸赞了她。第二次看见她,她又改扮成英国军人的样子了,穿着一身英国军装,出入在英国阵地上。还有一次是在威廉镇的旅店里,她和一个德国军官正秘密商谈着什么。我把那个德国军官杀了,只因为她是个女人,我没有杀她。我再说一遍,她是德国人,还是间谍,这是千真万确的,信不信由你。"

史密斯被弄得非常困惑,他说:"我相信你不会胡乱编排她,上帝啊!我一时真是很难相信。自从见到她以来,我只感到她温柔、善良、勇敢,这些好的品质不是和间谍连不到一块儿吗?"

泰山耸耸肩说:"是的,她有时候确实表现得很勇敢,可是,你不要忘了,动物中连最讨厌的老鼠也会有长处呢!我知道她的确是间谍,所以我仇视她。你是英国军官,是和德国军队两相对垒作战的人,你面对敌人难道没有仇恨吗?"

理智和感情在史密斯心里激烈地斗争着,他用手捂着脸说:"上帝饶恕我吧!是她带领大猿把我从死亡边缘救出来,叫我对她怎么仇恨得起来呢?"

泰山吃完肉,站起来活动了一下,然后对史密斯说:"我还得出去打猎。你们这里还有足够两天吃的东西,两天之后,我会回来的。"

史密斯和奇翠儿目送着泰山走过空场到丛林边,跳上树去了。

泰山走了之后,奇翠儿又害怕起来。因为丛林中时时刻刻都可能发生危险,自己身边虽然还有史密斯,可是奇翠儿知道他和泰山不一样,真有危险来了,别说保护不了她,他甚至连自己也保不住。回想这两天里,如果没有泰山,日子真不知道该怎么过。她忍不住对史密斯说:"我真希望他不要离开我们,只有他在这里,我才会感到安全。他待人接物虽然有点古怪冷酷,我却盼望有他在身边,因为我觉察得出来,他是个靠得住的人。我也知道他有点讨厌我,可同时明白他不会伤害我。我心里非常矛盾,常感到他这个人不可思议。他到底是怎么想的,我又不敢问他。"

史密斯说:"不错,我也有同样的感觉,总觉得他这个人有几分神秘。由于我和他是在黑人部落里偶然相遇的,我也不好深问。可是有一件事我已经看出来了,那就是我和你两个人,如果久住在这儿,对他来说恐怕是不大方便的。你没发现吗?他的行动方式和饮食习惯都和咱们不一样,他是为了照顾咱们才不好离开,咱俩成了他的累赘。我的意思是,等两天之后他回来,如果我们已经不在这里了,他就不必再为我们分心,安心地做他自己的事了。我想,我们不妨自己找到白种人的殖民地。我认为,我原来驾驶的那架侦察机很可能还在原处,也就是黑人们捉住我的那个地方。如果能找到那架飞机,而且飞机还完好无损的话,那么只需要几个小时,我们就可以安全地到达海口。我敢断定,那些野蛮的黑人是不会驾驶飞机的,而且他们很害怕这个从来没见过的东西,自然不敢去损坏它。所以我相信它一定在原处好好的,可以载着我们远走高飞。"

奇翠儿听了,大喜过望:"那可太好了!如果在他回来之前我们能乘飞机到海口,就是有生路了,那当然再好不过。不过,我想,我们都受过他的恩惠,如果就这样不辞而别,连个谢字都不说一声,恐怕不太好吧?即使我们要走,也该向他告辞一下才妥当,你说呢?"

史密斯听了奇翠儿这些入情入理而又十分细腻的想法,目光在奇翠儿脸上停留了许久,他以为她不知道泰山憎恶她,所以临别有些依依不舍。他越看越觉得她不像泰山说的双手沾满了鲜血的军事间谍。他很想向她本人问个究竟,却觉得不便启齿,沉吟了半天,最后才说:"我相信,他既不愿意我们住在这里,我们还是走为上策。至于我们受过他的恩惠,应该谢一声,我看,也不必非得等他回来。而且,而且……"奇翠儿看他说到这里,忽然吞吞吐吐起来,就越发好奇地问:"而且什么?你为什么不往下说?"史密斯看了奇翠儿一眼,仿佛下了很大的决心,说道:"我从他的语气中,听出他最不欢迎住在这里的,还是你!"

奇翠儿大吃一惊,瞪圆了眼睛看着他说:"你说什么?"

史密斯不好回答,但又不能不回答,就捡起一根树枝,在地上乱画着,以避开奇翠儿的视线。半响,他嗫嚅着说:"我不愿意详细告诉你他的原话,但我可以确定他不喜欢你久住在这里。"

奇翠儿进一步逼问:"他到底是怎么说的?请你告诉我,我想,我有权利知道。"

史密斯耸耸肩,停了一会儿说:"他说,他仇视你,他之所以肯帮助你,只因为你是个女子,他从道德的角度考虑不得不这样做。"

奇翠儿听后脸上的颜色都变了,似乎又难过,又尴尬。想了一会儿,她下决心说:"我想好了,我决定跟你走,咱们立刻就动身好不好?把这些鹿肉也带走,像这样荒凉的地方,我们恐怕没法找吃的东西。"

他们两人把该收拾的东西都弄妥当之后,便朝南方走去。史密斯还带上了泰山留给奇翠儿的长矛,以备路上之用。奇翠儿见史密斯有了一件防身的武器,觉得自己也该找点什么拿在手上,四下一看,没什么东西好拿,只好选了一根盖茅屋剩下的树棍。这根木棍又圆又粗,用来倒还顺手。临走之前,她还是坚持要史密斯给泰山留一封短信,表明谢意,同时也表示告别。史密斯照她的意思写了,写好之后,用木钉钉在茅屋里面的墙壁上。他们小心翼翼地从丛林中的小道上离开了。怕再被努玛宝部落的黑人发现,有意绕了个大圈子。

在路上,奇翠儿对史密斯说:"我最害怕当地的黑人,尤其害怕乌三格和他手下那些人,他们都在德国军队里当过兵。军队败退时,他们俘虏了我,带我一起走。不知他们是想从我身上勒索赎金呢,还是想把我卖给北方的苏丹去做小老婆或女用人。你别看乌三格和他的部下不吃人肉,可他们比努玛宝更凶恶。因为他们在德国军队里受过军事训练, 现在逃散以后又没有纪律约束了,他们仗着手里有新式武器,就可以肆无忌惮地仗势欺人。"

史密斯说:"这样说起来,还算我走运,我被捉的时候幸亏遇见的是没见过世面的努玛宝,如果是乌三格,他一定认识飞机,那可就糟了。"

奇翠儿说:"乌三格也住在努玛宝的村里,常在这一带乱窜,有可能发现那架飞机,但愿飞机别被黑人弄坏了才好。"

他们有意选着荒无人烟的路走,这些路上布满了枯枝,树上尽是藤蔓,简直可以说是没有现成的路,他们只好用长矛和木棍拨打着,甚至爬在地上匍匐前进。

这时,他们两人的南面正有一群黑武士在观赏着一件他们认为古怪的东西。这些人还穿着不齐整的德国士兵服装,领头的就是乌三格。那古怪的东西就是史密斯的侦察机。乌三格自从听到努玛宝说起这件事,就总想来找飞机,要在近处仔仔细细地看看它。从前只看到它在头顶上飞过,可是没有办法把它痛痛快快地看个够,瞧瞧它到底是个什么样的机器。现在他有机会了。可乌三格又感到不满足,他想,如果自己能驾驶这架飞机在非洲的上空兜一大圈,抖抖威风,那该有多好!若有这么一番类似神话的经历,非洲这些土著人谁还敢不顺服自己?他原先只打算看过之后就把它毁掉,免得它再给非洲带来祸患,自己也没料到会产生了驾驶的野心。

乌三格围着飞机绕圈,贪婪地看着它,怎么也舍不得离开。他恨不得立刻能骑上这铁鸟飞到树顶上去,甚至比树顶还高的天空中去,那该是多神气多威风的事啊!他越想越飘飘然,仿佛就要实现这个梦想了。那样一来,他的部下以及当地的土著人酋长们一定五体投地地佩服他,说不定会拿他当神仙供奉呢!

乌三格现在真是得意得不得了,他似乎还没有这么忘乎所以过。他想,这架飞机就摆在面前。就凭这架飞机,他可以变成富翁,可以向各部落的酋长任意要钱,有了钱他想娶多少小老婆就娶多少,十四个,不!二十四个也行,谁能拦阻得了?想到这里,他忽然想起他的老婆,那可是个有名的泼妇,有她在,自己讨小老婆的事恐怕就会泡汤。想到这一点,他未免有点扫兴。可是乌三格是个很会宽慰自己的人,他转念一想,就算娶不上小老婆,只要当地土著人把他奉若神明,仅这一点,难道不比娶多少个小老婆都强得多吗?

乌三格越想越高兴,要实现这些愿望,现在只差一个条件,那就是必须学会驾驶飞机。过去在德国军队里时,他常常看见英国空军驾驶着飞机在自己头上飞来飞去, 那股自由翱翔的劲头似乎十分容易摆出来。可是现在一架飞机摆在自己面前,头一次看清楚它有这么多零碎,这可比使长矛使弓箭,甚至来复枪复杂多了,鬼知道该摁哪儿该扳哪儿呢?看来没有人教恐怕不行。谁能教呢?除非驾它来的那个英国白人。可是他被大猿救走了,谁知该到哪儿去找他?他苦苦思索了一阵,忽然心里一亮:对了,那个英国空军得救之后,一定会来找他的飞机,我只需经常守候在附近,总会碰上他。

乌三格在飞机旁边已经耐心守候几天了。这一天,他忽然听到北方树林里有两个人说话的声音,他立即命令部下埋伏在四周。过了一会儿,果然看见一个白种男人和一个白种女人向这里走来,他藏身在草丛里仔细一看,正是从努玛宝村落中逃走的英国空军和自己队伍的女俘虏奇翠儿。这下真让他等着了,心头这一喜非同小可。

只见史密斯和奇翠儿并肩走来,当他们看见飞机安全地停在空场上时,竟高兴得跳起来。随着他俩的欢呼声,乌三格一声呼哨,他的黑武士们一齐从树丛后面跳出来,把史密斯和奇翠儿团团包围起来。

十二
想驾驶飞机的黑人

　　奇翠儿在毫无准备的情况下看树丛后一下子冒出这么多黑人来，心里又是害怕又是生气。就要达到的目的看来又要横生枝节。史密斯没觉得怕，却忍不住勃然大怒。他看这些黑人中有穿德国军装的，就让他们领头的人站出来说话。

　　奇翠儿说："不行，他们是不懂英语的。"于是她勇敢地走上前来，把史密斯的话用德语又说了一遍。

　　乌三格听了之后，带着一种不怀好意的笑容说："嘿!差点儿做了我小老婆的白女人!你们要放明白些，我们所在的那个军队里的长官都死光了，眼前这个白人也是孤身一人，他要是不听我的话，你告诉他，也只有死路一条!"

　　奇翠儿没把这些话翻译给史密斯，就直接问乌三格："按你的意思，你要他怎么样?"

　　乌三格收起笑容说："我要他老老实实告诉我，怎么样能让这个铁鸟飞到天上去!"

　　奇翠儿大吃一惊，知道自己对付不了这个黑人小头目，只好把他的话原原本本翻译给史密斯。

　　史密斯也觉得这是个棘手的要求，不免沉吟了一阵才说：

"他要学习驾驶飞机,那么,我必须先问清楚,我教会他以后又怎么样?我这里也有一个条件,如果他不答应,我就不教。我的条件是,我教会了他,他要放我驾着飞机走,要不我绝不教。"

奇翠儿又把史密斯的话翻译给乌三格听。乌三格本来就是个狡猾的根本不讲信用的人,他想,先达到目的再说,你教会了我,难道还跑得出我手心去?不如先一口答应下来,其他的事以后谈吧。于是他答道:"如果他教会我飞行,我一定派人送你们到白人的殖民地去,但是这架飞机要留给我,作为代价。"他边说边指着飞机,最后几句话说得斩钉截铁,表示这一点是没有商量余地的。

奇翠儿又把乌三格的话翻译给史密斯听,史密斯皱着眉头,耸耸肩,犹豫一会儿说:"我本想为英国政府保护好这架飞机,可是现在看来,事情不能两全了,如果不答应他,我们两个人会没命。我死了,飞机留在这里,也只是一堆废铁,不如先答应了他,还有一线希望。我想我们英国政府和英国军队也一定会这样考虑的。"

奇翠儿大为感动,她觉得她和史密斯虽然认识不久,他却这样诚恳,实在难得。史密斯看她的脸色,误以为自己说话欠妥,又想起泰山说过奇翠儿是德国间谍,而现在英国军官竟用一架飞机救德国间谍的命,也许自己这样说、这样做使她难堪了。他又赶快说:"请原谅我!如果我刚才的话有什么不妥,使你尴尬的话,我请你宽恕,我不再说了。我是说,无论如何,我们先设法到安全的地方,一切事就都好办了。"

奇翠儿知道对方误解了,也不便解释什么,笑了笑,对史密斯道了一声谢。其实,凭少女敏感的心,她已经感觉到这位年轻的飞行员似乎已经爱上自己了,虽然史密斯还没有什么更明确的表示。

乌三格见史密斯答应了,喜出望外,逼着史密斯马上教他。史密斯有点踌躇,飞机是精密的机器,必须先有点基础知识,否则,第一次上机一定会手忙脚乱、晕头转向。乌三格却不懂史密斯的心思,以小人之心度君子之腹,以为史密斯要变卦,立刻摆出一副要动武的样子。

史密斯见乌三格这么愚不可及,又好气又好笑,不禁自言自语:"好吧!那我就教你吧!但是依这种学法,恐怕连你自己的性命都难保呢。"他知道乌三格听不懂英语,不会明白他在嘟囔什么。

他又转身对奇翠儿说:"你也向他提个条件,让他同意你和我们一起上飞机。若把你一个人留在这儿,我确实不放心,这群魔鬼一样的野人什么事干不出来?这次可找不到大猿来救了。"

奇翠儿便把史密斯的意思翻译给乌三格听,乌三格疑心很重,唯恐这两个白人设好了圈套让他上当。他怕他们在飞机上收拾他,若真把他送到德军司令部,控告他叛变,他可就吃不了兜着走了。想到这一层,他板起面孔说:"不行!这白女人必须留在这里,不能两个都上飞机。如果你们不放心的话,我可以当着你们的面命令我的部下,叫他们绝对不许伤害她,除非你不把我安全地送回来,那后果可就你们自己负责了。"

史密斯见事已至此,只好对奇翠儿说:"那么好吧!我们彼此都留个人质。你告诉他,我飞回来的时候,如果你不在这里,我就把乌三格送到英国军营去,他在德国军队里服过役,跟我们打过仗,作为敌人,英军司令部会绞死他的。"

乌三格听了奇翠儿的翻译之后,一口答应下来,马上命令他的部下不许伤害奇翠儿。他同史密斯一起朝飞机走去。他刚坐上飞机,就马上摆出一副指手画脚的架势,用命令的口吻要史密斯马上开飞机。史密斯也一肚子气,使劲把推进器一扳,乌三格却没料到飞机会有这么大的响动,轰隆轰隆,震耳欲聋。他从来没听过这种声音,吓得不得了,又要求史密斯立即停下来。可是这时飞机已渐渐离开地面,腰间的皮带把乌三格紧紧地勒着,动都动不了。他也顾不得看史密斯是如何操作的了,瞪着铜铃大的两只眼睛,只顾往下望。转眼间,飞机已经飞到树顶上,乌三格只觉得身不由己,吓得连喊都喊不出来。只见茫茫大地好像在向下沉落一样,离自己越来越远了,树木、河流、努玛宝的村落都直在自己脚底下打转。他颤抖着想:妈呀!这要一下子掉下去,还不摔个粉身碎骨?这时他真后悔上这架飞机。可是转念一想,如果不仗恃这架飞机,自己怎么娶二十四个小老婆呢?凭什么向各蛮村敛钱呢?这些美事都得靠飞机才能实现啊!飞机越飞越高,渐渐平稳起来,乌三格心里也渐渐安定了,不像开始飞时那么害怕,他这时才开始注意史密斯的两只手究竟在干些什么。

半个小时之后,史密斯看他自在起来,就想修理他一下。冷不防让飞机在空中翻转起来,人忽而头朝上,忽而又脚朝上,弄得乌三格简直要呕吐了。这次他再顾不得丢脸,在飞机的隆隆声中夹杂着乌三格恐怖的大叫声。这样闹了有几分钟,史密斯才让飞机恢复正常,渐渐降落到原地。看看奇翠儿果然仍在那里,史密斯放心了,把飞机停在离她不远的地方。

乌三格经过这一折腾,脸都变灰了,见飞机停稳,赶快钻出来,两只脚稳稳当当地踏在地上,但头部的晕眩感还没有马上消失。过了好一阵,他的脸色才慢慢转过来。这时,他又强装好汉,跟那群黑武士夸起口来,说飞机离开地面很远很远的时候,自己像坐在鸟背上一样稳当,舒服极了。这次虽然没有完全学会,可总算飞上天了一回,照这样再飞个一两次,保管能学会,自己坐了飞机之后才知道原来这玩意儿没什么难的。至于如何吓得失魂落魄,他却一字不提。史密斯走过去,用英语把整个飞行情况向奇翠儿讲了,奇翠儿拼命忍住,才没哈哈大笑起来。

　　乌三格飞过一次之后,又开始提防他的部下,怕他们里头有胆大的把飞机偷去,自己的美梦就成了一场空。于是他决定先不回努玛宝的村里,就在飞机旁边搭起帐篷住宿。他强迫史密斯加紧教给他飞行的方法,史密斯教了他两天,乌三格竟不知天高地厚地要求自己单独飞行了。史密斯以前在空军中受过非常严格的训练,加上逐步实践,也需要几年的工夫才开始上天试飞。现在这个无知无识的蛮人只学了几天,竟然提出单独飞行的要求来,史密斯觉得又好气又好笑,知道跟他解释也没有用,就不多费口舌了。他暗中对奇翠儿说:"如果我不存心尽可能保存这架飞机的话,我就等他去胡折腾,去玩命,用不了几分钟,这个笨东西准会摔个粉身碎骨。"

　　史密斯告诉乌三格说,只需再稍稍等几天,就可以允许他单独飞行了。但是狡诈多疑的乌三格反而疑惑史密斯有意推三阻四,心里不定打着什么鬼主意。也许他要找机会乘着飞机逃走呢,只要他一离开地面,自己就没法对付他了。乌三格越琢磨越疑心，总觉得自己的猜测不会错，他决心不让史密斯实现他的阴谋。唾手可得的小老婆啦、富翁啦，这些欲望时时在他心里搅动着。他甚至想到让奇翠儿也做他的小老婆。

晚上睡觉时，乌三格心里不停地打着转转。他总觉得，只要他家里那个母老虎在，起码他娶小老婆的愿望是实现不了的，这个泼妇是他幸福的障碍，非除掉她不可！不过这个婆娘要威风要得太久了，自己服从她的管束也太久了，一想到要除掉她，还真没这个胆量。别说是自己，就是手下那么多黑武士，上阵杀敌是非常勇敢，可是在那个泼妇面前没有一个不服服帖帖的。要除掉她，找谁帮忙？用什么方法才行呢？他辗转反侧，想来想去，觉得只有一个方法最妥当，那就是等她睡熟的时候，下狠手把她弄死。正在他得意之际，忽然有什么在脑子里一闪，他居然又想到了一个更完美的计划，这下连他自己都乐坏了，没想到会冒出这么好的主意来！仔细想想，这才真正是最稳当的呢！

第二天早晨，乌三格起得特别早，叫进几名武士来，低声地吩咐了一些话。接着，他胡乱吃了点东西当早餐，一心要去实行他昨夜筹划好的锦囊妙计。史密斯这些天来一直注意着乌三格的行动，现在看见他鬼鬼祟祟地和武士们说着什么，猜想他一定是要这些人去干坏事。他看乌三格说话时，眼睛有时偷看着自己，有时又偷看着奇翠儿，就更疑心他吩咐的事与自己有关。史密斯身上虽然没有枪支，甚至连长矛也没有，心里却在谨慎防范着。哪知他正在观察动静，冷不防几个黑人突然扑上来，把他推倒在地，并紧紧捆绑起来。等他被翻过身来脸朝上的时候，才看见奇翠儿也同时被他们捆上了，有几个黑武士正按着她。

史密斯只看见乌三格在向奇翠儿说话，奇翠儿不住地摇头。史密斯听不懂乌三格说什么，心里很着急。

等了好一阵，史密斯实在忍不住了，大声叫道："他说什么？"

奇翠儿说："他要我上飞机，由他驾机带我到内地去。他说，他也是另一个部落的酋长，要我做他二十四个小老婆中的一个。你不要着急，现在你千万不能反抗他，不然他会要了你的命的，眼下，咱俩谁也救不了谁。我已经想好了，拼死也不会顺从他。只要他带我飞上天去，用不了几分钟就会摔下来，我会和他同归于尽的。我并不怕死，你不必为我担心。"

史密斯一听就急了，大声喊着说："你没有办法阻止他吗？你告诉他，他想要什么都行，我有的是钱，什么都可以满足他。这头蠢驴，他只要有了钱，美衣美食、漂亮女人、豪华住宅，不都能让他由着性子挑吗？告诉他这些话，快告诉他！只要他能放了你，他要什么我都能给他，一切问题我都给他解决。"

奇翠儿无奈地笑了，摇摇头说："你的心意我领了，你太不了解他们了，他不会相信你。他们从来就不懂什么叫信用，尤其是他们在德国军队里待过，听够了德国人的欺骗宣传，认为英国人都是最下等的人。这些话长时间灌满了他们的耳朵，叫他怎么相信你呢？有一句话，也许我不该说，我倒希望你能和我们一起飞，飞得高高的，猛地摔下来，什么知觉都没有，就会死去，这样难道不比在他们手里一点一点活受罪好吗？可惜，他不会让你上飞机的。"

乌三格气得在旁边乱吼起来，他听不懂史密斯和奇翠儿的英文对话，怕他们在商量着用什么计策来暗算自己，所以吼着要他们住口,并命令奇翠儿把刚才的对话如实地翻译给他听。奇翠儿告诉乌三格,史密斯不过是和她道别,并祝她一路平安,其中没有什么背着他的话。她忽然想到了一个主意,马上装出很诚恳的样子问乌三格:

"假如我愿意跟你走,你肯为我办点事吗?"

乌三格急不可耐地问:"你要我为你办什么事?"

奇翠儿说:"请你当着我的面命令你的部下,等我们飞上天之后,把那个白人放了。飞机是他带来的,光凭这一点,也该给他点答谢。我们飞到天上去了,他当然也追不上我们,还非扣留着他干什么?这是我最后的要求了,只要你说到做到,我一定跟你走。"

乌三格大声吼叫着说:"你必须跟我到任何一个地方去,我说上哪儿就上哪儿。不管你愿意不愿意,谁都不能违背我的心愿!"他越喊声音越高,说最后一句话时嗓子几乎都嘶哑了。

其实,乌三格这一通歇斯底里是想在下属和这白女人面前抖足威风,出一出长期惧内的怨气。平时他在妻子面前一向俯首帖耳,窝囊气实在受够了,今天,他要享受一下一反常态的快乐。既然打定主意要娶二十四个小老婆,那么,第一个就必须开个好头儿,以便以后个个都服从他。

奇翠儿见他根本不回答问题,自己此时又是被捆着的,知道再固执地争下去也没有用,就不想多说了。她只是看着史密斯,心里很难过,不知自己走后黑人会怎么对付他。史密斯这个人年轻有为,按理该有个远大前程的,可惜如今落在这些黑人手里,连命都不知能不能保住。她又不禁回想起他一直很怜惜自己,不像泰山那么冷冰冰的。刚才的一番许诺尤其动人,在这生死紧急关头,他不惜一切代价想救自己活下来,这不啻是一番清楚的爱情表白。想到这里,她不禁心里一酸,几乎掉下泪来。面对生离死别,她知道今后恐怕没有再见面的机会了。

这时,乌三格似乎也发泄够了,便命令一个黑武士把奇翠儿扛到飞机上去,自己紧跟在后面。走到飞机前,他又命令黑武士暂停下来,自己先爬上飞机去,然后叫黑武士把奇翠儿递给他。他将她放在飞机后面,解开绑她双手的绳子,又把她捆牢在座位上,自己才坐到驾驶席上去。

奇翠儿回过头来看看史密斯,这时,她虽然难过得柔肠寸断,却还努力装出一个微笑来,对史密斯说:"史密斯先生!再见!"

史密斯也回答:"再见!愿上帝保佑你!"声音里充满了悲凉,接着又哽咽着说,"我有很多话想对你说,现在可以说吗?我们什么都来不及了,马上就要永别了!"

他看见她的嘴唇颤动了几下,却什么声音也没发出来。乌三格已经让飞机渐渐离开了地面。史密斯知道,过不了多久,飞机就要摔下来,她和那头狂妄的蠢驴会一块儿跌死,他心里万分难过。这时,飞机居然完全升空了,史密斯知道乌三格没有这个本领,他不定怎么乱摸乱扳、歪打正着了。史密斯敢肯定,即使他现在顺利升空了,也绝不可能到达目的地。

史密斯正在急切地仰望着飞机,忽然无意间发现了一件事,吓得他几乎连心跳都停止了!

十三
乌三格得其所哉

泰山在北面安安心心地打了两天猎,有很满意的收获,便高高兴兴地往回走。他以为史密斯和奇翠儿一定在等他,却丝毫也想不到他俩会自己离开,更想不到他们又落入了黑人手里。他走到接近空场时,天色已经黑了,他跳上一棵树去睡觉,决定第二天早晨再回去。翌日清早,他很早就起来了,又想到河里去抓几条鱼带回茅屋去,给奇翠儿他们烧熟了吃。他知道欧洲白人都喜欢吃水产品,而且,两天前留在家里的食品也许正好吃完了。

泰山在河边耐着性子等着,因为他知道,鱼只要受一点惊吓,就会跑掉。他手里又没有钓鱼的用具,只能跪在河边,看准机会,迅速地用手抓。泰山目光非常敏锐,只需要看水的波纹就能准确地知道鱼在哪里。但是,鱼在水里游来游去,速度既快,方向又没个定准,抓起来并不容易。不过,泰山面前恰好有一个深潭,鱼很喜欢到深潭里来,他知道耐心地等一会儿,一定会抓着的。

水纹慢慢地动了,波光下有鱼鳞在闪,一条大鱼来了。泰山正要伸手去抓,意外地背后来了一声呼哨,一个庞然大物闯过来,鱼马上吓跑了。泰山十分生气,回头一看,自己身后站着一头大猿,原来是祖塔格。

泰山不高兴地问它："祖塔格!你来干什么?你突然闯过来,把我想抓的鱼吓跑了。"

祖塔格说:"我是来喝水的,我并不知道你在这里。"

泰山又问它说:"同伴们都在哪儿呢?"

祖塔格说:"它们都到远处的树林里打猎去了,我不想跟它们一块儿去,我愿意单独行动。"

泰山问它:"这两天,你看见茅屋里那两个男女白猿了吗?他们还安全吗?"

祖塔格说:"我看见了,他们早走了。他们走后,我数着,月亮又出来过两次哩!"

泰山连忙问:"是不是你把他们赶走的?"

祖塔格赶快解释说:"不是,我没去惊吓他们,也不知道他们为什么走。"

泰山十分吃惊,不知道茅屋里发生了什么事,猜想一定是有什么东西吓着他们了,否则他们不会无缘无故地离开。在这蛮荒地界里,他们能上哪儿去呢?他疑疑惑惑地跳上树去,悠着荡着赶紧往回跑。看了看,茅屋和鹿砦都没受损坏,不像发生过什么事的样子。于是,泰山在周围喊了喊,没人答应。泰山走进茅屋,用鼻子嗅了嗅,觉得祖塔格说得不错,这两个人果然走了两天了。他正想走出茅屋,却看见墙壁上一个木钉下插着一张纸条,他取下来看了看,上面写的是:

不久以前,承蒙您告诉我有关奇翠儿小姐的情况,我思之再三,觉得我们久留此地,对您、对奇翠儿,都多有不利。同时我又得知您有西行的计划，我们在此，恐妨碍您的行程，因此，我与奇翠儿小姐商议决定，我们自己去寻找白人的殖民地了，就此告辞。您给我们的种种照顾我们永远铭记于心，假如以后有机会的话，一定报答您的恩惠。

泰山知道这是英军少校史密斯给他留的告别信。他耸了耸肩，随手把纸条揉成一团，扔到一边去了。他虽然有点意外，倒觉得他们俩走了，自己便可以省心，但心里总有点歉然，仿佛一件该做的事没能善始善终。他又看了看茅屋和鹿砦，现在已没什么用处，也不想拆掉它们，留待以后随便什么人用吧。他开始上路，从平原上向北走去，准备回西海岸的海滨小屋。他知道顺着河流往北走几里路，再在山脚下折向西走，沿着大河，可以一直到达西海岸。一路上鸟兽很多，不愁猎取不到食物。

泰山还没走出多远，心里想着史密斯和奇翠儿，不觉又停住了脚步。他反复思考着：两个白种人，一个是英国空军，另一个是年轻女子，只凭他们两个人，一路上会有许多困难，如果没有我的帮助，他们一定到达不了目的地。如果就这样丢手，虽然不是我亲手杀了他们，实际上却是我看着他们走上死路，这可不是仁人君子所为。倒不是自己像个优柔寡断的老婆婆，一个人总该有点助人之心，自己就这样忍心放手一走，确实不大对，应该追上去保护他们。泰山想到这里，又转身向南方走去。

树上的小猴子们两天之前看到两个白猿走过去，现在又看见泰山急匆匆地赶来，它们都是熟悉泰山的，就多嘴多舌地告诉他说,有两个白猿向黑猿的村落里走去了。泰山听了小猴的话,便拐进密密层层的树林,循着他俩的脚印追踪而去。他从一座黑人村的东边,顺着河边一条象群常走的路,向南又继续走了几英里,忽然听到前边有轰隆隆的发动飞机声。他暗想:是不是他们俩找到飞机了呢?我得去看看,如果他们真能平安地走了,我也就放心了。

泰山赶到一片大空场上,这正是停飞机的地方。他抬眼远远望去,只见那英国军官在地上被捆绑着,身边站着一群黑人,穿着不齐整的德国军装。泰山再仔细一看飞机,驾驶员却是乌三格,奇翠儿坐在他背后。泰山第一个念头就是:糟糕!这个蠢货绝不可能会开飞机!此时他已来不及细想,但有一点他搞清楚了,那就是,飞机是史密斯驾驶来的,现在,乌三格的人把他绑起来,乌三格自己驾机,一定是要把奇翠儿劫走!泰山一时没法弄明白的是,史密斯既然被他们逮住了,奇翠儿也在他们手里,这蠢货还要驾飞机远走干什么?泰山当然不会知道,乌三格为了躲开母老虎一样的老婆,要到远处去实现他的一堆梦想。他更不会想到,乌三格带着奇翠儿走,原本就没打算回来,这一点连他手下的黑人都不知道。乌三格只告诉他的部下,他把奇翠儿去卖给北方的苏丹,得了身价钱之后,回来跟他们一起分赃。

情况已经十分危急,没有时间容他细想周密的对策。泰山现在只有一个想法:必须救下奇翠儿。

乌三格只顾乱摸乱撞着开飞机,他并没有发现泰山。但是,站在地上的黑武士们却看见有一个人从树林里窜出来,向飞机冲去了。他们一声呐喊,都端起枪来,要向跑来的人射击。泰山根本没顾这些,而以飞快的动作从肩上卸下绳索,打了一个活扣,挥了几圈,把活扣的一端向飞机投掷过去。奇翠儿眼尖,伸手就拉住活扣,她身体被绑在座椅上,只能用手死死拉住绳扣。

　　飞机渐飞渐高,地上的黑人都被眼前这一幕惊呆了,谁也没有放枪。当飞机离地有二十多英尺的时候,泰山就悬在飞机底下,摇摇晃晃,飞机有点失去重心,歪歪斜斜的。乌三格全神贯注地对付飞机,根本不知道底下发生了什么事。他拼命扳着机器,见飞机直往上升,心里暗暗高兴,没有余力注意别的。听到地上黑武士的呐喊时,他还以为他们在为自己的成功助威。泰山此时像钟摆一样在半空中摇来荡去,史密斯被黑人们按在地上,却看得清清楚楚。他看见泰山被飞机带过树顶,带向高空,心里完全明白后果的可怕。他知道乌三格开飞机是活见鬼的事,万一飞机坠落下来,泰山逃不脱会被摔死!一想到这惨剧说不定就要在下一个瞬间发生,他的心跳几乎都停止了。一阵摇摆过后,飞机居然渐渐稳住了,泰山趁着这个机会拉住绳索,向上爬去。飞机上的奇翠儿拼死命地拉住绳子的这一端,她知道另一端系着的是泰山的命!

　　乌三格专心致志地驾驶,很高兴自己侥幸成功。他并不知道飞机下有人悬着,仍旧一心一意,连头都没回,飞机越升越高了。

　　泰山爬了一会儿,在中间休息一下。他向下望了望,只见树木和河流都在脚下飞过去,自己的性命完全寄托在这根绳索上。而在上面拉着绳索的,却是一个体力有限的年轻女子,当然泰山并不知道她被绑在座椅上。这时飞机离开地面已经有几千英尺了,成与败、生与死,真是悬于一绳啊!乌三格绝对不会想到,把奇翠儿牢牢地绑在座椅上,帮了泰山很大的忙,也帮了奇翠儿很大的忙,要知道,泰山可比奇翠儿要重得多。

渐渐地,奇翠儿感到手指麻木了,手腕麻木了,到最后,连手臂都麻木了。她自己也不知道还能支持多久,只是不断地鼓励自己,绳子的另一端系着恩人的命,自己咬紧牙,只要有一口气,就不能松手。上帝保佑他,保佑他快一点爬上来。

正当奇翠儿拼命努力,却快要支持不住的时候,她突然看到一只棕色的大手已经攀上了飞机的边缘。不多会儿,泰山整个身体就进了飞机,他坐在奇翠儿旁边。在飞机巨大的轰隆声中,乌三格什么也觉察不到。泰山望着乌三格的后背,低声问奇翠儿:"你会开飞机吗?"

奇翠儿点了点头。

泰山又问她:"等我过去收拾掉他,你敢不敢过去,坐在他身边操纵飞机?"

奇翠儿看了看乌三格那伟岸的身躯,不禁打了一个寒战,但她还是鼓起勇气说:"好的,我可以。现在我的双脚还被绑在椅子上,必须请你先帮我解开。"

泰山用猎刀割断了绑在她脚上的皮带,奇翠儿自己也解开了座位上的皮带。泰山用一只手扶着她,小心翼翼地移动着脚步,因为这时他们的动作非常危险,飞机稍稍一倾斜,他俩就有翻出飞机之外的可能。泰山心里明白乌三格也是个壮汉,要把飞机从他手里夺过来,并不是一件轻而易举的事,万不可掉以轻心。做好这件事,必须尽一定的努力,还需要谨慎从事。

乌三格尚被蒙在鼓里,什么也不知道,一直到奇翠儿到他身边,他才察觉事情有了变化。但是,还没容他反应,泰山像铁箍一样的双手已经卡住他的脖子了,飞机的操作权马上落到奇翠儿手中。没用多大工夫,泰山就把乌三格掐死了,他庞大的身躯瘫在座椅上,一动不动。泰山割断乌三格身上的皮带,把他高高举起来,掷向窗外。下面的黑武士们只见飞机有过一阵颠簸,并不知道上面发生了什么事。只一会儿,飞机又飞稳了,可令他们不解的是,飞机掉过头来在往回飞。史密斯在下面虽然被绑着,还是专心地看着飞机的动静。紧接着,底下的人都惊叫起来,因为忽然有一个人从飞机上摔了下来,转瞬之间就掉在地上,摔得血肉模糊。史密斯以为是泰山,紧紧闭上眼睛,不敢去看。过了好一阵,听见黑人们都发出悲惨的叫声,他睁眼一看,才知摔死的不是泰山,而是乌三格。

　　飞机还在上面盘旋,黑武士们惊慌的情绪渐渐镇定下来,他们都要为自己的首领报仇,咬牙切齿、摩拳擦掌地望着飞机。泰山站在奇翠儿背后向下望着,他明白黑人们的心思,但是飞机里声音太响,他不便于向奇翠儿讲太多的话,就大声而简略地吩咐几句。奇翠儿是聪明人,她立刻明白了泰山的意思。

　　奇翠儿虽然是军事间谍,但是亲手大规模杀人的事,她还从来没有做过,心里不免有点胆怯,但转念一想,只要飞机一落地,自己和泰山就会寡不敌众,为了能活命,也只能照泰山的吩咐做了。她咬紧牙关,飞机照直向黑人堆飞过去,临到降落前,又横向一扫,黑武士们被机身、机翼撞死了不少,有些没死的也受了重伤。飞机停稳之后,泰山跳下来,首先奔过去给史密斯解了绳子,这时,奇翠儿也赶到了。她嘴里不停地对泰山说着感激的话。泰山摆了摆手说："别说这些了,实际上是你救了自己,假如你不会开飞机,就是我杀死了乌三格,我们两个人还是要摔死,再说,若不是你紧紧拉住绳子,我又怎么上得了飞机呢?好了!一切都过去了,不再说了,你们俩快回到白人的殖民地去吧!趁现在时间还早,你们又有飞机,用不了几个小时就可以到了。"泰山说着,看看史密斯,似乎在征询他的意见。

史密斯点点头说："虽然被绑了这半天,我的体力还足够开飞机的。"

泰山说："既然如此,你们就快些走吧!丛林里不是你们久留的地方。"说这些话时,他脸上堆满了愉快的笑容。

史密斯和奇翠儿到底和泰山相处了这么久,而且共过生死,现在面临分手,自然有点依依不舍,但他们还是勉强装出笑容来。史密斯说："你说得不错,这里确实不是我们的地盘,我认为,不仅是我们,你也不该长久地待着。我想冒昧地问一句,你为什么不愿意和我们一起到文明社会去呢?"

泰山摇摇头说："不!我和你们二位不一样,我喜欢丛林。"

史密斯垂下眼帘,看着地上,似乎有什么难于启齿的话。过了半天,他才迟疑地、字斟句酌地说："假如你是为了生活,假如你有什么难处,我的好朋友,或者……金钱什么的,或者……你知道,我是想说……"

泰山不等他说完,就大笑着说："你猜得不对。我感谢你的美意。你不了解,我自幼是生长在丛林里的,丛林就是我的归宿。谢谢你,我不想回文明社会去。"

史密斯和奇翠儿听了非但意外,而且大感不解,看泰山的神情很严肃,知道他说的是真话,都觉得很遗憾。这也难怪,他们怎么会知道泰山过去奇特的经历呢?

泰山见他们迟疑着,舍不得走,就催促说:"你们快点动身吧!早一点走,好早一点到达安全的地方。"

史密斯和奇翠儿无可奈何了。史密斯走上前来,握着泰山的手说:"那么,只好跟你说再见了。"

奇翠儿也走过来,和泰山握着手说:"再见吧!我已经知道了,你仇视我,在分别之前,我想问你一句:你现在还恨我吗?"

泰山的脸上表情非常复杂,仿佛一时很难答复。他什么也没有说,只默默地把奇翠儿抱上飞机,放在史密斯的座位后面。奇翠儿以为泰山对她余恨犹存,脸上有点悲戚。这时,史密斯已经开始发动飞机了,不一会儿,机身渐渐升空,向东方飞去。

泰山站在空场中间目送着飞机远去,情不自禁地低语道:"奇翠儿呀,奇翠儿!论你的职业和你的国籍,我是该恨你的,可是要恨你却也很不容易。"

十四
黑　狮

　　有一头饿极了的黑狮正从干旱地带到这里来寻找食物。它很年轻,长得十分壮实,身体硕大,一身黑毛发着亮光,脖子上的毛蓬松着,使它显得非常美丽,也非常威风。丛林里食草的小动物们老远地看见它,赶紧逃得无影无踪了。

　　这头狮子现在处在又饥饿又愤怒的状态中, 因为它已经寻找了两天,什么吃的东西也没有找到。尽管它体力渐渐不足,疲乏得很,但是为了保持体力,为了活下去,它必须继续寻找。它很想大声吼叫以发泄怒气,可是它又不敢这样做,因为它知道,如果一吼,更会把猎物吓跑。它有意把脚步放得轻轻的,以免惊动了其他兽类。走着走着,它忽然闻到一股鹿的气味,心里非常高兴,便跟着气味追上去。它仔细闻了闻,判断出那鹿从这里走过还不到一个小时。狮子觉得很有把握, 这下一定可以填饱肚子了。一阵微风吹过来,它从气味上知道,鹿和它的距离越来越近了,它十分小心,注意着不弄出声音来。

　　黑狮悄悄地追了一会儿,果然看见在前面一棵大树底下,有一头又肥又嫩的小鹿正在那里来回地走动着,看它的神态,还没有发觉有危险。狮子威武的脸上一双眼睛闪着黄绿色的光,它神情专注地盯着那头鹿,在估计自己和鹿之间的距离。它认为很容易就可以扑到鹿。以它过去的经验,在这个距离之内,它只需大吼一声,鹿就会吓得不敢动弹。它的尾巴在身后晃动着,这是它习惯性的准备动作。忽然,它尾巴向上一竖,正想大吼一声,向前扑去。谁知就在同一时刻半路上冲出一头猎豹来,原来猎豹在另一个地方也注意这头鹿半天了,它比黑狮抢前了一步。现在它正站在鹿和狮子中间,但猎豹的行动太鲁莽,把鹿吓跑了。狮子见猎豹赶走了它的美食,勃然大怒,大吼一声,就向猎豹扑去。猎豹深知黑狮的厉害,料定自己不是它的对手,赶快爬上附近的一棵树,逃走了。

黑狮见猎豹跑掉,自己身体笨重,又不会上树,只好无可奈何地去另找食物。半个小时之后,狮子忽然嗅到了人的气味。若在平时,他是不屑于吃这种人肉的。它也知道自己是威猛的兽中之王,这些不费多大力气就能得到的食物应该让给老年狮子去,自己这样年轻,义不容辞地该找壮健的食草动物吃。原来在狮群中也自然而然地形成了一种习惯,那就是鹿、野猪、斑马该是年富力强的狮子们吃的。不过,这种习惯在一般的时候可以遵从,今天却有个特殊的情况。这头黑狮尽管只有五岁左右,可是它实在饿透了,这可就不能按常规办事。别说有人可吃,到了实在饥不择食的时候,即使是动物的尸体,也是可以用来充饥的,何况是又鲜又热的人肉呢?

这头黑狮过去虽然没有吃过人,却很熟悉人的习惯和特点。它知道人又愚笨又胆小,反应非常迟钝,是一种缺乏抵抗力的生物。如果要去猎捕人,是用不着怎样小心谨慎的,他们的敏感程度远远不如鹿。这时黑狮已经饿得要命，眼见前边有几个黑人，它就肆无忌惮地扑过去了。哪知它刚往前跑了一点，还没到黑人那儿，忽然"轰"的一声，它的身体不由自主地往下陷。原来它中了宛马宝部落黑人的计策，掉入他们设下的陷阱，它怎么挣扎也跳不出来了。

我们再回过头来说说泰山，他站在空场中间，目送着飞机越飞越远，最后，在东方的天空里，只能看见一个小黑点。他觉得很安心，今后再不必挂念那两个人的安全了。他们两人都是生长在文明社会的，若留在丛林里，既要时时保护他们不受野兽的袭击，又要防范宛马宝部落的黑人再把他们捉去，泰山实在感到像被捆住了手脚。人猿泰山是喜欢身无挂碍的自由生活的，现在这两个人既然已经安全了，自己当然可以往西走，回父亲的海滩小屋去。

泰山也说不上来为什么，当他看着渐渐隐入东方天空的那个越来越小的小黑点时，心里有点不是滋味，不自觉地轻轻叹息了一声。他自己也不明白这声叹息是什么意思，甚至都不愿意承认是从他嘴里发出来的。他早已决定与人类社会断绝来往，从此在丛林里过无忧无虑的生活，可是为什么如今见他俩走了，心里又无端地升起一种莫名的惆怅呢？泰山认真地想了想，史密斯少校和自己同是英国人，自己想保护他，于道理上倒还说得过去，可那个德国女间谍，自己是该仇恨的，说不上来为什么，几次要杀她，又没忍心下手，如今竟送她安全地走了，我人猿泰山什么地方出了毛病不成？

泰山想努力甩掉这些困扰自己的想法，就昂首挺胸地向西走去,不再去看天空中的那个黑点。他走到空场边,跳上大树,在这里他站得更高,又情不自禁地向黑点望去。后来,他竟发现了一个意外的动向,飞机向东边落下去了!根据目测,那地方正是他曾经豁出命爬过来的荒山的背后,泰山不觉惊讶万分,他估计那两个人一定又出了什么事。他呆望了好一阵,决定还是去营救这两个异乡漂泊者。泰山知道,那一片荒山和荒无人烟的峡谷除了自己到过之外,恐怕就只有那位留下遗骸的无名英雄了。只受过军训的军官和年轻的姑娘恐怕没有能力走出这片无边无际、人迹罕至的地方。看那飞机直直地坠落下去,他们即使侥幸不死,要是受了重伤,两人岂不是更没办法?

泰山推测史密斯的驾驶技术一定不错,这样,他或许能在危险中使飞机安然着陆,他和奇翠儿也可能不会受伤,如果真是这样,泰山还有设法拯救他们的可能。泰山往前大约走了一英里路,忽然听见有动物的快速奔跑声,接着看见一头惊惶的小鹿向自己这边奔来。泰山意外地看见这么好吃的东西,马上转变了主意,救人的事暂且放一放,先将这自己送上门来的鹿捕获来吃吧。这种心理状态的变化原本是兽类特有的,可是这位兼有人与兽两种性格的英国爵士,一看见美味当前,仿佛马上变成了食肉的兽类,躲在树丛后面,准备猎取小鹿。

那小鹿刚从狮子和猎豹的威胁中逃脱出来,惊吓的心情还没平定,根本没顾及到前面又出现了新的危险。泰山很快地扑上去,杀死了鹿,接着发出一声大猿得胜后的长啸。他听到远处似乎有一声回应,好像是狮子的怒吼,他听出来那怒吼中还夹杂着失望与悲凉的意味。在这种时候,泰山往往要探知底细,他很想去看看狮子到底遇到了什么事，为什么会发出这种奇特的吼声。于是他扛着鹿，直向发出声音的地方奔去。走到一条被古树笼罩的小路上，泰山看见一头很大很年轻的狮子，困在宛马宝黑人设置的陷阱里。巨大的黑狮正在奋力挣扎，这是一头非常雄壮健美的狮子呢!连在丛林中生活多年的泰山也很少见到。

　　泰山仔细端详那头黑狮，心里不禁赞赏起来，这头狮子真英武啊!那威风与雄健，让它无愧于兽中之王的称号。这么多年来，泰山见过的狮子不少，但还头一次有像这样的狮子引得他带着赞美的心情来欣赏。泰山这才明白，原来是狮子突然落入陷阱中，挣扎不出去，才发出那样又急又怒的吼声，要不然这么雄伟的狮子是不会轻易流露出恐怖神态的。

　　泰山在丛林里遇见过无数狮子，没有一头不跟自己是冤家对头，这种动物不像大象或大猿，不会成为自己的好朋友。可是他一想到逮狮子的人是宛马宝部落的吃人生番，这些人也是自己的生死仇人——泰山当然不会忘记，若不是大猿相救，史密斯和自己差一点让他们吃了。就是这群无恶不作的生番叫这头狮子落入陷阱，苦苦挣扎，由于被同一群仇人所害，黑狮引起了泰山的同情和怜惜。说起非洲的土著人来，在他们中间，泰山虽然也有几个忠于他的朋友，例如自己庄园上的那些黑武士，但是吃人的努玛宝酋长领导的这群生番无法跟自己手下的瓦齐里人相比，泰山对宛马宝部落的人十分痛恨。过了一会儿，狮子也发现了蹲在树上的泰山，它仰头看看这个半裸白人，他装束虽然和那些黑人差不多，可是从他的眼神中能看出他对自己似乎没有恶意。于是狮子闪着黄绿色的眼睛，看着泰山肩上的鹿肉，竟发出低低的悲鸣来,似乎有恳求之意。

泰山看到它这个样子,笑了,好像明白狮子在向他诉苦:"我饿极了,几乎支持不住了,快要饿死了。"

泰山向陷阱里的黑狮笑笑,微微露出一点讥笑的神情。他找一个枝杈把鹿肉放稳,用他父亲留下来的刀割下一条鹿腿来,把刀上的血在自己腿上抹干净。那狮子望着鹿肉,露出十分馋的样子,又向泰山呜咽着,泰山没有理它,在树上傲慢地嚼起鹿肉来。

狮子在下面目不转睛地看着泰山吃,第三次发出恳求的声音来。泰山有点不忍了,想起自己当初精疲力竭地爬绝壁的时候,饿得全身瘫软,那时如果有一口水喝,不也是好的吗?想到这里,他把剩余的鹿肉向下抛去,恰巧丢在陷阱中。泰山此时竟有点自嘲起来:我人猿泰山是怎么了?怎么变成了一个充满慈悲心肠的老奶奶?竟对这头饿狮产生怜悯心。假若它不在陷阱里,而是在丛林中和自己面对面相遇了,它会发慈悲吗? 若照这样下去,以后杀死一头鹿岂不是也下不了狠心?哼!这恐怕都是因为和文明人交往,沾染了他们的怯懦之气,才叫自己在兽群中锻炼出来的铁石心肠一点点软化了。

泰山尽管心里这样想,脸上还是挂着笑容,没有后悔的样子。他确实有点喜爱这头狮子。

泰山一边吃着鹿肉,一边端详着这个逮狮子的陷阱。他发觉它构造有点特别,坑底没有尖木钉,但是在靠陷阱顶部一英尺以内,却密密层层地装满了尖木钉,尖头一律向下。之所以这样,是让狮子跌下去时不致受伤,但它如果打算往上跳,每跳一下,木钉都会把它扎疼。这样收拾狮子,就是让它多疼几次,不敢再往上跳,死心塌地地被困在笼子里。从这一点泰山可以肯定宛马宝人本来就想活捉狮子。可是泰山不明白,这个部落的人平时和经商的白人没有往来,不可能想逮了狮子到白人那儿卖个好价钱。那么,他们是什么目的呢?为了居住的安全?不对!若是这样,他们把狮子打死就完了,何必煞费苦心地活捉?难道他们残忍成性,想看着狮子受够了活罪再死,并以此取乐?想到这里,泰山对宛马宝人更咬牙切齿了。

泰山又想,这么美丽的一头大狮子,无故被宛马宝人折磨死,不如自己把它救出来,也好让那些残酷的黑人尝尝大失所望的滋味。但是,怎么救它呢?泰山琢磨了一阵。得先去掉陷阱顶部的木钉,这样,狮子就不难跳出来了。泰山担心的是,如果狮子在里面已经憋急了,一下子很快地跳出来,自己还来不及上树去,怎么办?狮子可不一定马上会知恩图报,说不定倒会恩将仇报的,到那时自己可就危险了!他下决心救狮子,但同时也要考虑自己的安全。其实,泰山也不怕狮子,万一到了不得已的时候,他完全可以和它一决胜负。过去他就不止一次地杀死过狮子,只是这头狮子太招他喜欢了,他不愿意杀它。泰山吃够了鹿肉,就跳下树去,走到陷阱边,仔细瞧瞧怎样下手才好。狮子也抬头看了看他,仍低头去吃它的鹿肉,对泰山似没有什么敌意。

泰山开始动手了,用猎刀挖松泥土,渐渐除掉木钉。他在挖泥的时候非常小心,免得有泥块落下去,狮子不明白是怎么回事而怒吼起来,惊动宛马宝黑人。后来他改用草绳套住钉子头,自己跳上树去,用力地拉。当他拔去几个木钉之后,狮子听上面有动静,疑心泰山要抢回鹿肉,顿时站了起来,咆哮一声。当它看到泰山在拔木钉，似乎明白过来了，这个人好像是要帮自己逃生，刚才给自己鹿肉吃的，不也是这个人吗？又等了一阵，狮子看见上面的木钉妨碍不到它了，就低下头去，叼了鹿肉，一下子跳到地面上。泰山见狮子已脱离危险，便收了草绳和猎刀，进入丛林，往东跑去了。

　　如果让泰山在地上或树上找寻人和兽的踪迹，那是非常容易的，对他来说，这就像读一本书一样。可是要在天空中寻找飞机，尽管他有敏锐的视觉和听觉，却不是件易事。要找史密斯他们，他只能凭方向，而且也摸不准确。他想，史密斯可能驾驶技术很棒，若是这样，他也许在危急中有相应的对策，使飞机缓缓降落，不受损害，这样，他们也许又向东飞去了。当然，这是最好的情况。可是，如果他们是出了故障坠落的，那么自己只凭着一个大致方向去找他们，在那么一大片荒山和峡谷里岂不是像大海捞针一样？

　　泰山从来不肯知难而退，他思忖良久，认为现在只有一个办法，那就是认准飞机落下的方向去找，一直到找到为止。过去他曾经走过那一带地方，知道一进荒原之后就再也猎取不到食物，这一次他作了充分的准备，打了很多猎物，去掉皮和骨，只把肉带在身边。一切都准备好之后，他一刻不停地向前进发，一路上越走越荒凉，没几天就到了他逃出来的山谷。他到处找着、喊着，除了山谷的回声以外，什么也没有。那两个人和一架飞机连影子都不见了。泰山背着食物，觉得太重了，就沿途把它们埋下，做了记号，以便回来时取用。他越过几座山和几个峡谷，在第二天傍晚到了那位无名英雄留遗骨的地方，谷里的兀鹫又在追着泰山了,这叫泰山想起了前次的事,忍不住哈哈大笑,高声对兀鹫喊着:"兀鹫!你别妄想了,这次可和上次不同,上次我饿得没有力气,不能不时时提防着你们。今天泰山生龙活虎,你休想再打我的主意!上回我虽然气息奄奄,你的同类还是白费了心血,到头来被泰山抓住,做了泰山的美餐。说起来还真要感谢它,它送上门来,让泰山恢复了体力。现在我不吃你,就该算是好事了,你还想让我当你的食品吗?走开!"

但那兀鹫并不死心,还是追着他盘旋,因为在这荒山野岭里,轻易见不到一个活物,今天好容易来了一个,它岂有轻易放弃的道理?泰山尽管平时胆量大,此时心里也有些发紧。他记得黑人跳死亡之舞时唱的歌歌词中也有:"兀鹫知道了!兀鹫知道了!"可见这种鸟和死亡是紧紧相伴的。泰山振作精神,也把这句歌词唱了两遍,觉得心情好些了,他为自己一时的怯懦颇感羞愧。他拾起一块石子向兀鹫狠狠地掷去。

泰山从峰顶下到峭壁底下,又看到了那位无名英雄的尸骨,他凝视着它,暗想自己是不是和他有缘呢?在这荒无人烟的地方,自己竟来凭吊了他两次。在这之前和之后,不知还有人会来此凭吊他吗?他正想得入神,忽然听得远方一声枪响,猛然吃了一惊。听那枪声似乎是从南边的山谷里发出来的,群山和山谷都在响着回声。

十五
神秘的脚印

　　史密斯驾着侦察机渐渐升空时,奇翠儿已经放了心,接下不会再有什么危险了。但是说不清楚为什么,她的心情却总有点不正常。按理说,从此离开恐怖的丛林,她应该高兴才对,现在她心里不能说没有高兴的成分,可是其中却隐含着一些莫名的悲哀。心头梗住,仿佛若有所失。这到底是什么缘故,她自己也说不明白。后来细细思索,她才理出一些头绪来,知道丛林不该是她和史密斯久留的地方,从此远离了危险当然值得庆幸;可是这一离开,恐怕就再也见不到三番五次救过她的泰山了,让他独自一个人留在荒野里,不免有几分难过。她看看坐在自己前面的英国军官,那么潇洒倜傥,是一位有教养的青年绅士,而且,她也知道他是爱自己的。但是,尽管已经拥有了安全和依靠,那个在空场上目送飞机起飞的半裸白人,那个既神秘又冷漠,却有恩于自己的人还是牵着她的心,使她按捺不住怅惘的心情。

　　史密斯驾驶着飞机,心里十分高兴,他觉得飞机只要在自己手里,用不了多少时间,就可以返回英军司令部了。座舱里还带回了自己喜欢的姑娘,他记起泰山跟他说过的奇翠儿是德军间谍的话,心中不免有点芥蒂。她既是德军间谍,自己身为英国军官,在两国作战的时候,她当然是敌人,自己能够佯装不知吗?可是,又确实是她领着一群大猿把自己从死亡里救出来的。在丛林里相处了一段时间,他发现她身上有很多优点:温柔、聪明、善良、细致,自己确实爱上了她,这次与她一同回去,今后该怎么办呢?爱国的责任心和对姑娘的恋情在他心里矛盾着。一方面他觉得作为一名现役军人,包庇敌军间谍无疑是有罪的;另一方面要他不爱奇翠儿,他又做不到。心里矛盾了一阵,最后,爱情在他心里还是占了上风,于是他打定主意不再追问奇翠儿过去的事,只要今后她不再从事反对英军的工作,就只当泰山对自己什么也没说过。

飞机向东飞行着,两个人各自想着心事。俯视飞机下面,丛林越来越稀少了,越过一片枯瘠的山岭,就是干旱的平原,这个地方乱石成堆,根本看不到水。好像经过若干世纪的地壳变动,这里竟变成了寸草不生的荒原,遥望远处,西边一带的高山似乎就是这片荒原的边界。

飞机正飞过高山,恰好有一只兀鹫在高空中翱翔,准备飞过山顶,回它的巢里去。因为这里几乎没什么人,它从来没见过飞机,以为是另一只大鸟在那里盘旋。兀鹫认为这只大鸟飞到这里一定不怀好意,不是与它争夺食物,就是来强占它的巢穴,于是照直向飞机扑去。史密斯看到兀鹫时已经提防不及了,兀鹫从正面撞到了飞机上。它的身体被推进器一旋,已经碎成几块,落在地上,但是飞机的推进器也被撞坏了。一个碎块顺势向后飞来,打在史密斯的前额上,他马上被打晕了。奇翠儿赶紧接替他去操作,但已经来不及了,加之机身受了伤,飞机直向地上落去。

史密斯晕了一小会儿，当他醒过来时，飞机已经快到地面了。就在这十分危急的时候,他清醒地意识到要保住两个人的性命,必须找一块适当的陆地降落。可是,他往下一看,只有一处山谷,还算好,那儿是一片平沙,没有什么障碍物,他就操纵着已受伤的飞机缓缓地降落下去,平安地停到地面。很幸运,他们俩都没受伤。

停留在这里显然是不行的,没有水,也没有食物。那么,下一步该怎么办呢?摆在面前的只有两条路,一是驾着已受损的飞机继续升空飞行,二是从这里步行回去。史密斯打算先检查一下飞机损坏到了什么程度,如果修不好,也只有步行回去了。如果走路的话,是向东走呢?还是顺原路折回去?若退回到原处去,那里野兽和吃人生番非常多,回去几乎等于是送死;若是向东去,要经过无尽头的干旱的荒原,饥渴也会让人丧命。这可如何是好?

飞机着陆之后,史密斯在心里乱糟糟的时候回头去看了看奇翠儿,万幸,她没有受伤。显然,自己刚才想的问题她也想到了,因而她的脸色非常难看,尽管如此,她还是向史密斯微笑着。两个人都没说话,默默地对视了好几分钟。最后,奇翠儿强打精神问:"咱们真的就这样完了吗?"

史密斯此时心里也没底,为了安慰奇翠儿,他摇摇头说:"等我检查一下飞机,也许还有希望呢!"

奇翠儿进一步问:"如果飞机受损了,你能在这里修理好它吗?"

史密斯说:"恐怕不大容易,我检查一下,尽最大的努力吧!从这里走到通坦噶的铁路线还有好远的路呢!"

奇翠儿说："如果靠步行，这么远恐怕不成，我们吃喝都成问题呀！"

史密斯说："如果飞机修不好，我们也只有这一条路！好在我的武器还没被黑炭头们拿去，我还有一把枪呢！天无绝人之路，到时候总会有办法的吧！"说着，他从飞机上的小柜里掏出一把手枪来。

奇翠儿看了，笑弯了腰说："你这种武器在丛林里只好当玩具，难道能拿它抵御野兽吗？"

史密斯听了，神情十分颓丧，只好强作镇静："不管怎么说，这到底是武器啊！有它总比没它强。你别小看了它，我曾经拿它杀死过敌人呢！"

奇翠儿说："我不是说它完全没有用，如果只对付一个人，打中了要害是会要他的命，可要是人多了就没多大用处。如果是对付野兽，恐怕不但打不死它，还会把它激得更疯狂。"

史密斯有点不高兴："如果我有一支来复枪，当然比这个好，就是碰到大象也够抵挡一阵子的。可是现在没有，说了不是白说！有这把手枪也总算聊胜于无。"

奇翠儿看看史密斯，有点自责。她知道史密斯由于缺少足以保护她的武器，心里正不痛快，自己这时是不应嘲笑他的，于是赶快转变口气，温柔地安慰他说："我刚才说话不当，请别生气！只是飞机出了事故，处在这样的环境里，我心里同样着急，所以说话欠考虑。作为一个军人，我也曾经立誓为国捐躯的，面临死亡不应该慌乱。其实，我的死期早该到了，能活到今天，已经算是侥幸了。"

史密斯听了，吃了一惊，忙问："你为什么这样说？你并没有什么严重的病啊！为什么说出这样的话来呢？"

奇翠儿连忙解释说："我不是这个意思，我很健康，没有什么病，我是说被乌三格的部下捉去，我就没指望能活下来。作为一个军人，我当然不愿意做无谓的牺牲，可是与其受辱而偷生，还不如死。我被乌三格掳去之后，就再也没抱着回祖国的希望了。我曾经为祖国做过一点点贡献，但其实也很微不足道，只不过尽了一个国民应该尽的责任罢了。现在我只希望上帝怜悯我，让我早一点死去，我不愿意拖拖拉拉地活受罪。从前，我总以为自己是个勇敢的姑娘，现在真正面对现实，我才知道我和世界上的许多姑娘没有什么两样。我怕听野兽的咆哮声，甚至在脑子里幻想出许多可怕的场景来，这种自我恐吓比真的面对恐怖还更可怕。我跟你说这些，你不见得能理解，因为你们男子的性情本来就跟我们不一样，是吧？"

史密斯说："不！我想我是能理解你的。你能经受这许多磨难，是很勇敢的了。我的理解是，所谓勇敢，不一定是心里不害怕。举个例子来说吧，譬如一个不懂事的小孩子，他敢照直走进狮子窝里去，这不能叫作勇敢，因为他还不懂得他做的事是可怕的。而明明知道狮子窝危险，还敢进去救那孩子出来，这才是真勇敢呢！"

奇翠儿说："谢谢你给我的夸奖和鼓励，但我到底不是个勇敢的人。受了你这番鼓励，我应该努力求生，我希望咱俩找到一条能平安出去的路。请你随时给我指导，我会按照你说的去做。"

史密斯听了奇翠儿的决心非常高兴。他用了两天的时间，想尽办法修理飞机，明明知道没有多大希望，还是努力去做。到最后，他不得不告诉奇翠儿，飞机修不好了。

史密斯说："现在，飞机是没有指望了，我们总不能坐在这里束手待毙啊!能不能想出逃离险境的方法?"

奇翠儿说："你说得对，我们还该继续努力。东西两个方面无需去考虑，都是绝路。我看这广大的荒漠之中或许会有水源，下面的深谷就值得去找一找。记得乌三格把我带到宛马宝村去的时候，曾经从南边经过，那里有茂密的树林，也有清澈的溪水。或许我们还有希望从那里绕道到东海岸去。"

史密斯似乎不大相信会有这么好的事，摇摇头说："我们可以试一下。如果只有我一个人，我当然会下去找一找的，可现在……"奇翠儿见他没有把话说完，只是凝视着地下，已经明白了他的意思。他想说，要自己跟着一同去找，怕自己跋涉不了那么远的路;若留自己一个人在这里，他又不放心。奇翠儿一时也觉得不好再说什么，只呆呆地望着深谷的南边。因为她总觉得现在唯一的希望是在南边。她出了一会儿神，忽然猛地抓住史密斯的胳膊，大声惊叫道："咳!快看!"

史密斯抬眼向奇翠儿指的方向一看，只见山谷的拐角处站着一头极大极威猛的黑狮，目光炯炯地盯视着他们。他非常惊讶地说："这可怪了，这么荒凉的地方也有野兽?除狮子之外，还不定有什么呢!"

奇翠儿这时却感到了一丝希望，她说："我记得，狮子是不会到没有水的地方来的，对吗?"

史密斯说："是的，我也记得是这样，狮子是很不耐渴的动物。"

奇翠儿高兴地叫着说:"这么说,它的出现就预示着我们有希望了?"

史密斯大笑着说:"一个怪有趣的希望预兆!我想起一句俏皮话来,人们常说:'红脖子的水鸟出现了,水源还会远吗?'现在不就应了这句话吗?"

奇翠儿说:"不错,我也听到过这一类的谚语的。我说出来你别笑话,这一次我见到狮子,第一个念头倒不是害怕,而是觉得找到水源的希望更大了。"

史密斯说:"先别高兴得太早,这种希望恐怕还带着点别的内容,你怎么能知道狮子是怎么想的?说不定它看到我们,也感到有希望了呢!"

狮子似乎也看清楚了周围的一切,正在慢慢朝他们走来。

史密斯看这情况不妙,就赶紧扶奇翠儿站起来说:"我看,我们还是到飞机上去吧!"

奇翠儿存有几分侥幸:"它可能跟到这里来吗?"

史密斯说:"我看是有可能的,咱们还是有所防备才好。"

奇翠儿又问:"一定会这样吗?"

史密斯说:"这我也说不准,咱们有备无患吧。"他边说边掏出手枪。

奇翠儿一见,着急地说:"求求你,请你不要打它,如果一枪打不死,反而让它发怒,它发起野性来,咱们可就不好办了。"

史密斯说:"我不准备用枪打它,只是吓吓它的。你没见过驯兽师怎样工作吗? 驯狮员也常常是只拿着一把没上子弹的手枪和一把从柜橱中取东西时常用的高椅子，就可以把狮子弄得服服帖帖呢!"

奇翠儿说:"就算你现在手里有把枪，却没地方去找你说的那样一把椅子呀!"

史密斯说:"这我可没办法，我曾提议过在飞机上装置一把椅子,可是政府一直也不肯听。"

奇翠儿笑了,她笑的样子就像在参加朋友的聚会,听别人讲笑话时一样。狮子向他们一步步走近了,看它那神情,不像是要来吃他们的,似乎没什么歹意。狮子走到飞机旁边的时候,停住了脚步,只管凝视着他们俩。

史密斯也瞪着狮子,有点不解地说:"它怎么老站在那里看着我们呢?它到底要干什么?它长得真大真美,你说是吗?"

奇翠儿说:"是的,我也没见过这么大这么美的狮子,它身上的毛不但像墨一样黑,而且还发亮呢!"

他们说话的声音好像刺激了狮子, 它生气地抬起头来吼叫着,张牙舞爪,好像就要扑上来。史密斯慌了,举起手枪,对狮子放了一枪。这一声枪响可惹恼了狮子,它咆哮一声,就向史密斯猛冲过来。史密斯看情况危险,急忙拉着奇翠儿离开座位,准备走出机舱,到外面去。奇翠儿怕来不及跳到地上就被狮子抓住,所以她认为不该离开飞机,反而拉着史密斯往飞机的高处爬。

狮子没见过飞机,它有点拿不定主意该不该上去,看着奇翠儿向上面爬去,它竟没有办法抓住她。这时史密斯已经跳到地上去了,狮子却没有去追他,而把注意力放在奇翠儿身上。奇翠儿想,蹲在飞机顶上,也许还可以得到短时间的安全。她便慢慢往机翼上爬,同时也喊史密斯爬到另一侧机翼上去。

正在这时候,泰山听到枪声,循着声音追到这里来了。奇翠儿忙着往机翼上爬,没有看见泰山。狮子却第一个注意到有陌生人闯进这个山谷,它认为凭空添了个敌手,怒不可遏,便示威地咆哮着。狮子转过头去向着泰山怒吼,这才把史密斯和奇翠儿的视线也引向泰山。奇翠儿脱口而出:"感谢上帝!"因为她知道,泰山一来,她和史密斯就有救了。

狮子暂且把史密斯和奇翠儿放在一边,向这个生人扑去。泰山拿着长矛,站住不动,在那里等它。泰山已经认出来这头黑狮就是他从宛马宝人的陷阱里救出来的。泰山相信狮子也会认出他,这一点奇翠儿和史密斯当然不可能知道。丛林中的动物虽然远不如人的记忆力好,可是若遇到给它留下深刻印象的重大事件,也不容易遗忘。这时的泰山性格中兽性的成分已收敛起来了,像对一个老朋友一样,他笑嘻嘻地站在那里,等着狮子来认出他。

史密斯和奇翠儿见狮子直奔泰山而去,泰山却站着不动,非常着急。史密斯暗暗埋怨泰山胆子太大了,他手里虽然只有一把手枪,对付狮子是不够用的,但他还是准备去帮助泰山。此时的奇翠儿除了干着急之外则想不出任何办法。可是,凭经验她相信,泰山站着不动,一定有他的打算,他一定有办法制伏狮子,过去她曾经亲眼看到过他战胜猎豹。这时,奇翠儿瞪大了眼睛看着狮子和泰山,只见两者相距不到一米远,狮子也站住了。狮子低低地咆哮着,摇动着尾巴,不像是暴怒着要进攻的样子,她不明白是怎么回事。泰山却知道狮子已经认出自己了。站在远处的奇翠儿见狮子把鼻子伸到泰山的光腿上闻来闻去，她以为它马上就会下嘴咬了，赶快闭上眼睛，用两手捂着脸不敢再看。

大约过了一分钟，什么可怕的声音也没有，却听到史密斯在那里惊呼："看哪！真怪，天下竟有这样的怪事！"

奇翠儿这才放下手，睁开眼来看。只见那头黑狮用鬃毛蓬松的头在泰山的腿上蹭着，泰山把长矛交到左手，用右手在狮子的耳朵背后替它搔痒。奇翠儿在过去的生活中，曾经见过很通人性的狗或马，甚至知道它们在必要时会救主人，可从来没见过猛兽和人这样亲密，也从来没见过人这样不怕野生狮子的。她一时看呆了，无法理解，难道泰山身上有什么魔力吗？

泰山走到飞机跟前，狮子也在后面跟着，但它走到离飞机不远的地方就站住了。泰山向奇翠儿和史密斯说："我找了你们好久，正愁找不到呢，还是你们的一声枪响把我引来的。"

史密斯很不解地问："你怎么知道我们遇到危险了呢？"

泰山说："你们起飞之后，我一直在树上看着你们，忽然瞧见你们的飞机坠落了，不知道出了什么事故，我又无法探出准确的地点，只好按着大致的方向找来。找了两天也没有，我以为找不到你们了，听到枪声才到了这里。怎么？飞机出毛病了吗？还能修好吗？"

史密斯说："我已经尽了最大努力，恐怕修不好了。"

泰山问："既然这样，你们打算怎么办呢？"

奇翠儿说："我们当然打算到东海岸去，可是飞机坏了，步行又太远，这么长的路，途中没有食物和水，怎么行呢？所以我们正想不出来该怎么走呢！"

泰山说："对，我也想到这个问题了。现在在这儿遇到黑狮子，我相信附近一定有水源。我在两天之前，曾经从宛马宝部落黑人设下的陷阱里把这头狮子救出来，它能到这里来，一定有捷径。这两天我经过的路上，没有看到野兽们走的路。你们看清狮子是从哪个方向来的吗？"

奇翠儿说："它是从南面来的，我们也正在议论，那边可能有水源。"

泰山说："我们就到那边去找一找。"

史密斯看着那头大黑狮，不无恐惧地问："我们若过去，那狮子不咬人吗？"

泰山说："看情况吧，我来对付它，你们最好从飞机上下来，我陪你们一起去。"

史密斯耸了耸肩。奇翠儿回头看看史密斯，见他听了泰山的话，惊恐的神色虽没有完全消失，但脸上有了笑容，不再说什么，便从机翼上溜下来，走到泰山身边。奇翠儿暗暗佩服史密斯的勇气。狮子这时也走近泰山，向史密斯咆哮着，并不时回头看看泰山。泰山蹲下，勾住狮子的脖子，用猿语告诉它不要胡闹。奇翠儿见泰山俯在狮子的耳朵上说了一串自己不懂的话，非常惊奇。狮子虽然不懂猿语，可它似乎领会了泰山的意思，不再咆哮了。泰山向史密斯走过来，狮子也跟着泰山往前走，但它不再有什么侵犯史密斯的动作，而像一只大狗跟在主人身边。

奇翠儿问泰山："你刚才对狮子说了些什么？"

泰山笑笑说："我告诉它，我是人猿泰山，是狩猎的能手，是丛林中万兽之王。而你们两个都是我的朋友。我跟它说的是猿语,森林中只有各类猿群的语言是大致相同的。据我的经验,大象能懂一点,狮子大概不懂。不过兽类听对方说话,一多半也在看你的神色。譬如两个对手见面之后互相咆哮,就是在示威,告诉对方,远远避开,就可以互不侵犯。我跟狮子说话的用意,就是要它不要难为你们。现在你们可以下来了,它现在对你们没有敌意,我可以把你们介绍给它。"

奇翠儿也鼓足勇气从机翼上下来,狮子只是看着,并没向她扑去,她跳到地面时,狮子低低地咆哮了一声。

泰山看着狮子的动静,高兴地说:"看来,有我在这里,你们就安全了,它决不会伤害你们。你们最好也别去惹它,只当没看见它一样。来!现在你们过来,走在我的左右两边,它自然会走开的。"

史密斯听了,正想随泰山走,忽然想到飞机上还有食物和水,就去取了下来,三人各带一点,寻路向南走去。狮子没有跟他们走,只是站在飞机旁边看着。他们循着狮子来时的脚印去寻觅水源。走到谷底,脚下的土地越来越软了,狮子的脚印也越来越清晰。

将近黄昏的时候,泰山忽然发现地上有另一种脚印,就指给他俩看,非常诧异地说:"你们看,这是什么脚印?"

起初他们看见脚印重重叠叠、十分杂乱,辨不大清楚。还是奇翠儿眼力好,向泰山指的几个地方看去,果然看出了痕迹,惊奇地大叫道:"这不是人类的脚印吗?"

泰山点点头说:"你辨认得不错。"

奇翠儿又蹲下去细看看说:"是人类的脚印, 可为什么没有脚趾的印子呢?"

泰山说:"从他们的脚印看,我估计他们可能穿了软底草鞋。"

史密斯说:"这样说来,附近恐怕又有野蛮人的村落,我们会不会又被他们捉去呢?"听他的口气,上次被宛马宝族捉去的事让他余悸犹存。

泰山说:"不错,这附近恐怕是有人住着,但他们不像是非洲土著人。因为这儿的土著人,除了乌三格的部下穿着德军的皮靴外,其他黑人都是光脚的。看地上的这些痕迹——你们没有我的眼力好,这些脚印中间有脚趾印,只是不如光脚的清楚罢了。你们细看,他们落脚的重心也和当地土著人不同,当地的黑人是整个脚底都着地的,你看,这些穿软底草鞋的人足弓却很明显。"

史密斯问道:"据你这么说,难道这些是白人的脚印吗?"

泰山说:"我还不能断定,只能说有点儿像。"说着,他又伏到地上去细细地闻。

史密斯和奇翠儿见到他这种像猎狗一样的动作,觉得非常奇怪,但又不敢笑。

泰山闻了一会儿,站起来说:"很奇怪!这不是黑人的脚印,但也不像是白人的。一同走的有三个人,而且都是男人。至于他们属于什么种族,我可辨别不出来。"

他们三个边说话边继续往前。山谷的地势越来越低洼,抬头看两边的石壁,也越发显得高耸。石壁上还有若干年来被水冲刷出来的洞。泰山在石壁下选了一个铺满白沙的山洞说:"今晚我们就在这里过夜吧!"

泰山这句脱口而出的话是用猿语说的,说出之后,知道他们两个不懂,自己不觉也笑了,于是又用英语重说了一遍。

　　他们在山洞边席地而坐,把带来的干粮打开来。吃了晚饭,天色也渐渐黑了,泰山对奇翠儿说:"你睡到洞里面去,我和少校睡在洞口,这样便于轮流守夜。"

十六
夜 袭

　　他们三个坐在山洞外又闲聊了一阵。入夜之后,奇翠儿向他们两个道了一声:"晚安!"就爬进山洞里准备睡了。她躺下之后,无意间看到洞外较远处的黑暗中似乎隐隐有黑影在晃动,而且还能听见悄悄的走路声。

　　她以为洞外的两个人睡着了,没有察觉,就轻轻地唤着泰山,问他:"外面黑暗中好像有东西在走动,是什么?是人还是兽?"

　　泰山笑了笑,回答说:"那是狮子,在那儿走来走去已经好久了。你才发现吗?"

　　奇翠儿一下子放了心,又问:"是和你很熟的那头黑狮吗?"

　　泰山说:"不,这不是我救过的那头狮子,是别的出来猎食的。"

　　奇翠儿又着急地问:"那它会不会来抓我们呢?"

　　泰山说:"有这个可能,也许,它的目标就是我们。"

　　史密斯听了,连忙掏出手枪。

　　泰山看了,赶紧阻止他说:"随它去吧!少校!你不用掏出枪来。"

史密斯勉强笑着说:"老朋友,你的目光真敏锐,我才一动,你就已经看见了,这是我自卫的准备。"

泰山说:"你若真开了枪,会惹麻烦的。这里我看至少有三头狮子在黑暗中盯着我们。如果我们烧起一堆火,或者天上有月亮的话,你就可以看清楚了。它们会不会向我们进攻,现在还说不准。但是,如果你开枪惊扰了它们,它们就会扑过来。"

奇翠儿紧张起来了,说:"假如它们扑过来,我们怎么办呢?我们被困在这个洞里,又没有可逃跑的路!"

泰山说:"我们唯一的选择只有尽力抵抗了。"

奇翠儿说:"我们三个人,怎么打得过三头狮子呢?"

泰山耸耸肩说:"今天我们遇上了,有什么办法呢?只有死中求生。我们每个人迟早总要死的,死于狮子之口在你们看来也许十分可悲,但是你们可曾想过,生长在丛林里的动物很少能得到善终。我生长在丛林里,尽力死里逃生,却也不抱侥幸心理,说不定哪一天,我会被狮子或猎豹咬死,成了它们的口中食,再不然,就是寡不敌众,死在那些黑人手下。我把这些都看得平平常常,今天晚上死,或者明年死,或者十年以后死,这对我来说,又有多大区别呢?"

奇翠儿听了,不觉打了一个冷战,带着失望的口气说:"你说的也是,每个人总会死的,死到临头会受短时间的痛苦,以后就什么也不知道了。不过,活着的人总有求生的欲望,恐怕这也是普遍现象吧?"

说完,她就爬进洞去,躺在白沙上面。史密斯坐在洞外,泰山蹲在史密斯的对面。

史密斯说："我身边还有几支烟卷儿，可以抽吗?我想在没死之前抽个痛快。你要不要来一根?"说着，他递了一支给泰山。

泰山摇摇头说："不，谢谢你，我不想抽，你自便吧!野兽闻不惯烟草的气味，这样也许会迫使它们走开。"

史密斯不再说什么，独自抽着烟。他又递了一支给奇翠儿，奇翠儿也不要。于是他们就静静地坐着，四周非常岑寂，只有洞外不断传来狮子踏在白沙上那细碎的脚步声。

史密斯抽着烟，突然问了一句："如果不惹它们，平时狮子很安静吗?"

泰山说："不是，狮子在散步的时候也喜欢吼几声，表示示威，若是在准备猎取食物的时候，它们倒往往一声不出。"

史密斯心里十分害怕，却给自己壮胆说："我倒希望它们现在就扑过来，索性拼个你死我活，免得明明知道有狮子，看得见它们的影子，听得到它们的脚步声，却在这种恐怖中耗时间，可真不是个滋味。我希望它们别一块儿上来，那样会叫咱们招架不住的。"

泰山笑笑说："现在已经不止三头了，增加到七头了呢!"

史密斯失声嚷了起来："啊!我的天!这山里到底有多少狮子?它们怎么成群结队来了呢?"

奇翠儿说："我记得听人说过，野兽是怕火的，我们要不要烧一堆火，会不会把它们吓跑呢?"

泰山说："我想不会有用的，这些狮子和我平素熟悉的狮子不大一样，普通狮子见了人没有这样老实的，早就会扑上来了。我从脚步声听，外面似乎有一个人，就是他领着这群狮子一块儿来的。很难说它们受过他什么训练。"

史密斯大为惊奇地说:"这太不可思议了,七头狮的狮群中会有一个人吗?他们怎么能和平共处呢?"

奇翠儿也奇怪地问:"你怎么断定外面有一个人呢？"

泰山笑笑,摇摇头说:"恐怕我说了你也不会明白。要了解一些事物,必须有长时间的实践,几句话讲不清楚,让我怎么跟你说呢?"

史密斯有点不以为然:"你真这样认为吗?"

泰山说:"是的,我这么想。如果你天生就是盲人,当然不能像视力正常的人一样看清周围的一切。如果我只凭语言告诉你,花是什么颜色、什么样子,天空是什么颜色,太阳、月亮和星星又是什么样子,无论我怎么说,你还是得不出明确的概念。你们两人如果生下来时就没有嗅觉,我只凭语言告诉你们花有什么香味,食物有什么香味,你们也不会明白,哪一种香味到底是什么样。同样道理,你们没有我的经历,我告诉你们我是怎么知道洞外有人的,你们怎么能听得明白呢?"

奇翠儿听了他这番话,似有所悟地说:"这样说,你认为洞外有人,是凭鼻子闻出来的吗?"

泰山点点头说:"是的,你猜对了。"

史密斯问:"那么,狮子有多少头,也是闻出来的吗?"

泰山说:"是的,同样是闻出来的。平常人们总以为凡是狮子都是一个模样的,其实不然,没有两头狮子面貌是完全相同的,而且它们身体上的气味也各不相同。"

年轻的史密斯觉得格外新奇,摇了摇头说:"这些话我真是第一次听见,过去从来不知道。我简直不明白你是怎么学到这套本事的?"

泰山没有正面回答史密斯的问话,因为他知道这个问题三言两语说不明白。隔了一会儿,他说:"我看外面一群狮子和那个人似乎没有伤害我们的意思,因为咱们只有三个人,又没有武器,他们的力量比咱们强大。他们在外头居然徘徊了这么长时间,如果要进攻,早就该进攻了。但他们到底想干什么,我至今还没琢磨透。"

奇翠儿问:"据你看,他们是什么意思呢?"

泰山说:"据我推测,他们到这里来,是对我们进行侦察的,说不定附近有些地方他们不愿让外人涉足。我看,只要我们不乱动,大概不致有什么危险。"

史密斯说:"可是我们怎么知道什么地方是我们不该去的呢?"

泰山说:"我说不准,但我也在考虑这个问题。说不定他们怕我们去的地方,正好是我们想要找的地方。"

奇翠儿说:"你说的是不是有水源的地方?"

泰山说:"我想可能是的。"

他们都不再说话,又默默地坐了一阵。清静的洞外不时地响着狮子稀疏的脚步声,始终没有任何别的动静。史密斯和奇翠儿实在太疲倦了,不觉昏昏睡去。大约一个小时之后,泰山听见点不平常的声音,他立刻站了起来。当他伸手把猎刀拔出来的时候,外面的七头狮子已经一齐向洞口扑来了。狮子杂沓的脚步声把史密斯和奇翠儿也惊醒了。

泰山手拿猎刀站在洞口,等狮子扑过来。这有点出乎泰山的意料,因为洞里的三个人没有任何行动,想不到外面的人和狮子真会向他们进攻。如果只有泰山一个人,他完全可以爬上对面的悬崖,而不受狮群的攻击,他也知道自己虽有神力,有不凡的本领,可是要同时对付七头狮子恐怕还是危险。他之所以不能只顾自己逃命,是因为洞里还有两个人呢。这两个人在他心里的重量并不一样,他认为对奇翠儿谈不上友谊,更谈不上责任,但对史密斯就不同了,史密斯是为保卫英国而战的,现在飞机坏了,遇到难处,他不能只顾自己。泰山虽然明明知道想要保护他们恐怕是心有余而力不足,但毕竟不能临危脱逃、甩手不管。他正在思忖如何对付来犯的狮子时,冷不防一头狮子冲过来把泰山撞倒,他的后脑勺正好碰在石壁上,人被撞昏了。

　　当泰山清醒过来时,只听到身边有狮子咆哮声。这时天已经大亮,他睁眼一看,原来自己躺在洞口,站在他身边的却是一头大黑狮,在拼命向洞外咆哮。至于洞外还有什么东西,泰山脑后疼痛,不便抬起头来看。等他头脑完全清楚之后,才认出来原来身边这头大黑狮正是自己从陷阱里救出来的。

　　泰山高兴地和狮子讲着话,慢慢抬起头来,看见洞外不远处有两头陌生的狮子,充满敌意地在那儿怒吼着。它们的体魄远不如大黑狮威猛,所以只敢吼叫,不敢过来。

　　泰山对黑狮说:"来吧!现在咱们联合起来,去收拾洞外这两个东西!"说着,泰山就领着黑狮向洞外走去。那两头狮子见泰山领着大黑狮过来,一面后退,一面分向两边,似要给泰山让出一条路。泰山和大黑狮走到它们中间时, 小心地注意着它们的动向，果然，不出泰山所料，两头狮子同时从两侧夹攻，扑了过来。泰山是有防备的，并不慌张，举起猎刀就向其中的一头迎过去。那狮子扑向泰山的胸口，泰山用左臂向胸前一挡，对准狮子，往上一推，狮子便仰身翻倒了。泰山随手一刀过去，刺伤了狮子的左前爪。狮子挨了这一刀，更加疯狂地反扑过来。泰山的动作却十分灵活，趁势扑在狮子背上，用一只胳膊死死勾住狮子的脖子，腾出另一只手来，用猎刀向狮子的胸腹部乱刺。

那狮子也不示弱，虽然多处负伤，血一股一股地往外流着，却更加暴怒，拼命反抗着，竟将泰山从身上摔了下去。泰山头顶被狮子的前爪重重击了一下，顿觉眼前一黑，深恐自己在这时候昏过去，那可就没命了。正在这时，一个巨大的黑影从面前飞快地蹿过。泰山赶紧向后一滚，离开了最危险的地方。他站起来的时候，才看清楚大黑狮已经把攻击自己的那头狮子咬死了。然后它又和另一头激战起来，这另一头狮子比大黑狮小得多，它也是真急了，才这样自不量力，没过多久也死在大黑狮的爪牙下。

泰山见敌手已经被自己的狮子除尽，洞里没有史密斯和奇翠儿两个人，周围又没有血迹，便知道他们没被狮子咬死，猜想是被洞外的人俘虏去了，他打算追去寻找他们。可是那大黑狮此时肚子饿了，要去寻食，就匆匆往南走去，走着走着还不时停下脚步，回头望望泰山。泰山观察它的神情，似乎是要自己跟它去享用食物，便和它一同走了。泰山一边跟着狮子走，一边寻着史密斯他们的踪迹。不多会儿，在纵横着狮子脚印的路上，又出现了穿软底草鞋人的脚印。泰山闻了闻这脚印，味道正和刚才在洞口发现的一样。同时，他也闻到了史密斯和奇翠儿的气味，他们似乎是被一群奇怪的人和狮子簇拥着走的。泰山更断定自己的推测不错，两人被这群怪人活捉去了。他在想怎样才能找到他们，把他们救出来。

　　泰山跟在狮子后面一直从北往南走。地势陡峭，山路很难走。忽然到了一个水草肥美的好地方，这里长着很多树木，地形也不错。泰山向下一看，下面竟有一条人工开拓的平坦的大道。他跟着大黑狮一直下到谷底，只见这里有很多参天古树，树下有一条弯弯曲曲的小径，一群小猴和长着美丽羽毛的小鸟在树上叽叽喳喳地叫着。

　　泰山在小径上走着，有一种异样和陌生的感觉。本来，泰山是在丛林里生活惯了的，可是他觉得眼前这些景物好像都不是真的，而是出于幻觉。因为这种变化太突然了，在荒凉干旱的山野里，怎么会出现这样一派田园风光?小鸟和猴子本来是泰山熟悉的动物，但这里的小鸟和猴子似乎并不认识泰山。这儿的泉石、树木、小径和周围的峭壁、荒原是那么不协调。泰山渐渐警觉起来，他感觉到这个地方一定是那群穿软底草鞋的，他还未曾谋面、摸不清底细的民族的聚居地。

　　泰山看见有几只小猴在树上摘野果子吃。这时他也感到饿了，便跳上树去，专拣自己喜欢的果子，畅畅快快地吃了个够。泰山吃惯了野生动物的肉，只吃野果当然不满足，他这时想起那头大黑狮，想和它一同去猎取野味，谁知他回头找时，大黑狮早走得无影无踪了。

十七
古堡奇域

泰山一看大黑狮已经走了,便不想一个人去打猎,好在已经饱餐了一顿野果,肚子也不十分饿了,还是先去找史密斯他们要紧。于是他从树上跳下来,在地上重新找他们的足迹。一路向前走去,见不远处有一条小溪,溪水十分清澈,他就跑过去,痛痛快快喝够了水。溪水是向西南方向流的,他沿着溪水看去,前面似乎有一条主干道,泰山就朝那个方向走。看看主干道的两边,还有许多岔道,上面留有狮子和猎豹经过的痕迹。仔细观察,真正在这里林中生活的只有啮齿动物,丛林中其他最常见的动物如鹿、野猪、斑马、大象、野牛、鬣狗等等,这儿根本没有。非常独特的是,此地蛇却很多,长长短短地盘挂在树上,到处可见。以前泰山在别的丛林中从来没见过这么多蛇。走到一条河边,泰山闻到一股腥味,他以为有鳄鱼,走过去看看,却原来又是一种水蛇。泰山从来不吃蛇,只好走开。

泰山从昨天和史密斯、奇翠儿在飞机旁吃过一点肉食之后,一直到现在,再没吃过什么肉。他心里打着主意,总想找点荤的吃。看了看周围,除了蛇之外,就只有鸟了,抬头四顾半天,太小的又不屑于打。好在昨夜发生战斗时,对手并没把他的武器拿走。大概那个人和那群狮子误以为他死了，所以没有理会他，以致泰山醒来时，长矛、猎刀、弓箭、草绳都还在身边。

泰山忽然看见一只大鹦鹉飞过，于是他弯弓搭箭向它射去，那只大鹦鹉果然应声而落。泰山射中鹦鹉之后，奇怪的事发生了，一大群鸟和猴子都惊恐万状地叫闹起来，林子里乱糟糟地吵成一片，像发生了什么天大的祸事一样。它们这样不约而同地大叫大闹倒激怒了泰山，他满面怒容地向着鸟和猴子高声狂啸着，这是泰山进入这个林子后第一次发出挑战。泰山愤怒的一声长啸震动了山谷，四面响着回声，那群鸟和猴子突然听到这么可怕的声音——它们似乎从来没有听到过——都吓得逃跑了。林子里的生物一时销声匿迹，林子一下变得很沉寂，只剩下泰山和那只死鹦鹉。

泰山用这种虚张声势的办法居然占了上风，连他自己都没有想到。这里的动物似乎非常胆小，突然就逃散了，泰山觉得又好气又好笑。他于是捡起那只鸟，拔掉箭，把箭擦了擦，依旧插在箭囊里，然后用猎刀去掉鸟的羽毛和皮，带着怒气大吃起来，一边咀嚼着还一边咆哮着示威。他的咆哮也确实带着点不高兴，因为鸟肉的滋味实在不好，一点也不合他的胃口。这次吃鹦鹉跟上次吃兀鹫不同，上次是饿得四肢无力了，有点东西到口就可以救命，这次却不一样，嘴里吃着鹦鹉肉，心里想着的却是野猪、鹿或斑马的肉，那是何等的美味啊!这个森林里没有合他胃口的食物，令他既扫兴又恼怒。

泰山正在吃着，忽然，顺风飘来了一股狮子味儿。过了一会儿，对面的树丛中就有了脚步声，越来越近了。泰山警惕地等着狮子露面,哪知他仔细一听,原来四面都有声音,看来自己是被困在狮子群中间了。现在,泰山只有一个人,若是群狮一齐攻来,失败的肯定是自己!从狮子的脚步声听来,这群畜生正气势汹汹地穿过丛林赶向这里。泰山简直想不出它们是怎样发现自己而采取这种包围形势的,也许它们听到了小鸟和猴子的闹声,所以奔了过来。自己并没有惹着它们呀!只不过射死了林间一只鹦鹉来充饥,这有什么大不了的?也值得这样兴师动众吗?一只鹦鹉不值得这么多狮子为它打抱不平啊!只有这个怪地方才出这种怪事儿,泰山怎么也想不明白这里边有什么因果关系。

泰山站在道路中间,等着狮子们冲过来,心里盘算着怎么对付它们。等了一会儿,第一头狮子出现了,这是一头长着长鬣毛的大狮子,它来到路上,看见泰山,就立刻站住了。泰山立刻辨认出这头狮子和昨天夜里在山洞外徘徊的是同一种。和寻常的狮子比起来,它要大一些,毛也是黑的,但和泰山救过的那头黑狮比却还要逊色几分。看起来,这头大狮子像是个领头的,接着,另外的狮子也从四周走来了。奇怪的是,它们也像领头的那黑狮一样,一看见泰山,就马上停住不动了。泰山看这架势,它们好像一时还不会扑过来, 就继续吃他的鸟肉,但随时都做着还击的准备。

那些狮子后来一头头地索性伏在地上了,脸都朝着泰山,眼睛直直地盯着他。但是,它们既不咆哮,也不怒吼,仿佛接受了什么特殊的命令来看守泰山似的。泰山从未见过狮子群有这样一种状态,不知它们是怎么了,更不知它们要干什么。他忽然想起自己在童年时时常逗狮子生气,现在何不用这个方法试试呢?他安安闲闲地吃完了鸟肉，就用儿童时代大猿辱骂狮子或猎豹的污言秽语向着狮子乱骂，什么"畜生"啦、"懒蛇"啦、"吃死尸的臭东西"啦，能骂的难听的话他都骂了，可是没有反应，那些狮子好像听不懂，又好像齐了心似的无动于衷。泰山见辱骂它们没有用，就从地上捡起枯树枝或碎石子向狮子扔过去，这一次有反应了，它们露出大牙咆哮起来，可是仍旧伏在地上，没有什么愤怒进攻的动作。

于是泰山又骂起来："怯懦的东西！胆小如鼠的玩意儿！空披了一张狮子的皮，简直是给狮子丢脸！"泰山自己报了名字，又添油加醋地把自己吹了一番，用各种大话恐吓狮子。狮子还是充耳不闻，只管瞪着两眼看着他，可就是不动。

泰山和一群狮子对阵足足闹了半个多钟头，渐渐听到有人在向这儿走来。泰山的嗅觉也告诉他确实是有人来了。没过多长时间，果然有一个人从领头的那头狮子背后走过来，当他看见泰山时，也站住了。泰山一闻这个人的气味，就断定他是昨晚领着群狮在山洞外进攻的人。他既不是黑人，也不是白人，面貌和打扮非常特别，泰山过去还从来没有见过。

那人的皮肤很粗糙，像牛皮一样。头发却是黑黑的，前面的发际很低，几乎没有前额。两只眼睛几乎是挤在一起的，而且黑眼球极小，周围露出一圈眼白来。鼻子是鹰钩形的，嘴唇上下长着稀稀疏疏的胡须。由于前额发际太低，再加上鼻子的古怪形状，整个脸布上了一层阴险的神情。那人的上嘴唇很薄，几乎看不见，下嘴唇却很厚，而且有些向下歪斜，总之，这张脸给人的感觉是心性乖戾、凶恶狂妄。四肢也不匀称，胳膊长，腿却短，但比例不均还不是十分显著的。他穿着一件紧身的长背心,下摆盖到臀部,背心下面的两条腿倒是笔直的,不像奥泊城矮人的罗圈腿。脚上穿着软底草鞋,腿上打着绑腿,上及膝盖。手里拿着一支沉甸甸的短矛,腰里挂着一把刀,刀外面有刀鞘。他的背心是植物纤维织成的,绑腿却是鼠类的皮做的。

泰山看那个人似乎不怕狮子,狮子明知道身后来了个人,也仍旧伏着,没什么动静,他们好像平时已经相处惯了。这个人穿过狮群,直向泰山走来。相距大约二十英尺他站住了,向泰山叽哩呱啦地说着什么,他的话泰山一句也不懂。看他的意思,他的话似乎与狮子有关,因为有几次他一边说一边指指狮子。见泰山没有反应,他就又指了指短矛,拍了拍腰里挂着的刀,那意思大概是,如果泰山要来侵犯,只有动武了。

泰山听他讲话,留心看他的动作,总觉得他不像个正常人,因为他的头一直在不停地抖动。泰山带着微笑听他讲,他的样子像是脑子有什么毛病,可是他说话的声音和姿态又很镇静,不像个狂躁的疯子。

泰山等那人说完了,就试着用猿语回答他,可是对方不懂。泰山不嫌麻烦地又用尽各国语言向他说明来意,但看他的样子,似乎都没听懂。泰山费了半天口舌,见对方始终不清楚。不免有点焦躁,便举起长矛,走了过去。这个举动似乎双方都明白了,那个人也举起武器,发出怒吼声。那一群狮子一起跳起来咆哮着,向泰山扑过来。那人见了,龇着牙狞笑起来,泰山这时才看清楚他的牙齿十分尖利,不像是人的牙齿,倒像是兽类的。

这时泰山不免警惕起来,他知道一个人去对付这么多狮子绝难取胜，所以他不等狮子扑到跟前，就纵身跳到树上，大声喊着："我是人猿泰山，是丛林中打猎的能手，所向无敌!在丛林中没有一个是我的对手，谁敢冒犯泰山?"边说着边拣枝叶浓密处退出去了。

泰山避开了狮子的进攻，又在路上寻找奇翠儿他们的脚印，找着了就循着脚印往前走。走了约半英里之后，树林忽然没有了，现出一片平原来，最让泰山惊异的是离平原不远的地方居然有一座城堡。城堡外面有围墙，从平原上有一条大道通往那里，大道尽头就是城堡的门，城门很奇特，是圆形的月洞门。在树林和城墙之间是一片丰茂的田园，不但有农作物，而且有人工开凿的沟渠，沟渠里流着清清的水!这里的农作物品种很多，而且长势很好，一眼就可以看出是有农业经验的人耕耘的。细看那沟渠，有主干渠道，还有分支渠道，使每一块田地都能得到灌溉，这里的水利建设还真不错。右边的田地里，还有人在劳作着。

泰山站在一个较隐蔽的地方，仔细欣赏着眼前的风光，忽然听到一阵脚步声，原来是刚才和自己对面说话的那个人带着一群狮子回来了。泰山又退回树林里，跳上树去，找到一根安全的树枝，蹲在那里，遥望着狮子和人走出丛林，穿过田园，朝那个月洞门走去。那个古怪的人带着那群狮子，就像主人带着一队驯服的狗一样。到了城门口，那人举起短矛，敲了敲门，城门从里面打开，人和狮子都进去了。泰山乘城门打开的这一小段时间往城里看了看，见那儿很热闹，人来人往，还没等他再看清楚其他东西，城门就关上了。

泰山估计史密斯和奇翠儿一定被他们捉进了城里，他当然想去救他们,但担心自己也被捉去,那情况岂不是更糟。至于他们俩在城里遭遇到了什么,泰山真是无从推测。跟刚才那个人根本无法用语言沟通,对于他们的风俗习惯、思想意图,泰山丝毫不了解。他们会怎样对待生人?看那人的牙齿如此锋利,谁知他们会不会吃人呢?这些都一无所知。他想,只有一个办法,就是自己冒险进到城里去,凭嗅觉也可以找到他们。可是,怎么才能进去呢?

太阳慢慢西沉,田园渐渐笼罩在一片昏暗中,在田里劳作的人陆陆续续回城堡了。泰山看见有一个男人走过去关了水渠的总闸门,其他人都跟着关水闸的那个人往回走。泰山观察他们,有扛着农具的,有背着筐的,人数还不少,大家都从东面的田间回到城里。

等田间的人都走完,泰山谨慎地观察着周围,爬上靠近城墙的一棵大树向城里察看着。整个城是狭长的,城墙的四面都成直角,而城里的街道却是弯曲的。他遥遥看见里面有一座白色的矮房子,在白房子和另一座房屋中间仿佛有一条河流。可是他看不太清楚,因为这时已然暮色四合了。从他在文明社会的生活经验推测,那座白房子可能是个市场。在另外一边有一座大房子,史密斯和奇翠儿是否就被囚禁在那里呢? 这时,太阳完全落下去了,城里墨黑一片,奇怪的是竟没见有灯光。泰山暗暗庆幸,他的眼睛在黑暗中是能看见东西的, 这样倒便于他进城后到处去摸索。他不希望城里到处有明亮的灯光。

泰山居高临下, 正好能看见全城的屋顶。它们大部分是平顶,也有少数像欧洲文明社会里那样的圆屋顶或尖顶。泰山想不到在荒野的非洲居然有建筑得这样讲究的城市。从这些建筑样式看起来,这城市恐怕有些年代了,但是,城里的人为什么一直没有和外界接触呢?即使因为山高路远,他们也该放大胆量走出去,探索一下荒漠之外的世界呀!尽管如此闭塞,在这个极度荒凉的地方这些人能维持这样一座城堡,而且还从事农作物耕种,看来是自给自足的,也确实算不容易了。

入夜之后,树林里有了许多野兽的声音,加上城里的狮子吼声,此起彼伏,互相呼应。

泰山暗暗打算趁着夜色攀上藤本植物,越过城墙去。他唯一担心的是,从树林到城墙间那片平原有一英里多长,不是三步两步就能跨过的,而且平原上没有树木,都是耕地,万一走到半路,遇上什么野兽就麻烦了。但是泰山想了想,要进城去,又别无他法,只能冒这个险。他从树上下来,轻轻地经过平原,还好,身后没有什么响动。走了一段之后,泰山停住脚步,想□望一下城墙上有没有哨兵,正在这时,树林里有一头狮子发现了泰山,猛地吼叫了一声,泰山从它的声音听出来这是一头饥饿的狮子。他回转身去看,见一头大黑狮从树林里追了出来。这时已微微有了月光,泰山看那头狮子个头也不小,和自己从陷阱里救出的差不多。他本想和狮子斗一场,把它杀死,转念一想,那样消耗体力太大,声音大了又怕惊动城里人,自己还是赶快进城,救人要紧。他拔腿就跑,向城墙飞奔而去,狮子也在后面紧紧追来。

原来,狮子追逐猎物速度虽然快,但不能持久,起步时很迅疾,过一会儿就不行了。泰山却是善于长跑的,刚迈步时他的速度不如狮子,他不敢稍有懈怠,全速向前飞跑,那狮子离泰山越近，泰山也离城墙越近了。人和狮子的这种百米赛跑恐怕不多见。泰山边奔跑边回头看看，见狮子几乎就快追到背后了，便赶快抽出猎刀，以备狮子追到时跟它决一死战。谁知到后来，狮子体力渐渐不支，泰山跑到城墙下，已经抓住了一根藤蔓，他只希望这根藤蔓结实些，不要在半路断掉，那他可就逃不脱狮子的血盆大口了。

泰山只注意到身后的狮子和手中的藤蔓，不知城墙上也有一对黑眼珠注视着他。泰山跑到城墙下时，狮子已经快追上他，泰山连选择一根牢靠点的藤蔓的余暇都没有，急急地抓住一根就往上爬，他的生死都系在这根藤蔓和他的双手上。泰山当然没精力注意城墙上还有什么，当他爬上一段距离的时候，狮子也已经追到了，纵身向上扑来。

十八
在疯子群中

　　我们再回过来补叙那天晚上的事。那天夜里在山洞前，狮子扑过来进攻的时候，洞里的三个人被围困住了。奇翠儿躲在角落里全身直发抖，这也不怪她，她已经在恐惧中煎熬了一天一夜，现在确实有点难以支撑。她听到狮子的怒吼声中间还夹杂着人的呵斥声，似乎有人走近山洞来了。由于周围太黑，她看不清来的是什么人，也没听见泰山和史密斯的声音，只觉得在黑暗中有一只手抓住了她。那抓住奇翠儿的人似乎不愿意狮子伤着奇翠儿，就一边用手里的矛把狮子赶开，一边把奇翠儿拖出洞来。洞外比洞里明亮，借着星光能看到一些东西。奇翠儿看见两个不认识的人半拖半抬地拉出一个人来，朦胧中看去，被拖着的好像是史密斯。自己也身不由己地被别人拖着，这时，她可没有看见泰山在哪里。只记得出洞口时，看到那儿躺着一个人，但却没看清是谁。后来在路上她回想着，可不可能是泰山呢？她以为泰山被他们杀死了。

　　有好几次狮子扑上来要咬被捉住的两个人，每次都被那些不认识的人用矛柄打开了。那些人好像不怕狮子，他们对付狮子就像对付驯顺的猎犬一样。他们带着狮子，押着史密斯和奇翠儿,经过山谷中的旧河床向南走去。过了一会儿,天渐渐亮了,史密斯和奇翠儿又被带着穿过丛林,走上了一条大道。当太阳稍稍升起来时,这些人在林中走动,惊动了小鸟和猴子,它们都叽叽喳喳乱叫起来。在这段时间里,奇翠儿看见了一件奇怪的事,那就是这些人虽然不怕狮子,却怕鹦鹉,只要见到鹦鹉,就显出非常虔诚而且畏惧的样子,嘴里喃喃地祈祷着什么。

走在队伍最前边的那个人身材非常魁梧,他领着的这群人和狮子似乎都很听从他的指挥。途中偶尔遇到一件事,奇翠儿怎么也不能理解:猛然间有一只鹦鹉向他低飞下来,吓得他马上跪到地上,两手抱着头,拼命磕头,其他人看了,也露出很为他担心的样子。磕头挺长时间了,他才敢抬起头来看看,鹦鹉早已飞走,他这才站起来继续往前走。

就在那个人磕头时,队伍自然停了下来,史密斯趁机来到奇翠儿身边。奇翠儿这时候才看清楚史密斯被狮子咬得浑身是伤,看他脸色苍白,似乎失血不少,但还能勉强挣扎着走路。他向奇翠儿低语:"这些是什么人?他们捉我们做什么?"

奇翠儿说:"我也不明白他们是什么人,看样子很可怕。但愿你的伤不太严重。"

史密斯说:"还好,伤的地方虽然多,但都不太严重,我只是感到疲惫无力。我很想知道他们是什么人,捉我们去做什么,会不会又像上次一样要吃人肉呢?"

奇翠儿说:"他们和那些吃人的生番不像同一民族。看他们的装束和行动,真有点神秘莫测。"

史密斯把那些人打量了一阵,又回过头来问奇翠儿:"你过去到疯人院参观过吗?"

奇翠儿听了这话,猛然一惊,好像忽然醒悟了什么,失声叫出来:"噢!是的,经你这一说,我也有点看出来了,他们莫不是一群疯子?"

史密斯说:"你看他们的面貌和身体的比例, 还有他们的举动,都和正常人不一样。他们的眼睛白多黑少,头发是直竖起来的,而且没有前额,这些不都是天生弱智儿的特征吗?"

奇翠儿听了,毛骨悚然起来,不禁打了一个寒战。

史密斯接着说:"还有一件怪事,你注意到没有?他们不怕狮子,却怕鹦鹉,这不是不可理解吗?难道,鹦鹉是他们崇拜的什么图腾?"

奇翠儿说:"是呀! 我也看见刚才那个领队给鹦鹉磕头了,好像鹦鹉是主宰他们命运的神鸟一样,真是天下之大,无奇不有。对了,我问你,你能听懂他们的话吗?"

史密斯说:"不!我一点儿也不懂。他们的话不像土著黑人的语言,非洲当地土著的语言我还是懂一点的。"

奇翠儿说:"他们讲话的语调丝毫也不像土著人, 但是我听起来似乎又有点熟悉。我觉得听他们讲话时有一种很奇特的感觉。"

史密斯说:"按我的猜想,他们说的这种话你不可能听到过。这些人住在这荒僻的地方恐怕有很长的年代了, 他们说的也许是原来的方言,但和外界隔绝得太久,语言越来越落后,终于成了现在这个样子。"

走到河边,那些人和狮子都伏下去喝水。他们用手势叫史密斯和奇翠儿也去喝点水。正在这时,附近的林子里传来一阵狮子的怒吼声,声音很响,四周的山都起了回声。这些人所带的狮群也朝着声音传来的地方发出回应,有的还回头看看它们的主人。那些人听到狮吼声,知道来的是一只很大的狮子,各人都把武器拿在手里。史密斯看他们所用的猎刀竟和泰山的一样,觉得非常奇怪,因为他们的样子、语言和风俗习惯与泰山相差很远。这时只见他们一手握着矛,另一手拿着猎刀。从那紧张的样子可以看出,他们虽然不怕自己带着的狮子,可是对于树林中的野生狮子却还是十分戒备的。不过,他们没被野生狮子吓住,反而朝着吼声迎了上去。不久就看见对面林中走出来一头黑狮,史密斯和奇翠儿一看它很大,都以为是和泰山很熟悉的那头,而实际上,这头狮子的形状大小确实和那头很相像,却不是那一头。

黑狮站在道路中间,生气地摇着尾巴,不停地向这群人咆哮。那些人指挥自己驯养的狮子去进攻来犯者,但它们只管咆哮,没有一头敢冲上去。对面那头黑狮可是毫无畏惧地直扑过来。迫于这种形势,有几头驯养的狮子虽然远不如大黑狮那么雄壮,但为了保护主人,居然大胆地迎了上去。大黑狮从它们中间冲过,直向人群扑来,于是人和狮子短兵相接,展开了肉搏战,长矛、猎刀、尖牙、利爪互相拼杀着。那头黑狮真够壮实的,身上被插上了两枝长矛——但都没在致命处,它不但不怕,反而被激怒了,不断举起前爪向人扑来。最后,它张开大嘴,终于咬住了距它最近的一个人的肩膀,叼住之后,直向丛林里飞奔而去。这些人里却没有一个人去追去救,而且看他们的神情,也根本没做这个打算,只是把带来的狮子又招呼到一起,垂头丧气地往回走了。

史密斯冷眼旁观整个过程，觉得非常不可理解，低声对奇翠儿说："你看多奇怪啊!眼看着自己的同伴被狮子拖去，却没有一个人打算去救，难道这种事他们常常碰到，习以为常了?我们当军人的，在危险情况下，可是拼死也要救战友。泰山和咱们不是战友，可是在危急时，他总是挺身而出，不顾自己的安危。这些人可真稀奇啊!"

奇翠儿说："是啊!我也这样看。他们看同伴被狮子叼去，竟能无动于衷，既不惊慌，也不悲痛，好像与己无关一样。他们大概认为牺牲了一个同伴，换取大多数人平安而归，就可以心安理得。"

史密斯说："他们大概真是这样想的。在宛马宝部落的时候我也见到过狮子，那些狮子可比今天这头黑狮小多了。你看它刚才向前扑的时候多么凶猛啊!"

他俩一边走着，一边谈着，那些人也不干涉他们。刚才的一幕流血惨剧把他俩的心情弄得都很坏，看这群人毫无人性，还不知他们将会怎样对待自己，因此两人也无心看周围的风景。一直走到平原上，看到农作物和城堡，他们才停止了谈话。两个人看到城堡，都非常惊异，史密斯说："哎呀!真想不到，这么荒僻的地方，会有这样的城堡，我真认为那城墙是建筑专家设计的。"

奇翠儿说："你看!城里还有房屋的圆顶和尖顶呢!我希望城里有文明人，那样，我们或许能有活路。如果落在这些没心肝的人手里，我们可就完了。"

史密斯耸耸肩说："但愿城里有文明人。若是和身边这群人在一起，我们不会有好下场的。你看，他们与狮子为伍，见了鹦鹉却怕得要命，我真不懂这是一种什么宗教信仰。我总认为这些人精神是有毛病的。”

这群人率领着狮群,押着史密斯和奇翠儿走到城门口,只见他们用矛柄敲门,城门就开了。他们走进城去,经过街道,那些街道都非常狭窄,和森林里的小径差不多。街道两旁房屋却鳞次栉比的,人似乎也很多。因为街道是弯弯曲曲的,所以望不见更远的地方。房子都是两层楼,上面一层比下面一层向前突出十多英尺,底下形成一条人行走廊,隔不远就有一根圆柱撑住上层。

街道都是土路,没有铺什么东西,走廊地上却镶嵌着石块,很光滑,看上去似乎铺了很多年,人常走的地方明显地有凹下去的痕迹。周围的人都穿着软底草鞋,若不是经过久远的年代,走廊上的石块不会有这种现象。

这时还是清早,所以街道上的行人不多,只稀稀拉拉地遇见了几个人,他们的面貌和装束都和押解他们回来的这群人差不多。最初碰见的是几个男人,再往前走,有几个根本不穿衣服的小孩在路边的软沙子里玩。孩子们看见这一群人经过,都露出惊奇的神情。孩子群里有两个大人,像是家长模样,他们和孩子一起跑到路边来,对队伍中的史密斯和奇翠儿指指点点,不断地议论着什么。

史密斯说:“可惜他们的话我完全不懂,不知他们在说些什么。”

奇翠儿说:“是啊!咱们和他们语言压根儿不通,不然的话,我真想问问他们,带我们到这儿来到底要干什么,这是我最想知道的。”

史密斯说:“我跟你想的一样,这是个很重要的问题,可惜就是问不出来。"

奇翠儿说："我最害怕看见他们尖利的牙齿，跟乌三格他们借住的那个部落里吃人生番的牙齿一模一样，我真担心他们也吃人呢!"

史密斯问："你相信他们会吃人肉吗?他们的皮肤不黑,难道白种人也这样野蛮?"

奇翠儿反问道："你认为他们是白种人吗?"

史密斯说："他们起码不是非洲吃人的黑人，这一点可以肯定。进城之前,你不是看见他们在田里种着很多庄稼吗?他们的皮肤虽然黄,但一定不是中国人。你看他们的相貌,听他们的语言,和中国人没有一点儿相似的地方。"

他们正在说话,却第一次看见了一个城里的女人,她和那些男人差不多,只是身材要矮小些,四肢似乎也比男人匀称。她的面貌却让人觉得比男人还丑。因为,她的黑眼球比男人的小,下巴比男人短,前额上的发际比男人更低,脑后的头发却很长,披在肩上,不像人的头发,倒像一大把黑色的植物纤维。衣服似乎也没加缝纫,只把一块方巾裹在身上。身上倒是有些金属装饰品,都戴在头上和那块方巾上。她的手臂完全露在外面。奇翠儿等一群人从她身边经过时,她叽里咕噜地和那些男人谈论着什么,但他们都没搭理她。奇翠儿和史密斯把她仔细打量了一下,史密斯说："她大概觉得自己挺美,打扮得很妖艳,但她的脸上却神情呆滞,像个白痴!"

后来他们走过十字路口,发现各条街道的建设大致差不多。房屋的墙壁很厚,窗户却很小,可能是为了防止外面的热气侵入室内吧?其中也有建筑得比较讲究的房屋,墙上画着一些奇奇怪怪的花纹,也有刻有雕塑的。他们又走到一条大街上,这儿的房屋相对来说都比较大,中间还夹杂着一些小商店,门上有招牌,上面是像蚯蚓一样的文字,猛看起来有点像希腊文,认识希腊文的奇翠儿却说不是。

史密斯因为失血过多,走了这段路之后,觉得非常疲劳,有点支持不住了,走路都摇摇晃晃的。奇翠儿怕他摔倒,就用手去扶着他。他说:"谢谢你!不必扶了,你也和我一样惊恐万分,精力消耗得差不多了。"于是史密斯又挣扎着走了一段路,到后来实在没法再走。

有一个高大的男人原先走在史密斯的右边,他几次用手去拖史密斯,拖了几次,看史密斯实在走不动了,就发起脾气来,跳到史密斯前面,对史密斯拳打脚踢。史密斯本来就软弱无力,被打得跌倒在地上。那人用右手卡住史密斯的脖子,左手拔出腰刀,像发疯一样在他自己头上旋转着挥刀,似乎在威胁史密斯,这把刀说不定什么时候就砍下来。这时队伍里其他人也停了脚步,回头看着他们。看这些人的神情,好像这是极其平常的小事,仿佛有一个人鞋带子开了,他蹲下去系鞋带,大家站着等他一样。奇翠儿却急了。她见那大汉眼露凶光,龇着牙齿,异常可怕,便很不忍心本已流血过多的史密斯再受他的荼毒。奇翠儿不顾自己的安危,奔上前去,跑到史密斯身边。

奇翠儿自己也不知道哪儿来那么大的力量,将那大汉一把推倒在地,他的刀也脱手掉在地上。奇翠儿眼疾手快地捡起那把刀,站在史密斯身边,看她那样子,是宁死也要保护史密斯了。这么多天来,奇翠儿没有机会洗浴,再加上这一路来他们把她推来搡去,她身上那套衣服有不少地方破了,但这并不影响她的气质。她仍有一种英姿勃勃的女军人风度,尤其是现在,摆出一副要拼命的架势,确有几分让人生畏。那大汉从地上跳起来,这一次他倒没生气,反而狂笑不止。奇翠儿知道自己不是这一群人的对手,只能见好就收,不愿激怒他们。现在,听这一群人狂笑的声音,竟比他们呐喊的声音还要可怕。那些人一笑起来就止不住,有的笑得前仰后合,有的笑得乱蹦乱跳起来。刚才史密斯就对她说过,这些人像是有精神病的,现在看起来,这个判断多半是对了。刀还在她手里,她怕那大汉来夺刀,赶紧把它丢在大汉脚边,她自己蹲在史密斯身旁,保护着他。

史密斯低声对她说:"你真勇敢,可你也太莽撞了一点,别惹恼他们。现在他们人多,我们人少,不可吃眼前亏。你没听过别人常说吗?疯子是吃软不吃硬的,我们最好用软办法对待他们。"

奇翠儿说:"我也知道咱们两个人势单力薄,可是我不能看着他们杀了你呀!"

史密斯的眼中放出一种特殊的光彩来,当着众人,他只握住奇翠儿的指尖说:"我忍不住要冒昧地问你了,请你回答我,你真的爱我吗?我希望知道,你真爱我吗?"

她没有挣脱他的手,只是摇摇头,有几分黯然地说:"请不要误会,我很抱歉,只能说就友谊而言,我是敬爱你的。"

史密斯的目光马上暗淡下来,他把手一松,用极低的声音说:"请你不要见怪,我真的不是有意冒犯你。这话我早想问你,可是我又想,等咱们俩到了安全地带,甚至回到祖国和亲人团聚的时候,再商量此事不是更好吗?但是,看你刚才冒着那么大的危险来保护我,我实在忍不住要问你这句话了。现在听了你的回答,我知道过去只是我自己一厢情愿罢了。"

奇翠儿说:"请不要这样说,我们还是最好最好的朋友、同生共死的朋友,不是吗?"

史密斯耸耸肩,苦笑着说:"看来,我在这个城里活不了多久,我受了伤,流血过多,只是挨日子罢了。远远望见这个城堡的时候,我还希望进城之后能见到文明人,还有重返祖国的可能,现在看来,这个希望又彻底破灭了。如今我们落在了一群疯子和狮子中间,要想活着出这座城看来是镜花水月的事。我怕以后再没有机会,所以大胆问你这个。请你原谅。"

奇翠儿明白他说的都是真心话,但是她不相信他一定会死。她非常敬佩史密斯,尽管对他从来没有过婚嫁的想法,但奇翠儿凭少女的敏感知道史密斯爱她。她相信,史密斯英俊帅气,出身名门,又有这样的官阶,很够得上少女心目中白马王子的标准了,很容易得到姑娘的爱慕。然而,史密斯的爱原不是自己想得到的,因为她认为,自己的真实身份和职业史密斯不一定知道,一旦道出底细,这爱情也许会破裂。既然预见到了这一点,奇翠儿认为还是克制感情,不迈出这一步好。目前,奇翠儿又不忍心让史密斯太难过,就抚摸着他的额角,柔声安慰他说:"对活着出去别抱那么绝望的想法,积极起来!俗话不是说吗,车到山前必有路,让我们争取最好的结果。只要我活着,我会尽力帮助你、保护你。"

在目前的处境中,奇翠儿这几句话使史密斯得到很大的安慰，他脸上泛起一点红晕，竟颤巍巍地站了起来。奇翠儿赶快用手臂扶着他，然后抬起头向四周看了看。那些疯子闹了一阵之后，现在似乎已经恢复平静了，仍旧挟持着他俩继续往前走，就好像刚才什么事也没发生一样。

其实奇翠儿心里同样不抱着重返祖国的希望，即使这群疯子不虐待她，能让她自由，她也没法找到东海岸去。况且，泰山已死，还能指望谁再来救他们呢？她从洞里被拖出来的时候，明明看见泰山躺在洞口，一动都不动，看样子是没命了。现在自己和史密斯被困在这里，谁也救不了谁，到哪儿去找像泰山那么有本领的人，救他们出城堡，送他们上路呢？奇翠儿和史密斯两个人都以为泰山已经不在人世，所以都没奢望能逃出去。但他俩谁也不愿意把这句话说出口，以免引得对方伤感。不过，他俩对几星期前泰山借绳索爬上飞机救他们的事都记得牢牢的。

这时，街道上的行人渐渐多起来了，其中不乏奇形怪状的人，史密斯和奇翠儿平生从未见过。而城堡中的人也把这两个生人当稀罕物儿看，大多目送着他们走出老远，还有追着队伍看的。虽然也有不注意他俩的，但毕竟是少数。在他们经过的地方，有一次看见一个大汉在那里大闹，竟出手把一个小孩打死了，还把孩子摔得血肉模糊，摔完之后，他乱嚷了一阵，就径自朝别的路走。有两个女人和几个男人就站在旁边，一副漠然的样子，没有一个上前去劝阻的，奇翠儿从他们脸上也看不出什么表情来。只见几米之外，一个楼的窗口里露出一张老太婆的脸，她有时对窗外人笑笑，有时又扮着鬼脸，不知她要干什么。楼下过路的人仿佛对她的行为见惯不惊，没一个人去理睬。大家都昂着头从楼下过去,好像根本没看见她。

史密斯脱口而出:"天哪!多可怕的地方啊!"

奇翠儿忽然转过头来问他:"你的手枪还在吗?"

史密斯说:"还在。我把它放在内衣里了。他们捉我的时候,洞里很黑,他们没有搜查,所以还在我这儿。我把它藏得好好的,将来万一有机会逃离此处,也许还用得着它。"

奇翠儿走到史密斯的身边,非常恳切地对他说:"求你留一颗子弹给我。"

史密斯看着她,心里一阵难过,眼眶都有点湿润了。他明白她是在做万不得已的准备。史密斯不禁想,这样温柔又美丽的姑娘,她还那么年轻,生活对她来说才刚开始,真要被逼到非死不可的一步,那可真是无可奈何,只能令人悲叹!她要毁灭自己的生命,当然要由他的手来执行,可自己又怎么忍心下手呢?过了好一阵,史密斯哽咽着说:"奇翠儿!真到了那时候,我不相信我能下得了手!"

奇翠儿说:"假如他们要对我施行强暴,我又宁死不愿受辱,在这种关口上你也不肯动手吗?"

史密斯想了想说:"我可以拼着一死杀他们,但我不能杀你!你是救过我命的人,也是我爱过的人。"

他们又沉默着走了一会儿,到了一条宽阔的大街上,前面有一条非常清澈的大河,碧波滚滚,十分好看。这里竟有一些亭台楼阁,而且建筑物上都有油漆彩绘,富丽华美。地上也铺着五彩石子,屋顶上都雕刻着装饰物,大都安装着镂刻的金叶。雕刻的作装饰品的动物不外是狮子、鹦鹉和猴子,也许这里只有这三种动物,也许雕刻者只会雕刻这些,从不见有雕刻蛇或鼠的。可是从男人们的绑腿看,一定有不少鼠类在这儿,而鼠多的地方必然有蛇。

这群人领着他俩沿着河走,最后把他们带进一幢面向河水的大房子。进门就是一间大厅,里面陈设着许多桌椅,上面刻的还是那三种动物。但是,不管在什么地方,鹦鹉的数目都超过狮子和猴子,似乎它的地位更重要。

每张桌子旁都有人在忙忙碌碌地办公,那些办公的人和押解他们到这里来的人在面貌特点和衣着上没有多大差别。奇翠儿被带到一张桌前,一个人上前去报告。坐着的人不知是个军官还是个法官,这一点奇翠儿无法判断,但从那场面和派头看来,似乎是个要紧人物。押解的人报告完了的时候,那位长官便抬起头来,把奇翠儿上上下下地打量一阵,然后就用听不懂的语言审问他们俩。后来知道语言不通,审也白审时,他便向刚才向他报告的人不知发了个什么命令。

那些人接到命令,对奇翠儿招了招手,似乎在示意她跟着他们走。史密斯还以为他也该跟着一块儿走呢,刚一迈步,却被人挡住了。奇翠儿停下脚步想等史密斯,却被他们强推着走了。她对长官模样的人要求和史密斯在一起,也不知那长官听懂了没有,他只是一味地摆手。史密斯被他们狠狠地拖住脚。他这时想到身上还有把手枪,可他知道枪里只剩几颗子弹了,这里有这么多人,用了枪也是白费,于是就没敢暴露武器,想暂时静观事态,等待以后有机会再说。奇翠儿走到门口,转过身来向他挥了挥手,说:"史密斯先生请多保重!再见!"说完就出去了。

这时,那群狮子也来到大厅了,那个高坐在座位上的人命令部下把狮子赶到后面的一个门里去。接着,有两个人带着史密斯也往后面走。他们走到一条长廊上,对面也有一间大厅。史密斯没留心看厅里有什么。走到长廊的尽头,见有一道很坚固的木栅栏,里面种着很多花木,好像是个花园。四周全是高墙,园子里的树底下还设有靠背椅。史密斯心想,这地方倒不错,不像个囚禁人的阴湿的监牢。等他跟着他们进了园子一看,吓得血都几乎冻住了,原来那群狮子也在园里!它们有站着的,也有伏在地上的。那两个带他来的人不知嘀咕了什么,便把门带上出去了,只把史密斯一个人留在花园里。

史密斯心里十分害怕,用手拼命去扳那栅栏门,却根本扳不开。仔细一看,门上是装了暗锁的,刚才关门时就已经锁上了。史密斯见送他来的两个人这时刚走到长廊上,就使劲想叫他们回来,那两个人听到他喊叫,反而狂笑着走到长廊尽头,从对面的一座门进去了。史密斯只能留在园子里,胆战心惊地和那群狮子在一起。

十九
王后讲述的故事

奇翠儿被人带着出了大厅，走一段路之后，又进了另一座大厦。这座大厦似比刚才的华贵得多，有好几层楼，门前都有高高的、级数很多的石阶，每一段石阶前还有一对很大的石狮雕刻，显得庄严而威武。而每段石阶的最上一级则是一对雕刻的石鹦鹉，活灵活现，栩栩如生。狮子在下，鹦鹉在上这种安排似乎也显示了一种信仰，那就是：在这个城堡里，鹦鹉的地位比狮子高。奇翠儿不由得又想起那群人捉他们回来走在半路上时，领队诚惶诚恐地对鹦鹉磕头的事。走到大厦门前，奇翠儿看门前走廊的大柱上同样刻着鹦鹉，大门的圆顶上和墙上的装饰品不外是鹦鹉、狮子、猴子三种动物。有雕刻的，也有画的，无论是雕刻、彩绘还是镶嵌，都表现出高超的艺术技巧。

这间大厦却防卫森严，不像刚才那样随便可以进去。门前站有二十多个卫兵，穿着一色的明黄色制服，胸前和后背上都绣着一只鹦鹉，他们手里拿着武器。奇翠儿等人走到门前，穿黄衣的武士们拦住他们的去路，向押解的人发出讯问。借着他们说话的空隙，奇翠儿观察了那些卫兵的面貌。他们比一般人更加丑陋，发际更低，几乎盖住了整个前额，眼睛也更小，而且两眼挤得更紧,差不多只看见眼白,看不见黑眼球了。他们谈了一会儿,似乎是讯问完了,有一个队长模样的人用长矛去敲门。他一面打门,一面命令他的部下排好队,听他的指挥鱼贯而入。一会儿,门慢慢地开了,奇翠儿看见大门里面每扇门边都有五六个没穿衣服的黑人。把奇翠儿送进门,那批押解的人就回去了,另换了六个穿黄衣的武士领她往里走。等他们都走过去,那些裸体的黑人立刻牵着铁链,仍旧把门上了闩。奇翠儿听见铁链的声音,才注意到原来那些黑人的脖子上都套着铁链,铁链的另一端是钉在门上的,心里暗暗吃惊。

进了大门,又是另一间大厅,厅的中间有一个小水池。地上和墙上同样装饰着鹦鹉、狮子和猴子。但是这里的装饰却考究得多,据奇翠儿观察,它们都是用纯金制成的。大厅里没有更多的设备,只在长廊中的房间里设了些桌椅。墙壁上挂着五彩的壁毯,地上也铺着地毯,上面另铺了一层黑狮皮和美丽的豹皮。大门内右侧的一间房里也有黄衣武士,他们身上不带武器,却把长矛和腰刀挂在壁上。走廊尽头又是若干层台阶和一道门,门外依然有黄衣武士守卫着。跟刚才经过第一道门时一样,盘问一番押解奇翠儿的人,似乎就有黄衣卫士进去报告,足足十五分钟之后才出来,然后又由这些人把奇翠儿带进去。

就这样重复地过了三道门,每次都换一批卫士把奇翠儿引进去。最后到一间较小的屋子里,有一个人在里面踱来踱去。这个人穿着一件猩红的背心,胸前和背后同样绣有鹦鹉,不过那鹦鹉比门外卫兵身上的要大得多。他头上扎着一条蛮族式样的头巾,竟是用完整的鹦鹉皮做的,甚至连头和尾巴都还在,好像是一只活的鹦鹉竖在他头上。

　　那人的身材比奇翠儿见过的城里所有的人都高大。他非常老了，黄色的皮肤上布满皱纹，倒还不至于弯腰驼背，但从脸上可以看出他已是衰老不堪。他的神情非常特别，老人所特有的慈祥一点都谈不上，相反，他脸上满是傲慢、阴险、凶悍，显得城府很深又工于心计，仿佛在这座城堡中，多年来他唯我独尊。谁都必须服从他，他可以为所欲为、无法无天，才有这么一股专横跋扈的冷峻之气。奇翠儿觉得他的脸非常丑、非常可憎，是她有生以来从没见过的。奇翠儿进了屋，站了几分钟之后，那老人好像不知道有人进来一样，仍旧背对着奇翠儿踱着步。突然之间，他像旋风一样转过身来，这么迅猛的动作似乎不是他这个年龄的人该有的。奇翠儿见他像疯子一样向自己扑来，不由自主地向后退缩一下，伸出双手准备阻挡他，但马上上来两个卫士把她的手抓住，使她无法动弹。

　　幸而那红衣老人没有动手，只站在奇翠儿面前，瞪着可怕的眼睛，上上下下地打量她。这样看过好一阵之后，他突然大声狂笑起来，那声音既难听又刺耳。一直狂笑了两三分钟，他才止住，慢慢走上前，像察看什么动物一样看着奇翠儿。他把她的头发、皮肤都细细摸过，甚至连她身上的衣服、纽扣、口袋都摸到了。最后他做着手势，要奇翠儿张开嘴来给他看。他看到奇翠儿的牙齿不是尖利的，竟觉得非常稀罕，叫卫士们也过来看，同时，他自己露出又尖又可怕的牙齿让奇翠儿观赏。

　　那老人把奇翠儿验看够了之后，仿佛把她忘了，又自顾自地踱起步来。大约又过了十五分钟，他像忽然想起来什么似的，下令让卫士把她带出去。奇翠儿由黄衣卫士引着，又经过许多长廊和房间，在一扇有黑人守卫的小门前停下来。又经过报告之后，黑人才开门让他们进去，拐了一个弯，进了一间低矮的房间。这房间的窗子都装着粗铁条，房内的陈设和其他房间差不多，有桌有椅，桌椅上同样装饰着那三种动物。墙上和地上也都有毯子，只不过比刚才看见的简单一些罢了。屋子的一个角落里还放着一张床，上面铺着薄毯子，床上却坐着一位老妇人。

奇翠儿一看那老妇人，吃惊得倒吸了一口凉气，她一眼就看出这老妇人是个白种人，和城堡里这群疯人没有一点相同之处。她年纪也很老，脸上有许多皱纹，牙齿几乎脱落完了，但她有一双蔚蓝色的光亮有神的眼睛。尽管十分衰老，可是透过她面部的轮廓，可以遥想到她当年一定是个美人，而且还有几分高贵的气质。那老妇人见奇翠儿进去，扶着手杖站了起来，颤巍巍地走到奇翠儿面前。押解来的卫士们向她说了几句什么，就转身退出去了。奇翠儿呆呆地站在那里，看老妇人会怎样对待自己。

老妇人走到奇翠儿面前，用那双曾经很美丽的眼睛凝视着刚进来的年轻姑娘。她也把奇翠儿从头到脚打量了一遍，然后又仔细地看奇翠儿的脸。奇翠儿从对方的眼神中看出来这身材瘦小的老妇人对自己没有恶意，便听凭她审视自己。不一会儿，老妇人先开口了，她说的竟是英语！但她讲得很吃力，断断续续，一边说一边在想，仿佛很多年不说这种话、有点忘记了一样，但她的话奇翠儿完全能听懂。

她对奇翠儿说："孩子！你是从外界来的吗？上帝啊！我已经有几十年没见过白种人了，希望你能听懂我的话。"

奇翠儿欣喜异常地说："你说的是英语啊!我能听懂,而且我也会说英语。"

老妇人非常高兴地说："啊!这太好了!感谢上帝!我真担心我说的话你听不懂,同时也担心我自己说不好。我已有六十多年不用英语了,自从来到这鬼地方,只好学他们那种可憎的咕咕噜噜的语言,我六十多年没听到祖国的语言啊!"她又抚摸着奇翠儿的头发说,"可怜的孩子!可怜的孩子!你是怎么被他们捉来的?"

奇翠儿问："你是英国人吗?我猜你是英国人。你住在这里已经有六十多年了吗?"

老妇人点点头说："是的,这长长的六十多年,他们没让我出过王宫一步。"说着,她伸出干柴似的手,握住奇翠儿的手,"现在我老了,站不了多长时间,来!你跟我坐到床上去说说话吧!"

奇翠儿连忙扶着她走到床边坐下, 自己也坐在老妇人的身边。那老妇人似有些伤感地说:"可怜的孩子!你现在还什么也不知道,你与其被他们活捉到这里来,真还不如死了好。譬如我吧,初来这里的时候,也像你一样年轻,所以肯忍辱偷生。没有去寻死,是一直指望有人来救我出去。哪知道等了这六十多年,仍旧没人来救我,我自己也逃不出去。告诉我,你是怎么被他们捉住的?"

奇翠儿便把自己为什么到非洲来,以及被捉的前后经过,大致地告诉老妇人。

老妇人始终神情专注地听着, 听奇翠儿讲完了, 问道:"那么,和你一同被捉来的那个男子还在城里吗?"

奇翠儿说:"是的。只是我不晓得他现在关在哪里,也不知道他们会把他怎么样。其实，我连自己未来的命运也把握不了。"

那老妇人说："这一点恐怕没有人能预料。你刚才见过一个穿红背心的老头吧?他是这个城堡里至高无上的权威,他做事往往凭心血来潮,没有什么准则,也没有什么计划,下一分钟要发生什么事就连他自己也不知道。但是,你现在唯一可以肯定的,就是不要抱着能从这里逃出去的希望了。据我猜想,你今生也再见不到同你一起被捉的那个男友了。"

奇翠儿嗫嚅了一下,问道："请别见怪,恕我冒昧,他们为什么不杀掉你呢?据你刚才说,你在他们手里不甘心地生活了六十多年?"

那老妇人抬起头来,望着窗外,说："不!他们决不杀我,我想,他们也不会杀你的。因为他们留着你还有用。正像他们留着我,让我装点他们的生活,做他们权威的装饰品一样。但是,对我们来说,就是被囚禁一生,生不如死。"

奇翠儿想了一会儿问："这个城堡里究竟是些什么人? 他们属于什么民族?我从没见过这样的人,你能告诉我,他们是怎么来到这儿,建立了这么一个城堡吗?"

那老妇人挪动一下身子,以便坐得更舒服些,然后,就边回忆着往事,边慢悠悠地叙述起来："这个嘛,可就说来话长,那是很久很久以前的事了。唉! 我在这个徒有尊贵虚名的监牢里,年来岁往,过的日子太多了,我记不清那是什么年份。只记得那一年,我还是二十岁的少女,完全不是现在这副样子。现在——我自己是看不见的,恐怕老得连当年的一点点模样都找不出来了。这里没有镜子,我只能每天洗脸时在水里照一照。不过老了,眼睛花了,也看不清楚。我只能用自己的手摸摸脸,能感到皱纹一年比一年多了,眼眶凹进去了,牙齿也慢慢脱落了,没了牙,嘴自然就瘪了。姑娘!你看!我一定老得十分难看了吧?可是,唉!那是很遥远的年代了,我也有过年轻的时候。那时人人都称赞我是个美丽的姑娘,父母为有我这样一个女儿而骄傲。每当我自己对着镜子时,姑娘!你不要笑话我,我也曾为自己的容貌暗暗高兴呢!我常常坐在镜子前,老半天老半天地端详自己。

"当年,我的父亲是个虔诚的传教士,我随父亲到非洲内地来传教。有一天,一大队阿拉伯人抢劫了我们的村落,他们除抢劫财物外,也贩卖人口。村里许多妇女和孩子都被他们劫持了,我也在内。由于不熟悉当地,他们就强迫村民给他们带路。据他们自己说,他们从来没到过南方这么远的地方。他们听说西边还有一个村落,十分富庶,储藏有大量的象牙,便打算把那个村落抢劫之后,再带着我们到北方去,然后把我们妇女小孩卖给黑人酋长,赚一笔大钱。他们看我年轻漂亮,特意把我标了很高的价钱。这些人并不虐待我,还给我比较好的食物吃,但是对我看管得也比别人更严。

"走了不久就出了事。带路的村民对路也不是十分熟悉,我们都误入了一片荒凉的沙漠中。那阿拉伯人头目问明向导,知道是迷了路,于是仍旧往西走,这一路上经过了无数个崎岖的山谷,阳光像火一样地烤着,从沙漠中折回的热气好像在烧着皮肤,那沙漠又是无边无际的,一滴水也找不见。在这种地方走路,空着两手都十分累,可怜那些被掳来的人还要替阿拉伯人扛着劫掠来的财物。一路上,既没有可吃的食物,又没有水喝,这样奔波在烈日底下烫脚的沙漠里，不少人死了。就那么倒在路上，一倒下就起不来了，沿途都是横七竖八的死尸。

"后来阿拉伯人头目看看不行了，马也没有草可吃，而且马又不能在崎岖的荒山中走路，就把马杀掉。开始还只杀一两匹，后来看前面的路走不出个头儿来，索性杀了所有的马，我们就靠吃马肉、喝马血苟活着。那些俘虏们除了扛财物之外，还要扛马肉，可真够他们累的。又继续走了没几天，掳来的村民死得只剩下几个，情况更加困难，阿拉伯人舍不得丢下财物，就不得不自己也扛起来，后来，连他们也没法支撑。这时候我们已经走出很远很远，没法再从原路折回去了。望望前面，还是一片无边无际的沙漠，兀鹫就在我们头上盘旋，死了倒在路上的人，都被兀鹫啄来吃了，到最后只剩下一具具的骷髅，那景象可真是吓人啊！等到马肉吃光了、人也死得差不多的时候，那些抢来的财物只好丢弃在沙漠里。

"到最后，只剩下阿拉伯人头目和我两个人，他当然舍不得丢弃我。我是他抢来的唯一值钱的东西，如果把我也丢了，他可真成了孤家寡人，全军覆没、人财两空。好在那时候我年轻，能够走路。你是知道的，我们英国人很善于走路，不像他们阿拉伯人，从小就骑惯了马。我们就这样步行，不知又走了多少天，最后到了一个深山幽谷中，实在疲惫不堪。我们歇够了，又顺着山谷往南走，这里有一条已经干涸的河道，似乎若干年以前有水流过。走到山穷水尽的时候，我们都以为自己没法再活着出去，没想到前面忽然豁然开朗起来，我们竟发现了一个林木茂盛的山谷。开始我们以为自己饿坏了，眼前产生了幻象，后来定下神来仔细看,才知道是真实的。我想,这里既然有树,一定有可吃的东西,我们可以活命了!那时我虽然还是个俘虏,但还是欣喜若狂,心里充满了死里逃生的喜悦。我怎么也没料到还有更大的不幸在等着我呢,现在回想起来,真不如当时死了痛快。你不必问我那是什么地方,你今天能到这里,一定也经过那个地方的。我们一走进那个绿树丛生的山谷,马上就被这个城堡里的人捉住了,恐怕你也是在那一带地方被他们逮到的。

"你到城堡里来,一定经过森林了,那么,一定也看见了鹦鹉和猴子。进了王宫之后,应该也看见门上、墙上、桌椅上雕刻有这三种动物做装饰。他们为什么那么重视鹦鹉和猴子呢?这件事是有来历的。你一定知道,在咱们祖国,是人教鹦鹉说话,但是,在这里可不同,据说鹦鹉教给本城住的人说话。他们说,山谷里发生了什么事,都是猴子把话传给鹦鹉,鹦鹉再飞进城里来,把从猴子那里听来的消息传给城里的居民。开始我当然不相信,可后来在宫里住了六十多年之后,我才知道是真的……"

奇翠儿听到这里,忍不住插嘴问:"我想问您一个问题,可以吗?"

老妇人说:"当然可以,孩子!你要问什么?"

奇翠儿说:"他们是怎么处置当年和您一起被捉的那个阿拉伯人头目的?"

老妇人说:"关于那个阿拉伯人呢,一进城之后,他们就把我们分开了,以后把他送到哪里,他是生是死,我就不知道了。过了很多年之后,我听到门口的卫士无意间谈起,才知道他们把他和驯养的狮子关在一起。"

奇翠儿听到这里，不禁打了一个寒战，她在暗暗为史密斯担心。过了一阵，她说："以后又发生了什么事呢?请您接着往下说吧!"

那老妇人仍慢悠悠地说："我被捉住之后，和你一样立刻就给送到王宫里来了。当时，城堡里的国王是阿荀二十五世。我住了这么多年，国王已经换了几个。不过，这里的国王没有一个不是残酷无情的东西，就连城堡里那些普通人也个个残忍成性。"

奇翠儿问："这个城堡里的人到底是些什么人? 他们属于哪一种民族呢?我从来没有见过。"

老妇人说："他们是一个疯人的族群,这一点,只要你多观察他们的行动,就不会怀疑了。不过,他们虽然都是疯子,可是在他们中间,也有手艺很好的各种工匠和善于种田的农人、善于烹饪的厨子,还有熟悉法律的文人呢。他们都非常尊敬鸟类,尤其是鹦鹉,他们把鹦鹉看得神圣不可侵犯。有一只鹦鹉被供养在一间极为华丽的宫殿里,是人们崇奉的圣物。这鹦鹉很有些年纪了,据国王告诉我,它将近三百岁,我也不知是真是假。我想,城堡里的人之所以会变成疯人民族,大概是因为他们深居这荒山僻野多年,与外界隔绝,同时又信奉了这种怪诞的宗教的缘故。

"据他们先辈人传说，他们的祖先原只有极少数的男女,从北方游历到此,在荒漠中迷了路,就定居在这个地方。那时这里完全是一片荒野,山谷中雨水又少,所以寸草不生。然而这个城的四周土壤却还比较好,可以耕种,并且有茂盛的树木。这是怎么形成的呢?据国王阿荀说,他们的祖先费尽心血,在荒谷中找到了一股清泉,就想法把它疏导过来,用人工造成一条小溪,可以用它来灌溉山谷中的土地。这样年深日久，草木渐渐繁茂起来，后来又经过许多代人的劳作，才形成了现在你看到的规模。我相信他们述说的这个过程是真的。

"这个城堡里的人有许多异于常人的地方，你刚来，都不熟悉，慢慢你就会知道，在许多方面可以说他们是很特殊的人。他们有自己独特的宗教、独特的仪式，他们崇拜鹦鹉，此外，他们还吃狮子肉。他们豢养狮子，就像我们豢养牛、羊、猪、马一样，恐怕你已经看到了吧？其中一部分用来帮着保护城堡和作战，另一部分却是用来当食品的。起初我以为这也是他们宗教的规矩，后来才知道，他们吃惯了狮子肉，渐渐非吃不可了。唯独鸟肉和猴子肉，他们是宁肯饿死也不吃的。这座城的南边还有个牧场，也养着一些鹿和羊，那可不是给人吃的，而是喂狮子用的。城堡里的人只拿山羊奶当饮料。"

奇翠儿又问："您在这里住了那么多年，真的没有见过一个咱们白种人吗？"

老妇人非常肯定地说："没有。"

奇翠儿在老妇人面前渐渐不拘束了，她大胆地问："我进城堡以后，曾看见他们无缘无故地把小孩摔死，居然没有人管。你在这里住了六十多年，他们为什么从来不伤害你呢？"

老妇人说："我没有说过他们不伤害我，只是他们不会把我杀死就是了。"

奇翠儿听到这里，心里暗暗疑惑，猜想这老妇人恐怕有着不同于寻常人的地位，但她又不好过于直露地问，就迟迟疑疑地说："这么说来……这么说来……您……您在此地，有什么特殊的职位吧?"说到这里,她又觉得不妥,连忙道歉说,"很对不起,我有些猜想,不知对不对,所以我想听您亲口告诉我。我还有个很冒昧的猜测,一想到这儿,我感到很害怕,那就是,他们要您做的事,将来会不会也要我做?我希望您能明确地指教我。"

老妇人点点头说:"你很聪明,猜得不错。我这个位置将来的替补就是你。你可以观察观察,如果从现在开始,他们就让你和别的女人分开住,那,事情就算定局了。孩子!这辈子你也别打算再出去了。"

老妇人又望着窗外,呆呆地说:"六十多年来,我住在这里,从来没见过另外的女人,若是见了,她们就会杀死我。就是现在,我已经这么老了,若被这里的女人看见,她们还是会杀死我的。她们视我为异类,不能容忍我夺了她们应得的地位和荣耀。这里的男人是残忍的,女人比男人更残忍。求上帝保佑,千万别让你碰上她们才好。"

奇翠儿说:"这样说来,那些男人是不会杀我了?"

老妇人又说了一句使奇翠儿非常惊奇的话:"国王阿苟二十五世封我为王后,但这位国王有许多王后,你别奇怪,她们并不都是人类,但同样占着王后的地位。对此,你什么话也不要说,更不要有什么表示,只照顾好自己的生活和安全就是了,别的事不要多管。在这里,要想过太平日子,只有紧紧地闭上嘴。永远别忘了,你是和疯人在一起,他们控制不住自己,不定什么时候会干出什么事来。我来到这里之后,不到十年,阿苟二十五世就被人杀了。他的下一个国王仍旧封我为王后。这么多年来,换了几次国王,我始终保持着王后的地位,我是这个城堡里最老的王后了。这里的女人很少有长寿的,她们中很多人为了莫名其妙的事被残杀,有的则是由于自己精神状态不正常,心情长期不舒,以致最后忧郁而死。"

老妇人说到这里,叫奇翠儿扶她到装着铁栅栏的窗前去,她指着外面说:"你看到那些房间吗?那些窗上都安着铁条的屋子,外面还有黑奴守卫着,里面住的都是女人。一入深宫,没有一个人能自由外出。因为这里的人认为,那些女人如果发起疯来,比男人发疯还要厉害。"

老妇人似乎叙述完了,停下来,两个人沉默地坐了一会儿。奇翠儿忽然转过身来问老妇人:"您是说,真的没有办法逃出去吗?"

老妇人指指窗上的铁条,又指指门外的黑奴说:"你没看见吗?防守得这样严密,即使你能从他们身边逃过去,又怎么混到街上去?怎么混出城堡?就算你侥幸出了城,在森林里遇到黑狮又怎么办?请相信我的话,你不要冒险,没有办法逃出去。即使有一个人本事非凡,从王宫、城门、树林都逃出去了,但是那层层深山峡谷和大片荒漠中没有食物也没有水,难道你能飞过去吗?记得我来后这六十多年中,你是第一个到这深藏于荒谷之中的神秘城堡来的人。城里人足足有一千多年没有和外界接触过了。我听他们说,他们的祖先传下来一个故事,说很多年以前,曾经有一个非常勇敢的战士,好像是西班牙人吧?他穿着盔甲,曾经杀到城下,城里派人去捉他,那些人都被他杀死了。后来,他就住在城外,把城外的蔬菜水果都吃光了,但终于没能进城。最后他又回到森林,据说死在沙漠里。本城的居民怕他再来攻城,曾派人去追杀他,以绝后患。那位勇士走错了路,城里的人整整追了三个星期,也没找到他。在沙漠的荒地里,他们找到一具白骨,肌肉已经被兀鹫吃了。我想,你大概曾路过那个地方,不知你见到这副白骨没有? 城里的人大多不相信这件事, 只认为是个传说罢了。"

奇翠儿说:"这不是传说,确是事实,我曾看见过那个大汉的枯骨,还看见他穿戴过的已经生了锈的盔甲。"

正在这时,房门开了,一个黑奴用托盘捧来了两个盘子,每个盘子中放着几个小碟。他把小碟放在靠老妇人很近的桌子上,没有说什么,就退出去了。奇翠儿马上闻到一股蔬菜的香味。她实在饿了,那老妇人请她用饭,她一点儿也没有推却,就毫不客气地走到桌边。她看了看食具,那两个大盘是陶器,小碟子却是黄金做的。更使她觉得奇怪的是,盘子旁放着一副刀叉,竟和文明社会用的一样。刀叉的柄是金属铸的,汤匙的头却是黄金的。碟中有肉也有蔬菜,还有一碟鲜果、一碗羊奶,另一碟好像是果酱。她因为几天没吃东西,饿坏了,不等老妇人再让,就大口大口地吃起来。老妇人慢慢走过来,坐在她对面的椅子上,却不急于吃,把碟子一个个在桌子上摆得很整齐。她抬起头来,微笑着欣赏奇翠儿吃得津津有味的样子。看了一阵,不觉含笑说:"孩子!你恐怕是饿坏了,人肚子饿了,才会觉得食物特别好吃。是吗?"

奇翠儿说:"您为什么这样问我?我有什么地方失礼了吗?"

老妇人说:"不是的,我的意思是说,如果在几个星期之前,你肚子不太饿的时候,有人告诉你你吃的是猫肉,我想,你会呕吐的吧?"

奇翠儿马上停住刀叉，吃惊地问："这碟子里难道是猫肉吗？"

老妇人说："虽不是猫肉，却也有关联，狮子不是猫科动物吗？"

奇翠儿问："这么说，我现在吃的是狮子肉？"

老妇人说："你说对了。这个城里的人烹调狮子肉训练有素，有独到的手法。你吃惯了之后，一定会爱吃。"

奇翠儿说："如果您不说，我简直吃不出来，我觉得像羊羔肉或小牛肉呢。"

老妇人说："我吃的年代多了，反而觉得比牛羊肉都好吃。这个城堡里的人豢养狮子非常认真，都选专职的人去干，而且宰杀也在一定的时间，总是拣狮子肉最嫩最肥美的时候。烹调也用特别的手法，所以吃起来非常可口。"

奇翠儿才吃完，屋门就开了，进来一个黄衣卫士，不知向老妇人说了几句什么话。

等黄衣卫士出去之后，老妇人对奇翠儿说："现在的国王有命令，叫你跟我一起去见他。国王知道我不像别的女人，所以不敢把你交托给其他王后，只交给我。现在的国王称为海洛格十六世，他有间歇性的清醒。在见他之前，你必须准备妥帖了。我认为现在去见他是最好的时候，他平时疯狂，现在可能比较清醒。我平时晋见国王也大多在这个时候。国王非常自负，认为自己比普通人聪明一百倍，但他对我却另眼看待，就是他手下的臣民也格外尊重我，这是因为我比其他任何人都清醒。你千万要记住，当他们发疯的时候，你什么都不要说不要做，切记不可去激怒他们，否则，他们会疯得更厉害。"

奇翠儿问："您刚才说在见他之前要准备一下，需要准备什么呢？"

老妇人说："你先去洗一个澡，然后再穿上一件像我身上一样的长袍。"

奇翠儿有点儿害怕，说："我能有什么办法逃避吗？能不能自杀？"

老妇人把刚才吃饭用的刀叉拿起来，很严肃地对她说："我们能拿到的利器只有这两样，你看，刀子这么钝，根本割不死人，叉倒是尖一些，可是，要刺死自己也是不容易的，如果你把自己弄得半死不活可怎么好？那样会惹来他们的暴怒和疯狂，不定会给你怎样残酷的惩办。孩子！听我的话，还是别胡闹了。"

奇翠儿听了，不禁打了个寒噤，老妇人拍着她的肩膀安慰她说："去吧！孩子！不要怕。国王也许只想找你谈谈。记得阿苟二十五世召见我的时候，也只是聊聊天，因为我听不懂他的话，他也听不懂我的话，所以很快就命令他的部下让我退出来了。以后就教我先学他们的语言。那次召见之后，竟有一年时间，他没想起我来。有时候我见一次国王，也要隔很多年呢。记得曾经有一个国王，在位一共五年，其间竟没有召见过我一次。正因为这样，我才产生了一个希望，觉得就这样凑和着生活在王宫里，也许能等到机会回祖国去。"

老妇人带着奇翠儿进了隔壁房间，那屋子中间有一个水池。老妇人示意她下去沐浴，奇翠儿没法，只好解衣入池。洗完之后，老妇人替她穿上了一件本地女人的长袍，颜色是玫瑰红的，非常娇艳,衬着奇翠儿青春少女的面庞,她显得越发美丽了。老妇人笑着说:"你这样一打扮,当王后真是毫无愧色。"

奇翠儿自己看了看,胸部有一大部分裸露在外面,手臂也是露着的,她非常不好意思地说:"难道就让我这样站到男人面前吗?"

老妇人说:"这没有办法。我们既然来到这里,就只好入乡随俗,慢慢你会习惯的。我过去是传教士的女儿,在家里时也严格遵守教律,可是到了这儿,就不能不随他们摆布了。你必须学会忍耐,以后宫里让你难受的事还多着呢!"

奇翠儿装扮好了,等国王召见,没想到竟等了好几个小时。一直到黄昏时候,才有两个黄衣卫士奉海洛格的命令来见老妇人,他们管老妇人叫赞尼尔,说让她陪伴奇翠儿进去。奇翠儿知道有老妇人陪着,放心不少。

卫士把她们两个带到楼下一个小房间里,赞尼尔告诉奇翠儿说,这是正殿旁边的侧屋。有许多黄衣卫士坐在里面。这群人眼睛都看着地上,她们俩进去时,有几个人抬起头来看了看她们,但好像若无其事一样,没有人站起来行礼。于是她们就在那里等着,忽然看见从另一间房子里走出来一个少年,服装和别人差不多,只在头上套着一个金箍,还插着一根鹦鹉的羽毛,卫士们见了他,却都起立、立正、敬礼。

赞尼尔低声告诉奇翠儿:"他叫麦他克,是国王的儿子。"

麦他克恰巧从这里经过,瞥见奇翠儿,立即站住了,痴呆地望着她,望了很久很久。奇翠儿被他望得很不自在,羞红了脸,低下头去,眼睛看着地,后来索性转过身去了。麦他克冷不防大叫一声,疯狂地冲了过来,把奇翠儿一把搂在怀里。

房间里的空气顿时紧张起来。奉国王命令带奇翠儿来此的两个卫士非常着急,但又不敢伸手去动王子,急得在那里乱跳乱叫。那意思好像为了职责所在,要保护奇翠儿,赶走麦他克,但是他们的作为一点效果也没有。赞尼尔暗暗向奇翠儿使眼色,叫她不要反抗,实际上奇翠儿被麦他克紧紧挟住,想动也动不了。麦他克见卫兵乱闹,非常生气,就拔出腰刀,向身边的卫兵砍去,有一个卫兵被砍中一刀。那一刀用力很大,从脖子一直伤到胸部,鲜血直喷出来,卫兵立即倒在地上。但他也很凶猛,受了这么重的伤,还想挣扎起来反抗。

麦他克趁着这阵大乱,抱起奇翠儿就向对面的门口退去。这时有两个卫兵看见有人流血死了,也发起疯来,丢下腰刀,两人扭打在一起,又抓又咬。坐在角落里的一个卫兵却在不断地狂笑,看着麦他克把奇翠儿抱到门口。奇翠儿还看见一个卫兵跳起来,蹿到死尸跟前,张着嘴乱咬那死尸。

赞尼尔始终跟在奇翠儿身边,到了屋门口,麦他克忽然发现了她,就举起腰刀砍过去。幸而麦他克已跨出门去,赞尼尔还在门里,麦他克的刀砍在门柱上了。赞尼尔在宫内六十多年,这种疯打疯闹场面经历过不知多少次,所以不声不响地躲避到走廊里。她自己虽然不害怕,却非常担心奇翠儿。

麦他克走进长廊,把腰刀插进刀鞘,然后把奇翠儿扛在肩头,看都没看赞尼尔一眼,就从她身边大踏步走过去了。

二十
泰山来了

那一天黄昏时分，一位空军军官气喘吁吁地跑到罗得西亚人组成的第二师司令部，来见陆军上校柯倍尔。

上校问："汤普逊！你回来了？辛苦了！你找到什么踪迹了吗？其他人比你回来得早，但他们都说没找到史密斯，连他驾驶的飞机也没找着。我想如果你也一无所获，那恐怕就没有希望了。"

汤普逊说："我找到了，我找到了他的飞机。"

上校喜出望外地大声说："真的吗？在哪里？你找到史密斯本人了吗？"

汤普逊说："飞机在内地，在一个非常危险的深谷里。我只能从飞机上往下看，可不敢在深谷里降落。因为还有一头大黑狮子守在飞机旁边。我等了一个多钟头，狮子还是不走，我只好飞回来了。从飞机上往下看，史密斯那架飞机好像坏了。"

上校着急地问："依你看，史密斯有没有可能被那头狮子吃了？"

汤普逊说："这一点我还无法断定。不过我从上面望下去，飞机附近没有狮子吃人的痕迹。我没有办法飞到山谷底下，只能从飞机上侦察下边。在南边几英里路之外，我看见一个林木茂密的山谷。你也许疑心我在胡说,可是我敢保证,我确实看见了,森林边上有一座绝好的城市,城里有街道、房屋,还有亭台楼阁,跟我们经常看到的一样。有的建筑甚至有点像王宫,还有圆屋顶和尖顶。"

上校听得哭笑不得,打量他一阵说:"汤普逊!也许你太累了,赶快去好好休息一下吧!人太累了眼前会出现幻象,等你精力和体力都恢复了之后我们再谈好吗?"

年轻的汤普逊有点不高兴,摇摇头说:"上校!你不要嫌我多话,但是我刚才跟你说的完全真实,我眼前没出现幻象。我的飞机在那座城市上盘旋了很久。我认为史密斯说不定就在这座城里呢,也许被城里的人捉去了。"

上校问:"你看见那座城里也有人吗?"

汤普逊说:"是的,我清楚地看见城里有人来来往往。"

上校问:"据你看,骑兵能够到那里去吗?"

汤普逊回答说:"没法去!那里完全是崎岖不平的山路,一路上非常荒凉,根本没有水源。要去至少有两三天路。我看连步兵都很难到达,因为那一路上不是山道,就是寸草不生的干旱地带。"

正在这时,一辆轿车停在司令部门前,史莫特将军从车上下来,柯倍尔上校站起来迎接,汤普逊少校也向将军行了军礼。

史莫特将军说:"我正好从这里经过,顺便进来和你们谈谈。史密斯少校的下落怎么样了?我知道汤普逊也参加了侦察,现在他回来了,有什么确切的消息吗?"

上校说:"是的,汤普逊是最后一个回来的,已经有了史密斯的消息,他找到了史密斯的飞机。"接着,他就把刚才汤普逊报告的内容又说了一遍。将军边听边坐下来,和柯倍尔上校一起用铅笔在军用地图上画着符号,同时叫汤普逊指出确定的地点。

史莫特将军说:"从地图上看起来,这真是个很难走的地方。但是,我们无论如何得去派兵侦察一下。我看可以派遣小队人马去,比大部队灵便些。依我的意见,派两个中队去,另外派汽车装粮食和饮料,让一个经验丰富、精明强干的长官负责。先用汽车队在西边建立一个根据地,可以留一个中队在那里,专管运输事务。另外一个中队直扑城下。我相信从根据地到城下一天足可以赶到。因为那里既然有树林,一定会有水的,攻城的士兵不愁找不到水喝。同时再派两架飞机做掩护,既可以担任通讯工作,还可以给步兵助助威。上校!你看什么时候出发合适呢?"

柯倍尔上校说:"我看此事宜早不宜迟,我现在就下命令,让他们配备好飞机、汽车和军需,一点钟准时出发。"

史莫特将军说:"好!这样很好,如果有什么新消息,请随时告诉我。"

那天晚上,泰山攀着藤本植物爬上了城墙,爬上去一段之后,侧耳听到狮子扑上城墙没抓住东西咕咚落地的响声,泰山不觉一笑,以大猿式的快速动作跳上了城墙。走了几步路,向下望望,就在前边没几英尺远有一座靠着城墙建筑的房子,屋顶又恰好是平的。泰山走到那里,便从城墙上往屋顶跳。那时他没有注意到城墙的拐角处藏着一个人。这是从泰山开始爬城墙时就注意上他的人。

泰山刚一踏上屋顶,就觉着有一个沉重的身体压在他背上,他被拦腰抱住,举了起来。泰山没有防着这一手,已经没有力量抵抗了。他也看不见对手是怎样一个人,更不知道下一步对手要怎样对付自己。他只觉得那人一直向屋顶边上走去。泰山明白了,那人打算把他从屋顶上摔下,他清楚如果真被重重地抛下去,不死也会受重伤。

因为手脚悬空,泰山一时用不上力,他想现在唯一的方法是让举着自己的人翻个跟头,自己才可以脱身。于是他来了个鲤鱼打挺,身子用力一挺,向后一仰。泰山猛烈的动作果然让那个人经受不住,泰山趁他一趔趄,一下子站稳了脚跟。正要对付对手的时候,那人已拔出腰刀向泰山砍来,泰山闪身躲过,飞起一脚向那人踢去,正中胸口,那人马上仰面朝天地跌倒,滚到几英尺以外。泰山赶过去,一只脚踏住他的胸口,一只手握紧他拿刀的手的腕部,另一只手掐住了他的喉咙。那人想喊已经喊不出来了,整个身子已被泰山压住,怎么也挣脱不了。渐渐地,他的眼珠凸出来了,舌头也伸出来了,泰山等他完全断了气,本能地踏在那人身上,昂起头来,想来一声人猿胜利的长啸,但他马上阻止了自己,没有发出声来。他想起自己是来救人的,惊动了城里的人没什么好处。

泰山走到屋顶边,向下一看,城里的街道弯弯曲曲。在街的尽头,一盏暗淡的油灯闪烁着,漆黑的夜色里好像有人在走动。泰山要找史密斯的下落,非自己下去不可,但这样很容易被人发现,怎么办呢?他忽然回头看了看那死尸,马上有了主意,立刻把死尸身上的衣服、绑腿、软底草鞋都剥了下来。

泰山动作非常敏捷,把那卫兵的黄制服、背心、草鞋、绑腿、腰刀,该穿的穿好,该挂的挂好。全身装束停当后,还把他父亲的那把刀藏在背心里面。他原来带着长矛、弓箭等武器,因为携带不便,又恐怕被别人发现了拿走,便一把抱起来,走到屋顶边,找草丛长得最高的地方扔下去了。但他却没扔掉草绳,藏在腰间,再把腰刀挂上。他又上上下下检查了一遍,觉得在黑夜里可以瞒过众人的眼了。

泰山怕人看见,想找一个黑暗的地方跳下去,所以他在屋顶上一间房子一间房子地往前走。走到其中一间房顶上时,他看见前面也有几个人站着,他想,最好还是避一避,不要硬闯过去。泰山这一路走过来时,已经注意到屋顶上都有天窗似的小洞,大约也是一扇通往屋里的便门,可以自由进出的,于是他打算找一个小洞冒险下去,进到屋里,看情况再说。他来到一扇黑暗的"天窗"边,听了听,屋里没有什么声音,也没闻到什么气味,泰山立刻跳了下去。

屋子里很黑,开始他什么也看不见。过了一会儿,定了定神,等眼睛适应了一些,又借着街上映进来的微光,出了门来到街上。这下他觉得容易找奇翠儿的踪迹了。他在进城之前趴在树上,已经把城里的整个形势看了个明白。只要找到那条河流,就不会迷失方向。在街上,有时他也碰到来往的行人,他知道这身装扮能蒙混过关,可是自己一张脸却没办法化装,所以每次他都低下头去。到一条十字路口时,对面走来了几个黑衣武士,那个地方灯火辉煌,很容易被人家看出破绽。泰山本来不是那种畏畏缩缩的性格,可是现在为了救史密斯和奇翠儿,就不得不忍一忍。他假装低头扎绑腿带。黑衣武士跟泰山擦肩而过,果然没发现他有什么不对劲，也没有盘问什么。

　　泰山溜进一条岔道，那里黑漆漆的，道路也弯弯曲曲。好在前面不远的地方有灯光，街道也慢慢地变直了。将走到灯光处时，迎面来了一头狮子，它正向泰山这边走来。这时还有一个女人也从狮子身边经过，奇怪的是，人兽两个，好像谁也没看见谁。后来又跑过来一个小孩，也和狮子面对面碰在一起，狮子反而往旁边闪了闪，让孩子过去。泰山看了，觉得非常好笑，赶紧躲在对面的走廊里。因为这时有风，泰山估计，狮子从这里走过，一定会闻到自己的气味。泰山知道自己乔装打扮只能瞒过人的眼睛，真正的气味恐怕骗不过狮子的嗅觉，要是被狮子闻出生人味儿，扑咬过来，自己可就暴露了。谁知那狮子像没闻到什么一样走过去了。原来世世代代在城里驯养的狮子已经失去了野生狮子的很多本领。这一点，泰山怎么能知道呢？

　　泰山又往前走了一会儿，到了城门附近的那条街上。他闻到了奇翠儿的气味，知道她的确曾经从这里经过，心里有了底。另外还有一股熟悉的气味，泰山辨别出是史密斯的。他想循着气味往前追踪，可惜这条街太短了，前面不远又遇到了岔路。泰山为了查准踪迹，不得不常常弯下腰去，假装整理绑腿或者草鞋，其实他是在闻地上的脚印。眼看着走到闹市处，这里行人很多，灯火也较明亮，商店的门都开着。这里接近大漠，白天热气蒸腾，太阳落山之后，林荫近水的地方比较凉爽，才有这种夜市出现。夜市上人固然很多，狮子却也不少，这些狮子专来拣些地上可吃的东西，在人腿间穿来穿去，像家里养的狗一样。泰山在这里也第一次见到城里居民发疯时的样子。

泰山一直在默默地观察着。他看见一个裸体的人从附近的街上跑过来，嘴里不知狂喊着什么话，两眼发直，几乎把泰山撞倒。他又看见一个女人在地上手脚并用，像蛇一样地向前爬。起初，泰山还以为她丢了什么细小而贵重的东西，在黑暗中只能这样伏在地上找，但仔细看了一阵，发现她并不是在找东西，好像是在这种爬行中让自己快活。泰山走到另一个地方，看见两个武士在屋顶上打斗，一个人把另一个人推下去。摔下来的那个人一跌到地上就死了，那个胜利者站在房顶上狂笑了一阵，毫不犹豫地跳下来，跌在死人旁边，也立刻死去了。有一头狮子正走到附近，看见屋顶上有人跌下，便朝两个尸身走来。泰山原以为狮子看到鲜血，一定会有所反应的，哪知那狮子只闻了闻尸体，还躲着地上的鲜血走开，走到离两具尸体不远的地方，竟卧下来休息了。

　　泰山从狮子身边过去，没走几步，忽然瞥见东面的一个屋顶上有个人在向下溜，溜得十分吃力。泰山暗暗一惊，这又是什么人呢？

二十一
在暗道中

　　史密斯发现自己独自被关在狮子园里，四周全是可怕的狮子。他不敢叫喊，吓得几乎魂都丢了，两只手紧紧抱住木栅，连回头看看的勇气都没有，只觉得腿在渐渐软下去。他又觉得头脑昏昏然，好像天旋地转似的，眼前一阵发黑，就瘫倒在栅栏旁了。

　　他晕过去多长时间，连他自己也不知道。但在迷迷糊糊中，他忽然觉得自己躺在一张干干净净的床上，而床在一间明亮的房子里，床前的窗户还开着，微风吹拂下窗帘飘飘的，风里带来一阵果子香气。史密斯走下床来，向外望去，外面是一个果园，树上结着累累的果实，地下长有茸茸的绿草。日光照在果树和绿草上，颜色非常好看。草地上一个小孩子在逗着一只小狗玩。史密斯自言自语地说："啊！上帝啊！现在可好了，我刚才做了个多么可怕的梦啊！"

　　他忽然觉得仿佛有一只手在抚摸他的眉宇间和脸颊。那是一只温软而细小的手，史密斯被它这样轻轻摸着，觉得格外舒适，想要睡去了。但是他忽然一震，又觉得那只手是火热的、粗糙的，而且有点湿润。他急忙睁开眼睛，只见一头巨大的狮子正站在他身边，伸出舌头舔他的脸！原来是自己发昏做了一个梦。

现在他多想再看一眼那果园、草地、被风吹拂得飘起来的窗帘……这些人类正常生活中常见的景物眼下对他来说只是美好而不可得的梦境。睁开眼来，现实是他仍缩作一团，倒在木栅栏旁，正有一头大狮子舔着他的脸。事实和他梦中恬静的环境竟差了十万八千里!史密斯不禁心头一酸，淌下两行热泪。狮子见他醒了，就不再舔他，而用鼻子去闻他的全身。他心里想，身边没有一个可通语言的同伴，呼天不应，唤地不语，与其在这个人间地狱里担惊受怕地活受罪，真不如快一点死去好。他想了想，鼓起勇气，拉住木栅栏，想挣扎着站起来。狮子见他动了，咆哮一声，接着又不叫了，呆呆地望了史密斯一阵便走开去。史密斯见狮子离他远了，才敢回过头去，看看园里的狮群都在干什么。

狮群似乎也怕热，很多都躲在树荫底下，有的在南边那张长椅子上伏着打盹，只有两三头在地上走来走去。史密斯害怕的也正是这不打盹的几头，但是它们从他身边走过几次，都没把他怎么样。他有点奇怪，心想:这里的狮子大概和人类相处惯了，不一定会伤人。虽然这么想，史密斯仍不敢从木栅栏边走开。他放眼往远处看，只见对面远远的墙边长着一棵树，树枝一直伸到墙外一扇开着的窗子前面。史密斯看着，开始悄悄打算:如果能够爬到那棵树上去，就可以从窗子跳进屋里，从这条路或许能逃出狮子园。但是要从木栅栏走到树下，必须横穿整个园子，而且在那棵树底下还有两头狮子伏着。

史密斯紧盯着这条可以逃命的路，足足看了半个钟头，但是不敢轻举妄动。最后他终于下了狠心，冒险朝那棵树走去，却有一头狮子从墙边走过来，站在他和树中间，拦住去路。史密斯开始时有点踌躇，后来想要死中求生便不能不冒几分险，于是硬着头皮继续往前走。那狮子走过来，把史密斯闻了闻，然后龇着牙咆哮一声。史密斯索性从怀里掏出手枪来，他想：如果它存心要吃我，激怒它与不激怒它反正都一样，这条命是豁出去了，打它一枪自己再死也值得。

正在史密斯举起枪要扣扳机的时候，那狮子虽然仍然发着呜呜的声音，却懒洋洋地转过身走了。这下，史密斯什么障碍也没遇到就走到了树下。但是树荫底下还有一头狮子在睡觉，史密斯抬头向树上看看，正有一个横枝伸在自己头上，若在平时，他很容易就能跳上去，可是现在由于失血过多，他自忖没有这个力量。往旁边一看，还有一根横枝，比这根更低，只需要用手一攀，就能上去，但必须从那头睡着的狮子身上跨过去。史密斯虽然害怕，却觉得这是一个不可失去的机会。他不再犹豫，深深吸了一口气，先把一只脚踏在狮子和树之间的空地上，然后提起另一只脚准备迈过去。这可是关键性的一步，他心里直发毛：假如这个时候狮子醒了，可怎么办啊？

总算万幸，那狮子睡得很死，他平安地跨过去，到了树下。史密斯马上手攀树枝，脚蹬树干，用力往上爬，当狮子惊醒的时候，他已经安全地到了树上。狮子抬起头来看看他，竟根本没有理会，把头伏在前爪上，又去睡它的觉了。

史密斯闯过一道生死关，有如释重负之感。高度紧张之后，他反而有点手脚发颤。回头再看看园里的狮子，好像没有一头在注意他。他想，稍稍歇息一下，就应该赶快再前进一步。他在树上向窗户看了看，屋里并没有人。史密斯觉得现在是个好机会，很快爬上窗户,跳进屋里。进去一看,这是一间很大的屋子,地上铺着地毯, 屋子里摆放的家具跟今天早晨刚进城时在里面受审的那间大厅里的一样。屋子的另一边好像是间卧室,门口垂着帘子,看不见里面到底有没有人。窗子对面的墙上,还有一道关着的门,他估计这扇门可能通往外面。

史密斯看了看窗外,已是暮色苍茫。天黑之后最便于逃跑,但是在这之前一定要先看好门外的路。他于是轻轻向那扇关着的门走去。哪知还没走上几步,卧室的门帘被掀开了,走出一个女人来。那女人很年轻,身材也还匀称,穿着一件袒胸露臂的长袍,长袍的颜色很艳丽,只是容貌非常丑陋。她看见史密斯,立刻站住了,没有叫喊,却笑盈盈地向他走来。女人伸出两只手,紧紧拉住史密斯的衣服,脸上显得很高兴,两只挤在一起的眼睛仔细端详着史密斯的脸。然后她又把史密斯上上下下打量了个够,始终带着欣喜的笑容。

女人忽然对史密斯说起话来,声音既轻且柔,和她丑陋的容貌相比,好像不是她发出来的。史密斯听不懂她的话,就用英语回答她,她也好像不懂史密斯的话。她忽然用双手勾住史密斯的脖子,热烈地吻着他的嘴唇。

史密斯吓了一跳,想挣脱她的双手,她却把史密斯抱得更紧了。这时,史密斯也在转着主意,自己要逃出险境,也许这女人帮得上忙,虽然心里不甘愿让她亲吻,但他又不敢十分抗拒,只好闭上眼睛回了她一个吻。

正在这时,那扇关着的门开了,进来一个男人。史密斯知道自己闯了祸,赶快推开女人,哪知已经迟了,一切都被那男人看了个一清二楚。那女人是背对着门的,开始还没察觉什么,直到听见进来的人怒吼的声音,她连忙放开史密斯,哭哭啼啼地跑到卧室里去了。史密斯又羞又急,满脸通红,只是呆呆地站着,不知怎么办才好。他知道跟这些疯子解释也没有用,更何况语言还不通!他细看那个人,原来是见过的,就是楼下大厅里审问过他的那个长官,不消说,那女人是他的家眷,这下更糟了!

那男人怒吼着,拔出腰刀就向史密斯砍来。史密斯为了自卫不得不掏出手枪,朝那男人的胸口就是一枪,男人倒在地上一声没响就死了。屋子里一时静默了好几分钟,史密斯一直盯着门口,深恐楼下有人听到枪声,跑来逮他。听了半天没有声音,也不见有人进来,他才放心。只见那女人站在卧室门口,拉着门帘,一脸惊慌的样子。

那女人凝视着地上的死尸,脸上带着恐惧的神色,慢慢走过来。走到离死尸还有两三步的时候,她停下来,看着史密斯,问了他好几句话,史密斯当然一句也不懂。那女人蹲到死者身边,摇着他的身体,又把死尸翻过来,见那男人脸色灰白,已经没有气了,便发出一阵狂笑,握起拳头使劲向死人胸前擂去。史密斯看到这副景象不觉倒退了几步。他想,笑着打死人,这种举动恐怕只有疯子才做得出来,如今在这可怕的城里,自己却亲眼看到一个女人这么做,实在是意想不到的事。按史密斯的理解,她之所以会这样,也许是因为平时受够了死者的虐待,才借此出气。史密斯正在做各种猜想,女人忽地站了起来,走过去把门闩上了。她又走回来,向史密斯讲了许多话,边说边指指地上的死尸。史密斯当然听不懂她的话,她见史密斯没有反应,便发狂似的扑了上来，好像要打史密斯。史密斯无可奈何，只好掏出手枪对着她。她虽然不认识史密斯手里这小小的东西是什么，但方才长了些见识，知道这东西是能致人死命的。于是她一下子收起怒容，装出一副笑脸来，做着手势，要史密斯跟她走。她牵着史密斯进了卧室。卧室里铺着厚厚的地毯，墙上还有壁毯，一张床放在里面。她转身指指屋外地上的死尸，又进卧室撩起床围来，向空着的床下指了指。

　　史密斯终于明白了她的意思，她要史密斯帮她把死尸藏到床下。她见史密斯似乎弄懂了，就拉着他，两个人把死尸抬进卧室。床底下的空隙不大，而那人的个子比较高大，他们俩费了很大力气才算把死尸安顿好。女人又走到外屋，把带血的毯子卷起来，也塞到床底下去，还把卧室里的地毯匀出一条放到外面。这样一来，这里杀死过一个人的痕迹就一点也没有了。

　　等到一切都收拾停当，那女人突然又转过身来，用胳臂勾住史密斯，打着各种手势。史密斯看她的意思，是要他和她一起到床上去。这个女人这样残酷无情，又这样不知羞耻，史密斯心里非常厌恶，但他不敢太得罪她，怕她叫喊疯闹起来，坏了自己逃跑的大事。他当然是十万个不情愿的，决不能让这样一个女人玷污了自己的清白和高贵的身世。正在手足无措的时候，忽然外面有人敲门。那女人惊了一下，一跳就下了床，一把抱起史密斯，把他推到床的另一边。她揭开墙上一条帷幕，原来墙上有个洞，像壁龛的样子，那女人示意史密斯赶快躲进去，然后又把帷幕放下，从外面一点也看不出来里面有人藏着。

　　史密斯听见那女人去开门了，又听见仿佛有个男人在和她说话。虽然那男人讲的话史密斯听不懂，可是从语调听来，那人的心情很平和，话也讲得很缓慢。后来，他听见他俩走进卧室来，史密斯在好奇心的驱使下忍不住把帷幕掀开一道缝，偷着看了看。只见那女人正和刚进来的男人搂在一起，女人的脸上又浮起讨好的甜笑，就在刚才，她也曾用这种笑脸迎过自己呢。他还看见女人在和那男人接吻。史密斯细看那个男人，他似乎比自己年纪还轻。突然，那女人站了起来，皱着眉头，脸上带着一种神秘兮兮的神情，对史密斯藏着的地方望了望，然后就伏在男人的耳朵上不知嘀咕了些什么，同时又用手指指史密斯藏身的地方。史密斯预感到她这些举动都对自己不利，便向里面缩了缩，同时想看看暗道里有没有别的出路。他还不敢放松对那对男女的观察，只见他们商议了一阵，那男人站起来，慢慢向挂帷幕的地方走来，一边走，一边还拔出腰刀。女人也跟了过来，盯着帷幕，一句话也不说。史密斯看她走到帷幕前，往上面指了指。史密斯感到她指的地方好像正是自己的胸口。她站在那里，手指一直指着，那男人就恶狠狠地举起腰刀冲帷幕里面砍过来。

奇翠儿心里明白，要逃脱必须看准时机，如果轻举妄动，只会引来失败，会惹来更严密的看管，甚至有性命之忧，所以她被麦他克挟持住，索性一点也不挣扎。她暗暗想着，挟住自己的这个人虽然是个王子，可是他这个举动恐怕还是犯法的，一定要受到惩罚。如果他不知道"王子犯法与庶民同罪"的道理，也就不会像无头苍蝇一样乱撞乱跑了。看他现在已经很慌张，专向灯光暗淡的长廊乱奔，一边喘吁吁地跑着，一边还不时回头看看，唯恐有人追来。每逢走廊拐角的隐蔽处，他更要小心察看有没有埋伏。

奇翠儿第一天进到城里来，并不熟悉他们的路，尤其是在王宫里。她看麦他克这样乱撞，断定他一定是迷了路，他跑来跑去只不过要找一个能藏身的地方。这座王宫里的路十分曲折，简直像迷宫一样。有时候看起来明明是一条新路，很像能通到另外一个地方去的，谁知转来转去，却又转回老地方来了。麦他克盲目地向一条往下的阶梯走去，它到底通向哪里，恐怕连他自己也不知道。忽然看见对面有一道门，他就慌不择路地推门而入。这一进去，他才知道糟了，原来下面是一座庄严的正殿，里面灯火辉煌，正面坐着的正是国王，旁边还有一头大母狮。这时奇翠儿忽然记起了赞尼尔王后曾告诉过她，这里的王后并不都是人类，这次她亲眼看见了，不但不惊奇，反而相信了赞尼尔的话。

国王看见麦他克抱着个姑娘冒冒失失地跑进来，勃然大怒，从座位上跳起来，打算亲手去捉王子。他一边追赶，一边狂叫着，殿上的大臣们也帮着追，简直闹了个人仰马翻。麦他克闯进来之后才知道这是国王的宫殿，一看情况不好，赶紧往后退，想找一条路逃走。可是身后却有上百人叫着、笑着、骂着，紧紧地追上来。幸亏麦他克年轻力壮，比他们跑得快。奔跑中，他遇见了一条向下的路，就不顾一切地跑过去，下去以后才知道那是个灯火辉煌的地下室，屋子中间有一个大水池，水面和地面相差不过几英寸。后面一群人马上就要追到，麦他克见无路可逃，当下抱着奇翠儿纵身跳入水中。追他的人都不敢往水里跳，就守在水池边等着，等了许久，也不见这两个人上来。

正面坐着的是国王，旁边还有一头大母狮。

再说史密斯被推进暗道里,偷看那男女两人的动作,猜到他们没安好心,便转身往墙洞深处走去。由于里面黑,他边走边用手摸着,忽然好像摸到一道似乎能通外面的小门。他轻轻把门推开,走出去之后,又回身关上门,看了看,自己果然在屋外了。外面很黑,他用手摸着墙壁走。这里好像是一条窄街,走到街的尽头,有一条向上的石头台阶,他走了几步,黑洞洞的什么也看不见。忽然,他的头被上面一块硬东西碰得生疼,史密斯两眼直冒金星。他用手摸摸,看到底是什么碰了自己,摸了一阵,觉得头顶上似乎是天花板,天花板上还有个暗门。用力一推,暗门开了,他抬头向上看,可以看到天上的星光。这下他喜出望外,终于出来了!史密斯推开暗门,发现外面没有人,就爬上屋顶,把暗门依旧盖好。他站在屋顶定神辨了辨方向,知道自己现在站的地方是城的南面,上面还有几层楼房。在西面十几米以外,能够看见弯弯曲曲的小巷,有的地方还闪烁着灯光。从屋顶上往下看,城中居民的房屋和夜市尽收眼底。街上走的人男女老少都有,除了行人之外,还有狮子,和人混杂在一起,穿来穿去,居然互不干扰。史密斯在上面看着,觉得人是疯狂的,狮子倒不疯。他凭天上星座的位置又分辨一下南北,便认出这个地方了,原来就在早晨和奇翠儿被押进城来时自己受审的那间大厅附近。如果能从这里下去,完全有把握找到出城的路。他估计自己孤身一人根本救不了奇翠儿,只好先逃出这个恐怖的城市再说。如果能找到自己的部队,就可以搬兵来救奇翠儿了。

史密斯往远处看了看,从这里到老远的屋顶竟都是平的,如果从西面的尽头下去,那里正是很亮的闹市区。他想最好找一个黑暗的地方下去才保险,免得被人发现,又生枝节。一路走一路找,最后在东边看见一个合适的地方。史密斯几次想溜下去,听了听,街上总有脚步声,吓得他又缩了回来。他心里虽然着急,却不得不耐着性子等着。好容易等到一个机会,底下没有人声了,他正要顺着长廊的柱子溜下去,忽然听得背后有响动。他回头一看,一个身材高大的黄衣武士正站在背后。史密斯吓了一大跳,暗暗叫苦,这下又绝对没法逃脱了,因为那武士的身体比史密斯要健壮得多。

二十二
巧遇奥托布

　　且说泰山那晚爬城墙时,后面有一头黑狮追着他,那黑狮没有赶上,掉了下去。狮子掉到地上之后突然发出悲哀的叫声,原来,刚才只忙于追那人,它没有注意别的,这时跌到地上,它才突然闻到一股熟悉的气味,原来它刚才追的正是泰山。由于天黑,泰山也没辨认出来,这头黑狮正是他从宛马宝人的陷阱里救出的。黑狮知道追错了人,似乎也懂得自己做了错事,它决定去救泰山,于是赶快往东边的城墙奔去。在城墙的东边,向南一拐,那里一带是城里人建的牧场,豢养着喂狮子用的食草动物。城外森林中的野狮子和城里豢养的狮子不一样,凡是活的东西,它们逮住什么吃什么,既吃人也吃兽。就拿追泰山的这头黑狮来说吧,它有时到宛马宝部落去猎食,有时也到城堡的牧场中来,劫掠他们养着的食草动物。

　　原来这头被泰山救过的黑狮小时候曾被城堡里的人捉去过,豢养了一年,在第二年,它逃跑了,所以城里的路它还依稀记得。在城里的时候,养狮人曾调教它,叫它不许吃人,童年时养成的习惯可不容易改掉,一直到现在,除了饥饿得不得了或者暴怒的时候,它还是不随便吃人。

牧场的外面围着木栅栏，它的底部深深埋进土里，上端爬满了有刺的藤蔓，这些都是防着家畜被盗的措施。木栅栏上有许多门，白天的时候，人们放那些家畜出来，在城南一带找草吃。林中的狮子知道了这个规律，就常在这时来猎取食物，天黑了则决不会到牧场行窃，因此，人们在夜里也就不大防范。可是这一天夜里，黑狮闻到了泰山的气味，一心想进城去保护泰山，就特意跑到牧场去了。它记得在牧场的墙上有一道供牧人出入的小门，从那儿可以进城。

　　黑狮走到牧场边，拼命去撞每一处木栅栏的门，终于有一扇不十分牢靠的被它撞开，它就从这儿跑了进去。牧场里的食草动物看见有黑狮进来，四散奔逃，因为有栅栏拦着，它们乱撞乱叫起来。这一阵大乱的声音把牧人惊醒了。牧人就住在黑狮记得的那扇小门里头，他不知牧场里发生了什么事——家畜们半夜里如此骚乱还是从来没有过的事，于是打开便门来看。那黑狮是早有准备的，举起前爪用力向那人扑去，牧人的颈骨立时折断。黑狮看着那扇小门，知道自己没有走错路，这正是它要找的地方。它一点也不迟疑，从便门一直走进城里，来到灯火昏暗的街上。反正城里的黑狮也在街上走，人们是不容易辨认出来的。

　　再说说史密斯。他回头看见一个黄衣武士，这一惊可非同小可。他第一个念头就是先打死他，然后凭自己的体力尽快逃跑。史密斯知道自己这身装束在城里是非常明显的目标，这黄衣武士一定是来捉拿自己的。他正想伸手去掏枪，哪知那黄衣武士的动作比他还快，马上抓住了他那只打算掏枪的手。史密斯还没回过神来,耳边忽然响起一句低声的用英语说的话:"少校!是我,人猿泰山。"

刚才史密斯一心要逃命,全身的弦都绷紧了,所以有一种一鼓作气的劲头,并不感到累,这时见到泰山,反而一身瘫软,没有力气了。他一把抓住泰山,好久好久都没说出话来,最后才颤声问道:"是你吗?真的是你吗?你没有死吗?"

泰山说:"是的,我没有死,在山洞口,我只是被一块石头碰晕了。现在见到你,知道你也还活着,我的心放下了一半。可是那姑娘呢?"

史密斯回答:"我不知道她现在在哪里。他们把我和奇翠儿押进城之后,在一间大房子里审问了一阵,由于语言不通,什么也没说明白。然后他们就把奇翠儿押走了,我要跟着去,卫兵们拦住我,我至今不知她被关在哪里。我被他们扣在狮子园里。"

泰山急忙问:"那么,你是怎么从狮子园里逃出来的?"

史密斯把自己逃出来的经过简略地讲了一遍。

泰山问史密斯:"现在你打算上哪儿去?"

史密斯有点踌躇:"我还没打定主意,只好见机行事。我估计自己单枪匹马救不了奇翠儿,不如先混出城去,找到往东边走的路,如能找到我们英国军队,那就一切都有办法了。"

泰山说:"你这个想法要办到可不容易,甭说别的,就算你能逃出城去,穿过森林,侥幸不遇见野兽,可是没有口粮没有水,你怎么穿过干旱的大片沙漠呢?"

史密斯又反问泰山:"那么你说我该怎么办呢?"

泰山边思索着边说:"依我看,咱们第一步先去找奇翠儿。虽然她是德国人,还是个间谍,但她毕竟是个女子,我们不能把她一个人丢在这野蛮的城里。"

史密斯说:"可是,我们怎么去找她呢?"

泰山说:"我一路找来,没有走错,我在城外的树上把城里的道路和方位都看好了。现在既然找到你,我想,也一定能够找到她。"

史密斯说:"你是从哪儿弄到这身衣服的?你有了这身衣服,当然可以混得过去,可是我这身装束就不行了。咱俩走在一块儿,人家一眼就能看出来,恐怕那时还会连累你。"

泰山说:"你说的有道理,既然如此,我来想办法,也给你弄一套同样的衣服。"

史密斯问:"你从什么地方找的?你找到他们的仓库了?咱们再去拿一身。"

泰山笑了笑说:"我没找到他们什么仓库,我是就地取材。你若跟我到城墙边那个屋顶上去,问问那个光身子的死尸,就能明白我这套衣服的来路。"

泰山一句话点醒了史密斯,他抬起头来,看着泰山说:"行!我也有办法了!我已经知道在一个地方,有一个人,他也不需要穿衣服了。我们只要能够找到那个屋顶,就一定能找到他,向现在的他借衣服,他绝对不会拒绝。那个屋子里只有一个女人和一个青年,咱俩一人对付一个,我看没什么问题。"

泰山一时蒙了,问史密斯:"你这话是什么意思?你怎么知道有一个人不需要穿衣服了呢?"

史密斯说:"我刚才没有详细告诉你,我逃出来之前,有一个男人闯进屋要杀我，我迫不得已用枪把他打死了，死尸现在就在那个女人的床底下。我当然知道那个死人无需穿衣服。"

泰山很高兴地说："噢！原来如此，这可是个方便事。我原打算到街上去，碰见哪个士兵剥他的衣服。现在你那儿有一个现成的，咱们就不用费那么大劲了。"

史密斯说："现在的问题是，咱们怎么回到那屋顶上去呢？我是从暗道里钻出来的。"

泰山说："你怎么下来，就再怎么上去。你看，那屋顶并不高，你下来的那个地方圆柱上还有个架子，咱们不是很方便地就能翻上去吗？"

史密斯望了望说："那屋顶确实不高，可是我恐怕还是爬不上去。因为这一路上我被狮子咬得一身是伤，流了不少血，再加上从昨天到现在，我任何东西都没吃过，身上一点儿力气都没了。"

泰山沉吟了一会儿说："我看，你还是要跟我一块儿去，我不能把你一个人留在这儿，我不放心。再说，要逃出这个险境，也只有我能帮你。现在，在没有找到奇翠儿之前，咱们不能离开这座城堡，无论如何，两个男子汉不能把一个年轻姑娘丢在这种地方不管，自己一走了之。"

史密斯说："我打心眼里愿意跟你一起去。我虽然很虚弱，帮不上你什么忙，但不管做什么，两个人总比一个人好。"

泰山说："这话对。那咱们就走吧！你体力差，我自有办法。"说着，他抱起史密斯，扛在肩上，低声嘱咐他不要乱动，以免掉下去。接着，他紧跑几步，就像大猿一样纵身一跳便上了屋顶。泰山这个动作吓得史密斯不自觉地闭上眼睛,等他睁开眼一看,已经平安地上去了。

泰山说:"现在到了屋顶上,你帮我指引方向,领我到你说的那个地方去。"

史密斯在黑暗中努力辨认着方向,他果然没有走错路,又回到了原来逃出来的地方。他打开那道暗门,向里听了听,泰山还帮着用鼻子闻闻,然后向史密斯说:"来!你跟我来!"史密斯跟在泰山后面,两个人又摸进暗道。他们看见通卧室的门还开着,有一线灯光从卧室那边透过来。

泰山从帷幕的缝隙中张望了一下,只见屋里有男女两个人,都坐在桌子边,桌上放着食物。旁边站着一个高大健壮的黑人,似乎是服侍他们的奴仆。泰山在非洲住了多年,对非洲的黑人属于哪一个部落大体上能分辨清楚。他把那黑人的脸端详许久,认为他十有八九是宛马宝部落的,但又怕他从孩提时代就被城堡里的人捉来,如果是这样,他有可能忘了自己家乡的土话。泰山犹豫一下,认为不能放过这个机会,还是该撞一撞大运,于是他静静地躲在暗道里等待适当的机会。那黑人就站在暗道外的桌子旁边,泰山和史密斯隔着一道帷幕在他身后,黑人的耳朵靠帷幕很近,泰山估计他能听到自己说话。黑人当然不知道暗道里有人,忽然听得墙壁里有一个声音,非常低地、非常清晰地、一字一句地用他宛马宝的家乡土话在说:"你想不想回你的宛马宝故乡去?如果想的话,我可以帮你逃出去,具体怎么做,你一定要听我指挥。"

非洲的黑人都很迷信,这个黑人分明听到了这些话,一时吓得目瞪口呆,回过头来,两眼直直地望着暗道口的墙壁。泰山怕他这副惊恐万状的神情引起那一男一女的注意,又连忙对他说:"你不要害怕,我们都是你的朋友,是来帮助你的,对你没有恶意。"这时那一对男女正叽叽嘎嘎谈得高兴,当然不会听到泰山这近乎耳语的话,也没工夫注意旁边的黑人。

那黑人听了泰山的第二次讲话才稍稍安心,也用耳语般的声音对幕内说:"我这个可怜的奥托布已经听到了墙里面大神的话,请您吩咐,我能为大神做点什么?"

泰山说:"你听好了,我们这里有两个人,就要进到屋子里来。你要帮助我们看好屋里那一男一女,不要让他们跑了,同时也要阻止他们叫喊,免得招惹外面的人进来。"

奥托布看屋里的两个人并没注意他,就半侧着身对墙内说:"我一定帮助你们,凭我的力气,可以不让这两个人从屋里逃出去。至于屋里的声音惊动外面的人,这一点不用担心,因为这里的墙壁结构非常特殊,声音不会传到外面去,即使疯子在里面打架、乱叫,外面也是听不见的。我听候大神的吩咐行动。"

泰山看见奥托布从另外一个桌子上托起一盘食物,走到两人坐的桌子前面,把盘子放到桌上,然后就站到那男人身后。只见他抬起双眼,望着帷幕,好像在向泰山示意:"主人!您可以进来了,我已经作好了准备。"

泰山猛地把帷幕一掀,一下就跳进屋里。那个男人马上蹦起来,却立刻被奥托布紧紧按住了。那女人背向泰山,开始还没察觉背后发生了什么事,只看见黑人无礼地按住她的情人,于是大怒,也跳起来要去帮助男人。泰山早已赶到她身边,一把抓住她的胳膊，不让她冲到桌子对面去。她转过头来看见了泰山，脸上立刻又堆起媚笑，同时她也看见了史密斯，却若无其事，好像刚才她跟史密斯什么事都没发生过一样。史密斯暗想：这女人全无心肝，仿佛除了喜与怒之外，她再没有其他感情了，而且她的喜怒转变起来也出奇地快。

泰山对史密斯说："你看守住这个女人，我去对付那个男的。"他边说边很快走到奥托布身边，解下那男人的腰刀。泰山对奥托布说："你一定会说他们那种话，请你告诉他，只要他不干涉我们的事，我们就决不伤害他。"

奥托布这时才仔细去看泰山。凭他一双灰色的大眼睛里闪着智慧的光，奥托布相信他是大神；然而再看他的容貌，听他说话的声音，却又像白种宛那，而他的服装竟和本城士兵一样，这可让奥托布闹不清是怎么一回事了。他仍确信泰山是能救他出城堡、让他恢复自由的大神，他迷信惯了的头脑非常虔诚地相信泰山，愿意给泰山当翻译，愿意做泰山要他做的一切事。奥托布照泰山教的对那男人说完，男人也说了几句话。

奥托布就把那男人的话翻译给泰山听："他说他想知道你们要干什么，或者你们需要什么东西。"

泰山说："你告诉他们，第一，我们需要食物；第二，我们需要这间房子里的一样东西。"接着他又说，"奥托布！现在你把长矛拿起来，它就挂在墙角那儿。少校！你拿着他的腰刀，我来看守这个男人，你和奥托布把床底下的东西拖出来。"泰山说着，往床榻底下一指。

奥托布这时完全听从泰山的命令，就拿起长矛去掀那床围，史密斯平静地看着。只有那个男人非常惊诧,他不明白床底下会有什么。等奥托布把死尸拖出来,那男人认清了死尸的脸,才大声惊呼起来,马上就要向死尸那儿冲。泰山赶紧抓住他,他拼命想挣脱泰山的手,于是两个人扭打在一起。那男人当然不是泰山的对手,很容易就被制伏了。泰山命令黑人剥下死尸的衣服,然后才问那男人,看见一个死尸,为什么这样大声叫唤。

奥托布说:"宛那!这件事不用问他,我就能够告诉你,这个死人就是你抓着的那男人的父亲。"

泰山问:"那男人又在向那女人说什么?"

奥托布说:"他在问她,他父亲的尸体怎么会在她床底下,她说不知道。"

泰山和奥托布在说非洲土著人的话,史密斯当然听不懂。泰山把这些话告诉史密斯,史密斯大笑着说:

"眼前这个男人如果当时看见她怎样出主意藏尸灭迹,看见她怎样和我一起把死尸塞到床底下去,他就会明白那女人决不是什么都不知道了。你没看见床角里横着什么东西吗?那就是一块带血的地毯,还是她细心地换下来,藏到床底下去的呢!"

奥托布从死尸身上把衣服剥下来,给史密斯穿上。泰山说:"现在我们可以坐下来饱餐一顿了,空着肚子做事是不成的,好在他这儿有许多现成的食品,算是很丰盛。来,史密斯!我们两人一块儿吃。"

他们一边吃着,一边叫奥托布充当翻译盘问那两个男女。从他们嘴里才知道,这里就是那个死人的家。他们虽然不是王族,却是官宦人家。泰山又问他们奇翠儿现在在哪里,那男人说,送到王宫里去了。泰山问送去做什么,他又说:"奉献给国王。"

边吃着边闲聊,那一对男女似乎已经不像刚才那么害怕了,他们问泰山和史密斯从哪里来。当他们听说城堡之外天地还很大,还有许多他们从来不知道的民族,都惊异极了。泰山命令奥托布仔细盘问他们王宫内部的情况,那男人说,他是王子麦他克的好朋友,常去拜访麦他克,麦他克也常带他到宫里去玩,有时还到他父亲家里来。泰山一边吃着,脑子里一边不停地转着念头,他在想可不可以借着这男人和王子的关系,叫他带自己到王宫里去。正在这时,忽然听得外面有人敲门。

大家都停止了谈话。那男人忽然站起来,大声地狂喊着,奥托布赶忙过去捂住他的嘴。

泰山问奥托布:"他喊什么?"

奥托布说:"他叫外边的人打进门来,说他被两个城堡外的人捉住了,假如他们不打进来,他处境危险,怕逃不掉。"

泰山说:"你告诉他,不许他乱喊,他要胆敢不遵守刚才的诺言,我立刻要他的命。"

奥托布按照泰山的原话翻译过去,那男人怕死,果然不再出声了。泰山来到外屋,看看屋门是否结实,史密斯也跟出来,只留奥托布一个人看守那一男一女。泰山看那门并不牢固,若从外面用力捶,很容易打开,就对史密斯说:"我很想利用那男人和王子的关系混进王宫去,可现在看来,他不会那么听话。咱们不能等在这里束手就擒,只有从原来进来的暗道出去了。从打门的声音看,外面至少有十个以上的人。来吧!你走在前头,我来断后。"

等他俩再回到卧室的时候,虽然就是这么一转身的工夫,此时屋里的形势已经起了根本的变化:奥托布被打倒在地,那一对男女早已从暗道逃之夭夭了。

二十三
逃出舒寨

　　王子麦他克抱着奇翠儿被追得慌里慌张，就往水池边跑。奇翠儿起初还不知他要干什么，一直看他跑到池边，才惊慌起来，她根本没想到他会抱着自己往水里跳。奇翠儿在水里挣扎着，暗暗诅咒这个疯子不该拖累自己到水里找死。麦他克紧拉着她的手不放，两个人都用另一只手划水，划了一会儿工夫，已经到池子的尽头，他们可以把头露出水面了。这时睁开眼睛，借着暗淡的灯光，能看出已经游进了一条狭窄的水道，它也是弯弯曲曲的。这时奇翠儿一点劲都没有了，麦他克就托着她的头在水面上游着，游了十多分钟，他忽然对奇翠儿说起话来。奇翠儿当然不懂他的话，只见他往鼻子和嘴上摸了摸，奇翠儿猜出他的意思是要自己深深吸一口气，就照着他的意思做了。麦他克搂着她又潜到水底去，向前划了十几下，然后再浮出水面。

　　这次他们浮上来的时候，奇翠儿看见有灯光映照在水面上，他们已经游在一条长河里了，河两边都有高大的建筑物。麦他克带着她游到北岸，这里有石阶，可以爬上岸去。岸上有些来来往往的行人，可是谁都没注意这两个浑身水淋淋的人，反正他们穿的都是城堡里的衣服，大概别人以为他们不小心掉进河里去了，并没有人大惊小怪。麦他克领着她顺这条路飞快地往前走，奇翠儿不明白他要把自己带到哪里去，知道对方不怀好意，暂时也没有别的办法，暗暗找机会逃脱。

麦他克领着奇翠儿跑到一座大厦前，走了进去。奇翠儿一看，这地方是她认识的，早晨被押进城时她就和史密斯一起在那儿被审问过。现在是夜里，当然没有人办公，只见里面有十多个穿白制服的武士，他们衣服上的徽章上都有一只小小的狮子，跟宫里的卫队服饰不一样。那些武士都认识麦他克，没有人加以阻拦，还恭顺地回答他的问话。有一个武士指着后面一个圆形的门，不知对麦他克说了些什么。麦他克领着奇翠儿从那门走进去，只往前走了几步就忽然停住了，好像记起了什么，有所怀疑，又问了那些武士什么话，武士们便把他领了进去。

他和奇翠儿一起走上楼梯，那里有暗淡的灯光。上楼之后是一条长廊，里面有好几扇门，但每扇门都关着。他们走到其中一扇门前，用手敲门，里面似乎有声音，却低得听不清楚。麦他克不觉起了疑心，命令武士拼命砸门。把门砸开之后，他们一窝蜂地拥了进去。屋里地上躺着一个裸体的死人，还有一个黑人奥托布，也躺在死人旁边。他们谁也料不到暗道里还躲着两个人。奇翠儿更想不到躲着的正是要来救她的泰山和史密斯。

麦他克看了屋里这副样子，十分生气，走向窗口向下望了望，想看看杀人者是不是从窗口逃走了。窗下并没有什么，下面不远处就是狮子园，没有人逃走的痕迹。麦他克见找不出凶杀案的头绪，也就不想再找了，命令跟上楼来的武士们退下去。他站在那里看着他们都走完了，屋里只剩下他和奇翠儿两个人，便渐渐露出欲行非礼的嬉皮笑脸的样子来。奇翠儿站的地方是卧室中间，她看出麦他克的神色不对，急忙一步步地往后退。麦他克想追过来抱住她。

奇翠儿退到倒在地上的奥托布身边，觉得有什么东西绊了她的脚，低头一看，原来是一支长矛。正好，她正需要一件武器，武器就送到她手边来了。她迅速地弯腰拾起来，把矛尖对着麦他克。他收起了嬉皮笑脸，接着又狂笑起来，拔出腰刀，对着奇翠儿乱蹦乱跳。

奇翠儿手里的矛尖始终逼着他，无论麦他克怎样疯闹，他总和奇翠儿保持着一支矛的距离。过了一阵，他见自己到不了奇翠儿跟前，终于恼羞成怒，掀起嘴唇，露出尖利的牙齿，几次想扑上来，都被奇翠儿用矛尖逼迫回去。他乱跑乱撞，跑到床边，抓起一只踏脚凳，对准奇翠儿砸了过去。她用长矛一拨，但踏脚凳太重了，没有完全拨开，她被砸了一下，正好倒在床上。麦他克抓住这个机会抢步过来，一把就把她按住了。

泰山在史密斯引导下又回到原来的那间房子外面，见那男女二人都不在了，也猜不出他们逃向哪儿，估计不会再回来。泰山主张再回到街上去，史密斯现在也改了装束，和自己一样可以大摇大摆地出去，泰山想还是寻路到王宫里去找奇翠儿好。

史密斯在泰山前面先去推屋顶那扇门，却怎么也推不动，便转过身来问泰山：

"咱们刚才把暗门关了吗？我记得没有关啊！"

泰山也说："是的，开着门。"

史密斯说："是呀,我也记得是开着的。可是现在这扇门不但关着,还锁上了。我怎么推也推不动,你比我力气大,你来试试看。"

泰山上去推,也是怎么都推不开。他俩侧耳听了听,楼上却有说话的声音。泰山轻轻对史密斯说："屋里有人,我们得找另外的路进去。"两个人又回到暗道里,泰山走在前面,这时听到一个女人用英语大声喊道:"啊!上帝!保佑我!"

泰山已从声音听出来这是奇翠儿,知道她一定遇上了什么危险,就毫不犹豫地掀开帷幕,跳进卧室。麦他克这时也听到声音了,只好先放开奇翠儿,抬起头来,看了看进来的人。这不过是一个黄衣武士,竟敢如此大胆,冲撞自己的好事。麦他克不觉勃然大怒,吼着命令他出去,及至看清楚泰山的脸,才知道他不是城堡里的人。他立刻从床上跳起来,向泰山扑去,把腰刀都丢在床上了,只想用牙齿咬泰山的喉咙。

泰山看出麦他克力气很大,而且又在暴怒之际,便不想跟他傻拼力气,于是向后一退,却没留神被后面那尸体绊倒在地。麦他克抓住这个机会,扑到他身上就咬,泰山的动作总算灵活迅速,喉咙是躲开了,肩膀还是被这疯子咬了一口。泰山怕这时再有武士进来,寡不敌众,那样奇翠儿就会有危险,他急忙叮嘱史密斯赶快护送奇翠儿从暗道出去。

史密斯望着奇翠儿,她这时已从床上站了起来。奇翠儿看史密斯似有几分惧色,便挺了挺胸膛,指着泰山说:"不!我不能走!要是他被那些疯子杀死,我也拼死命陪他死在这里。你要走,你一个人先走,反正你在这里也帮不上什么忙,但是我无论如何也不走!"那语气斩钉截铁。

这时,泰山和麦他克两个人滚打在一起,难分难解,一会儿泰山在上面,一会儿麦他克在上面。奇翠儿忽然想起了什么,对史密斯喊道:"你的手枪呢?为什么不打死这个疯子?"

史密斯听了这话,如梦初醒,从袋里掏出手枪,可是那扭打着的两个人滚个不停,他怕误伤泰山,不敢开枪。奇翠儿从床上拾起麦他克丢下的腰刀,左右奔跑,苦于没有下手的机会。泰山和麦他克两个人体力不相上下,但论耐力麦他克不如泰山,最后泰山终于占了上风,他的手指掐住麦他克的咽喉,渐渐地,麦他克的眼珠凸出来了,尖利的牙齿也再不会咬人了。泰山把他举起来,走到窗子跟前用力扔出去,这位不可一世的王子被丢进了狮子园。

泰山转过身来,看见奇翠儿还站在那里,一只手紧握着腰刀,脸上吓得变了颜色的,嘴唇哆嗦着,眼睛里似乎有点泪光,泰山还从来没见过她这种神情。看她胸口不断起伏着,就知道她心里的紧张劲还没散去,只是在那里努力支撑。泰山瞧她那样子怪可怜,便说:"我们得赶紧走,不能在这儿多耽搁。幸好我们三个人都凑齐了,若再不走,他们再有人来,又得添麻烦。现在的问题是看哪条路更安全。屋顶上的暗门被刚才逃出去的那一男一女锁上了,下边不知怎么样?"

泰山又问奇翠儿:"你从哪条路进来的?"

奇翠儿说:"我是从下面被他挟持进来的,那儿有许多武士守着,我们三个人绝对出不去。"

这时,躺在地上的奥托布醒过来了,忽地坐了起来,泰山又惊又喜地叫道:"你没有死吗?你哪儿受了伤?能起来吗?"

奥托布活动一下四肢,摸了摸头,回答说:"宛那!奥托布没有受伤,只是头有点儿疼。"

泰山问他:"那好。你想回宛马宝故乡去吗?"

奥托布高兴地回答:"当然,宛那!"

泰山说:"既然这样,你熟悉城里的路,就领我们安全地出城去吧!"

奥托布想了想说:"宛那!这里到处都有人把守,没有一条安全的路,我们随时要准备打架。即使到了城门口,要出去恐怕还得打一架呢!现在,我可以领你们从这间房子走到街上去,估计不会碰到人。至于到了街上以后怎么样,那就要看我们的运气了。你们穿了城里人的衣服,或许好办些,可是到了城门口,要出去还是不容易。因为城里一向有禁令,夜里不许任何人出入城门。"

泰山说:"好,那你先领我们出去吧!"

奥托布带着他们从外间的破门出去,经过走廊,进了右边的一间屋子。穿过这间屋子和甬道,又经过几条走廊,才走到楼梯对面的一道门前,推开门进去就是王宫后面的夹道。

他们一行四人都穿着城里人的衣服,走在街上,没有引起什么人注意。走到有灯光的地方,奥托布是不怕的,他们三个白种人就避开亮处,找光线暗的地方走,尽量不让人看清他们的脸。走了一段路之后,忽然传来一阵城中居民的哄闹声,似乎出了什么事。泰山看奥托布在颤抖,就警觉地问他:"他们闹什么?"

奥托布说:"宛那!他们一定发现那房子地上的死尸了,那个死人叫威扎,是这个城里的市长,就是刚才咱们从床底下拖出来的那个。他的女人和儿子逃出去以后，一定报告了保卫人员，现在他们动用士兵来捉我们了。"

泰山说："刚才我把一个人丢进窗外的狮子园里，还不知道他们发现没有呢!"

奇翠儿听他们说当地土著人的语言，她是听得懂的，于是问泰山："你知道你丢下去的那个人是谁吗?他是本城的王子!"

泰山笑着说："不，我不知道，敢情还是个大人物呢，看来我惹的祸不小，扔了一个王子，真是荣幸之至!不知他们能不能找到他?"

这时忽然有一阵号角声从他们身后传来，奥托布听到这声音，跑得更快了，他边跑边对泰山说："快点吧!主人，这事闹得这么兴师动众，真是连我也没想到。"

泰山问："他们吹号角是什么意思? 你怎么说他们要兴师动众呢?"

奥托布说："他们吹这种号角是紧急集合，召集国王的卫队和狮子出来追赶我们。啊!宛那啊!我害怕!恐怕咱们没法逃出去，城里很少有过这么大的举动，不知这次他们是怎么了?"

奥托布没有想到，泰山倒有几分猜到了，他们大概是发现了王子的尸身，才会这样倾巢出动、兴师问罪。这时，一阵更为响亮的号角声响彻了夜空，泰山问："又吹号角，是要增加卫兵和狮子吗?"

奥托布回答说："不是，这是最后一着棋了，是召集鹦鹉的号角。"

他们听了这话，脚底下加劲，走得更快了。没几分钟就听见头顶上有鸟拍翅膀的声音,啪啪作响。抬起头来,几只鹦鹉在他们头上盘旋。泰山笑道:"真没见过,还派鹦鹉出来,奥托布!难道他们动用鹦鹉杀人吗?"

奥托布见鹦鹉向城门口的方向飞去,声音簌簌发抖:"一切都太晚了!主人!那鹦鹉飞过去是给守城门的士兵报信的。"

泰山疑惑不解地问:"奥托布!你是不是吓糊涂了?鸟能报什么信?它会说话吗?难道说你在疯子群里住得太久,也有点神经不正常了吗?"

奥托布说:"不是,主人!我并不疯,可是我知道城里的很多事。你不知道,城里的这些鹦鹉都被驯养得像人一样,不但能说话,还有一定的知识呢。这个城堡叫作舒寨,这里的人自称舒寨人,这些都是不对外人说的。舒寨人最崇拜鹦鹉,他们养的这些鬼鸟简直像恶魔一样,若有几只鹦鹉凑在一起,也能杀死我们,可别小瞧了它们!"

泰山问:"现在我们离城门还有多远?"

奥托布说:"再走十多分钟,转过弯去之后,不远就是城门了。那些鹦鹉比咱们先到,现在城门那里恐怕已经戒严了。"

果然,走了不远,就听见前面人声嘈杂,似乎在传达命令。后面的狮子也快追上来了。

这时,东边的街上突然从黑暗里蹿出一头极大的黑狮来,它照直向他们飞奔,奥托布吓得急忙躲到泰山身后,颤声说:"可真是趁乱而乱,林子里的一头大黑狮子不知从哪里也钻进来了!"

泰山把腰刀拔出来,握在手里说:"我们现在不能后退,不管来的是什么,是狮子,是鹦鹉,还是人,我们都得杀出去,后退没有活路,让我们齐心合力往前冲吧!"说着,泰山奋不顾身地在前头快步向城门走去。这时有一阵风从泰山他们这里向大黑狮子那儿刮过去。泰山离狮子只有几米远的时候,那狮子忽然站住了,并不咆哮,只发出一阵低低的悲鸣声。泰山明白了,向身后的三个人说:"不用怕,这是我认识的那头黑狮,它是来帮助咱们的。"他又告诉奥托布,"你也不用害怕,它虽然不认识你,只要你紧紧靠着我们,它决不会伤害你。"

黑狮走近泰山,果然跟在他身边,随他们一同朝城门处走。走到拐角处,真能看见城门了。那里灯光十分明亮,有二十多个武士在城门下守卫着,后面的狮子也越追越近了。鹦鹉们拍着翅膀在他们头上盘旋,似乎在给这种阵势助威。泰山站住,问史密斯:"你手枪里还有几颗子弹?"

史密斯说:"手枪里有七颗,我内衣口袋里还有十几颗。"

泰山说:"现在战场在前面,我们就要开始冲锋了。奥托布!你保护好这位姑娘。史密斯!你和我一起在前面,来!你到我左边来。至于黑狮,不用吩咐它,它会帮咱们杀敌的。"

果然,黑狮走到城门边,早已向那些守卫的士兵们张牙舞爪地咆哮起来。士兵们起先还以为是城里的狮子,都没注意它,现在看它发起威来,才明白是野狮。城里的士兵最怕林子里的野狮,现在看到这么大一只,都有点畏缩。

泰山说:"走!我们往前冲!史密斯!你先放一枪吓唬吓唬他们,以后要节省子弹,不可乱放。你们都准备好了吗?我们发起冲锋!"他们走近城门口时,史密斯果然放了一枪。一个穿黄衣的武士喊了一声,就脸朝下倒下去,一命呜呼了。有一小会儿,其他人乱作一团,发出恐慌的呼叫声。只有一个人还冷静,他大概是个官员,又想法把他们集合起来。这时,泰山大喊一声:"大家一起向前冲!"话音刚落就领着其余的人向大门冲去。同时,狮子显然已察觉了泰山他们的意图,也向守兵们扑去。

守兵们不知道刚才的响声究竟是什么武器发出的,队伍里一阵慌乱,现在惊魂甫定,又紧接着遭到这样一头猛兽和泰山他们的攻击,他们再也顾不得听那官员的话。此时他们只服从自然第一规律——逃命和躲避——的指挥,任凭官员喊破嗓子,他们只顾东躲西藏,以逃开这群凶神恶煞的人与兽的袭击。狮子向右面冲去,闯进一小撮吓坏了的卫士当中,用它的大前爪左右一拍就抓倒了两个拼命想逃开的卫士。接着泰山和史密斯等人也冲了过来。

有那么一小会儿,士兵们认为最难对付的敌手已经不是泰山他们,而是那个发号施令的军官。他挥舞着那把特殊的弯刀,非常熟练地面对着泰山。而泰山应付起来却很不顺手。史密斯也不敢轻易开枪,怕伤着泰山,但是让他大为吃惊的是,泰山手中的刀竟被对方利索地挡飞了。这个官员大叫一声正要结果人猿泰山,还没等泰山闪避,他自己反而猛地僵直在那里,弯刀也从颤抖的手指间掉了下来。他神色狂乱的眼睛朝上翻着,嘴里吐出白沫,全身痉挛得就好像一个将被勒死的人。突然,他重重地摔倒在泰山的脚前。泰山弯腰捡起他掉在地上的刀,微笑着转身看了年轻的英国军官史密斯一眼。

"这个家伙大概是突发了癫痫。"史密斯说,"我猜想他们大多数人都有这种毛病。他们的神经经不起过度兴奋的刺激,如果对方是一个正常人，刚才这一下你也许会吃点亏的。"

其余卫兵看了这情景都十分沮丧。头领被杀死，他们就简直不知如何是好，于是挤在街的对面，就是城门的左边，向城里方向拼命高喊，好像在催促城里的人或狮子快点来救他们似的。这时城门边还有六个守卫的武士。他们都背靠城门挥舞着武器，那苍白平板的面孔也因恐惧和愤怒而显得更加可怕和古怪。

泰山的狮子正在街上追赶两个逃跑的武士，这时两人已快被追到墙根处。泰山转身对着史密斯说："现在你该用手枪了。否则我们会被他们的人抓住。"

英军飞行员开火了，泰山也向前逼近，如入无人之境。有两个武士在头两声枪响时应声倒地，接下来的一枪史密斯却没打中。其余四个武士分成两拨，两个向泰山杀来，两个冲史密斯杀去。泰山此时直逼一个武士，使得另一个武士挥舞的弯刀不敢肆意乱砍，以免伤着自己的人。史密斯却向冲过来的武士中的一个照胸膛开了一枪，打个正着。他再向另一个开枪时，撞针却击空了，因为枪膛里的子弹已经消耗殆尽。而同一时刻，那个武士正举着他锋利的弯刀向他杀来。

泰山拿着武器挡开了向他头部砍来的一刀，震得对方踉跄了几步。就在他还没有站稳时，泰山丢下手中的兵器，抢上前去一手抓住他的脖子，一手抓住他的大胯把他举了起来，一转身正对着悄悄转到泰山背后、举刀向泰山刺来的另一个武士扔去，只听得一声大喊，那武士刺过来的刀锋正好深深地插进他同伴的肚子里。泰山顺势把这个要死的倒霉蛋向他的最后一个敌人迎面扔了过去。

史密斯这时却被人紧紧地追赶着。他子弹用尽，有点心慌意乱。但就在这时，从他的左面像箭似的蹿出一头恶魔般凶猛的大狮子，发出一声怕人的震耳欲聋的吼叫，直扑向追史密斯的武士，只一个大张口就把那舒寨人的脸咬掉了。

接下来的几秒种里，他们这伙人迅速完成了以下的事：奥托布拔开一扇门的门闩，把奇翠儿推到门边，以便她出去；同时他又抵住了最后一个卫兵不济事的抗争，把尚呆在那里的奇翠儿推出城门。他们这一群人终于逃出满是疯人的舒寨城，进入前面的黑暗中。但是，还有六七个小狮子在后面追来，它们已经转过从广场通过来的那条道路的拐角处。凶猛的黑狮一看到它们，就迅速地转身逼过去。有那么一小会儿，城里的小狮子还想抵抗一下，可等到大黑狮真的向它们发起攻击时，它们却成了银样□枪头，转身没命地奔逃而去。这时，泰山带着他小小的队伍迅速地撤离了这一片国土，向前面黑暗中的树林奔去。

"他们会出城来追我们吗？"泰山问奥托布。

"晚上不会，"黑人回答说，"我在这儿当了五年奴隶，从没见过这些人在晚上离开城堡到外面去。如果他们打算白天到丛林里去，也大都等到天亮以后再出来。他们非常害怕晚上林里的野狮。我想他们今晚不会出来追我们，不过明天他们会来，而且，噢！宛那，那时他们肯定会追上我们的。即使不被他们追上，我们穿过丛林的时候，也会有人被野狮子吃掉，真的！"

当他们穿过城外的田园时，史密斯腾出手来把他的手枪装满子弹。奇翠儿默默无声地走在泰山和史密斯之间。突然泰山停下来，转身对着城堡的方向。他魁梧的体态和那身黄色的士兵服装在满天星光映照下的田野里更显得轮廓分明。这时，大家才注意到他抬起头来，双唇间迸发出一声号叫，这是他在呼唤他凶猛的同伴黑狮子。史密斯听了不由得浑身都打起冷战来。奥托布大吃一惊地翻着他的白眼珠，吓得"扑通"一声跪在地上。奇翠儿小姐也吓得心儿乱跳，全身冒出鸡皮疙瘩。虽然泰山的这一声让她害怕，她却反而向泰山靠近了，几乎要贴到他肩膀上，因为她本能地觉得这样才安全。这动作完全是无意识的，甚至有好一会儿连她自己都没有察觉到。然后，她才忽然发现自己的失态，又赶紧不好意思地移开。幸好星光下大家还都没有发觉，不然也许有人会看见她飞上面颊的羞红。然而，她并不为这突然的紧张而感觉羞耻，因为她觉得对于一个弱女子来说，倚靠像泰山这样可敬的强者是十分自然的事。不过，她的羞红还有点另外的原因，那就是不知从什么时候起，她对泰山有了一种依恋之情。可是她的心情泰山是不是知道？这一点别人可难以说清。

这时，从开着门的城里果然传来一声回应的狮吼。大家就都站下来等着。不一会儿黑狮庞大的身影终于沿着他们的来路慢慢近了。等它和大家相遇后，泰山用一个手指挽住我们这位狮王陛下的一撮鬣毛，大家一同走向丛林。在他们后面，从疯人城里传来一片恐怖的喧闹，有鹦鹉刺耳的尖叫、疯人们的乱喊和小黑狮子的咆哮，听起来真令人毛骨悚然。泰山他们一伙人和兽走进像地狱一般幽暗的丛林里，奇翠儿又不由得向泰山靠近过来。这一次泰山真的感觉到了，他也自觉地离她近点，给她以男子汉对一个弱女子应有的安抚。

其实泰山太习惯于丛林了，他并不感到有什么害怕。但是，他凭直觉知道身旁奇翠儿的恐惧；而且，一种仁慈之心驱使他抓住奇翠儿的手，让她贴紧自己，在黑暗中摸索着，沿着林中小路前进。有两次他们遇到了丛林里的狮子，但是在它们还没走得太近时，泰山身旁的大黑狮立刻发出一两声警告，它们就不敢再近前了。

有好几次他们不得不停下来休息，因为至少史密斯经常感到疲惫不堪，体力几乎消耗光了。不过，第二天早上泰山还得带领他们这几个走出丛林，进入峡谷，爬上峭壁，翻上侧面的高原。

二十四
英军来援

　　走出丛林时,晨光刚好把他们送入峡谷。四人中,除了泰山以外都已十分疲乏。可是他们也深知,无论如何都要想尽方法找到一处能攀上峡谷一侧的峭壁,然后翻上通往高原的地方。泰山和奥托布都相信舒寨人决不会到峡谷以外去追踪他们,但是,他们尽管审视过几乎每一英寸山岩,却找不到一处可以攀上山冈的地方,而且左右也没有能逃出峡谷的通道。尽管泰山能从什么地方登上崖顶高原,其他人却不可能成功地跟着他爬上去。再说,在现在的情况下,泰山虽然还是他们中间精力最充沛的,也没法把他们一个个都拉上去。

　　这半天来,泰山一直不是扶着就是架着奇翠儿前进。现在让他苦恼的是,尽管奇翠儿在他的搀扶下走过黑夜的丛林,眼下也脚步踉跄了。泰山深知几周来她所经历的危险、困苦和疲劳,这不仅让她心理负担沉重,她的精力也消耗了不少。她现在正拿出最大的勇气,一步步迈过峡谷中的沙土和砾石。可是,泰山还能给她更多的帮助吗?他只能钦佩地看着她艰难地拼命向前,钦佩她表现出的坚韧不拔的精神,却没有办法帮她。

　　史密斯也看出奇翠儿的状况,见泰山扶掖着她,他心里暗暗感激。刚过中午不久,他突然挣脱了奥托布的搀扶,一屁股坐到沙地上说:"这没有什么用的。"

他接着又对泰山说:"我现在一步都走不动了。你没看见奇翠儿小姐也疲乏得不行了吗?你们还是把我撂在这儿,继续走吧!要不,就先帮助奇翠儿小姐逃生。"

奇翠儿却费力地大声说:"怎么可以这样做呢? 我宁可和大家死在一块儿,也决不能一个人逃生。我们大家在一起经受过苦难,也并肩作战过,现在虽然逃出了舒寨,可是要到达安全的地方还有很远很远的路程,我们还必须在一起。同心协力才行。"这时她转过脸来,凝视了泰山一会儿,像下了什么决心一样缓缓地说:"你对于我们这些人没肩负什么义务,以前,我们受你的恩惠够多了,现在没有理由再拖累你,让你陪我们受苦。我们相处已这样久,我深知你是一个酷爱自由的人,你有你要去的地方,我认为你没有必要为我们耽搁行程。你已经把我们救出舒寨,至于下一步怎样横渡大漠,让我们自己去吧!我实在觉得不应该再耽误你了。"

泰山听了,对奇翠儿微笑着说:"你和史密斯少校除了轻伤和疲劳之外,身体也都还健康,我和奥托布情况比你们好些。现在我们先在这里休息一下,谁说注定要死在这里?我准备带你们到宛马宝部落去,从这里去宛马宝部落是最近的了。一来可以把奥托布送回故乡,二来,我们的吃喝问题也就解决了。休息几天之后,我虽然不能把你们扛起来走,也决不能丢下你们不管。我们先在这儿放心休息一下再说,不好吗?"

奇翠儿说:"你说的很有道理,可有一件事我总觉得不安心,舒寨人不会追到这儿来吗?"

泰山说:"他们有可能追来,可是现在还没有迹象,我们那么早担忧干什么?"

奇翠儿说:"我真希望能像你一样,任何时候都活得那么快乐、那么有信心,对死又那么看得开。然而你的生活态度,我就是学不来、做不到。"

泰山说:"因为你从小不是在丛林里长大的,没有在兽群中生活过,自然和我不一样。"

于是他们都走到山谷边,找了一块大石头后面阴凉的地方,索性在沙砾堆中躺下来休息。大黑狮见他们都不走,觉得有点烦躁不安,在那里走来走去,又回到泰山身边躺了一会儿。看他们仍没有要走的意思,它就忽地站起来,向山谷中去了。

约休息了一个小时,泰山忽然站起来,侧耳静静地听着。他好像听到了什么,还叮嘱另外三个人不要出声。渐渐地泰山的脸色严肃起来。奇翠儿问他:"发生了什么事?"

泰山说:"他们追来了!虽然我已经听到动静,他们离这里还是有一些路。我能听见他们软底草鞋踏在沙泥路上的声音,中间还夹杂着狮子的脚步声,清清楚楚的。"

史密斯说:"我们怎么办呢? 继续往前走吧? 我休息了这一阵,觉得精力好多了,可以继续走路。奇翠儿小姐!你觉得怎么样?"

奇翠儿说:"我和你一样,休息了一阵,觉得好多了,我也赞成继续往前走。"

泰山说:"来!我们分分工:奥托布,你多帮一帮少校,我来照料奇翠儿小姐。"

　　泰山知道人的精力决不可能恢复得这么快。史密斯和奇翠儿说的都不是真话,他们也明白,没有别的办法,只有勉为其难地往前走,唯一的希望是,拐过弯去就能出山谷就好了。奇翠儿虽然走路很困难,还是竭力辞谢,不要泰山分神帮她,但是泰山已经看出她没有力气了,如果硬撑下去,只会减慢速度。他便把奇翠儿扛在肩上走,奥托布背着史密斯,紧紧跟在后面。现在,他们已经能听到狮子的怒吼声了,因为那些狮子从刮过来的风中闻到了他们四个人的气味。

　　奇翠儿说:"我真希望你那头大黑狮再回来,论打仗它是个好帮手呢!"

　　泰山说:"有它在当然更好,不过,没有它,我们自己也能对付。现在我们最好找一处宜攻宜守的好地势,或许能够打退敌人。史密斯是个射击能手,如果敌人一个一个地上来,史密斯挨个点射,准保不成问题。城里的狮子没什么可怕,它们是人训练的,只敢随着队伍追出来。如果我们把敌人杀退,那些狮子也自然会逃回去。"

　　奇翠儿问:"你觉得这一仗我们很有希望吗?"

　　泰山明白奇翠儿的想法,笑了笑说:"现在我们不还都活着吗?"

　　往前走了一段路,泰山环顾四周,指着前面说:"我看这个地方就挺好。"大家顺着他的手指看过去,原来那里有一块大石头挡在峡道中间,看那样子好像是从高山上滚下来的,整个石块有十多英尺高。石块两边形成了两条很窄的路,果然是个易守难攻的地方,敌人没有办法从四面袭击。他们一同走到石头后面埋伏起来。泰山听见悬崖上面有声音,抬头一望,只见一只猴子居高临下地看着他们,看了一阵,又从悬崖上寻路下来,向南迎接城里的追兵去了。奥托布看了,说:"宛那,不好!那猴子是来刺探军情的,它回去会告诉鹦鹉,鹦鹉再报告给敌人。"

泰山说:"不要紧,别紧张,狮子已经闻到我们的气味了,猴子看没看见我们都是一样。"于是泰山开始安排自己的一班人。史密斯带着手枪防守北边的一条路,奥托布握着长矛站在史密斯身边,帮着他防守。泰山自己独挡南边的一条路,他叫奇翠儿伏在三人中间的石头后面,对她说:"你就这样伏着,不要站起来,这样,他们投掷过来的长矛就刺不着你。"

又过了十几分钟,人声和狮子的吼声渐渐近了,泰山他们知道敌兵已经来到。舒寨人追到离这块石头不远处,站住了,有很短一段时间什么声音都没有,他们似乎在考虑对策。奇翠儿伏在那里,忽然看见一头狮子直扑向泰山。泰山举起手里的腰刀,向狮子头上砍去,只听一声巨响,狮头被劈成两半,鲜血立时喷涌出来,泰山依然屹立在那里。接着,奇翠儿又听到有脚步声朝史密斯这里奔来,史密斯的手枪砰的响了,那人惨叫一声便倒在地上。舒寨人进攻的第一个回合很快就以失败告终。停了一小会儿,敌人似乎重新作了部署,进攻马上又开始了,这次是人攻击泰山,狮子进攻史密斯。泰山事先叮咛过,在狮子身上不要浪费子弹,只需要奥托布用长矛刺它。这回史密斯这边还击得很不顺手,两个人几乎被狮子咬着,幸亏史密斯手脚灵活,用奇翠儿带来的那把腰刀刺进了狮子的胸膛。攻击泰山的人则太急于求成了,一口气跑到泰山跟前,泰山还没等他站稳,马上扼住他的脖子,结果了他。

敌人第二次进攻失败之后,暂时休息了一会儿,没多大工夫,第三次进攻又开始了。这次是人和狮子混合着一拥而上。执着长矛的人在前面,狮子跟在后面,奇翠儿吃惊地叫道:"这一次怕是要完了!"

泰山说:"不!别说泄气话,我们还都活着呢!"

泰山的话还没说完,那些舒寨的士兵拿着长矛攻上来了,奇翠儿有点急了,要站起来,泰山连忙用手把她按下去。就在这一分神的工夫,泰山的肩头被一支长矛刺中了,矛柄很重,把他拖得倒在地上。史密斯放了两枪,他自己腿上也被长矛刺了一下。现在只剩下奥托布一个人在支持着了。史密斯原来身上就有伤,又被矛刺中,已经晕了过去,他的手枪掉在地上了,奇翠儿眼疾手快地捡起来。她看见泰山肩上带着伤在跟一个敌人肉搏,又上来两个舒寨武士把他推倒在地,其中一个人举起腰刀直向泰山胸口刺去,奇翠儿迅速用手枪打死了那个武士。

这时,出乎所有人意料之外,山谷里突然传出一阵排枪声,在枪声里还能清楚地听到英语的传令声。泰山原以为第三回合中自己一方是凶多吉少,暗暗做了战死的准备。谁知耳畔响起枪声和用英语讲话的声音,真好像绝处逢生一样,他极快地扫了奇翠儿一眼,两人发出会心的微笑。

泰山推开压在自己身上的武士的尸体,迅速拔去肩上的长矛。奇翠儿也站起来,绕到大石头前面。援军很快就赶到了,原来是一队军容整齐的英国士兵。战斗在极短的时间内就宣告结束,狮子都逃光了,舒寨的武士们也全军覆没。泰山和奇翠儿向援军走过去,没想到援军士兵又向泰山端起了来复枪,原来他们看泰山穿着舒寨人的衣服,误认为他也是敌人。奇翠儿急了,一步抢到泰山前面,用双手护住他,大声叫道:"别开枪!别开枪!他是自己人,为了救我们才弄来这么一身衣服穿上的。"

英国军官对泰山说:"既如此,你举起手过来,你穿着这身衣服确实可疑。"

带队的军官走过来,用英语询问了泰山和奇翠儿几句话,看他们俩的语言和面貌确实不像舒寨人,这才相信了。十几分钟之后,大队人马也赶到了。队伍里的军医马上给史密斯和泰山包扎伤口。就地休息了半个小时,他们便往设在沙漠里的大本营进发。

这一天的晚上,军官们作出决议,先用两架随军飞机送史密斯和奇翠儿到东海岸边英军司令部去,然后再撤军。军官们都请泰山和奥托布随军队一同去,泰山说自己是西海岸的人,还要回西边去。奥托布也说他不愿随军,而愿意回宛马宝部落。

奇翠儿有点黯然地对泰山说:"你真的不愿意和我们一起回去吗?"

泰山很坦然地说:"我的家在西海岸,我当然要继续向那个方向走。"

奇翠儿带着一种恳求的神情说:"你还要回到那恐怖的丛林里去?那么我们还能再见面吗?"

泰山冷冷地看了奇翠儿一眼,回答也是斩钉截铁的:"永远不再相见。"他一句话都没多说,掉转身走开了。

第二天早晨,柯倍尔上校从东面的营地里带来飞机接史密斯和奇翠儿。泰山远远地看着飞机徐徐下降，军官们从飞机上下来。他看见上校先和那个带队来这里打仗的中队司令打了招呼，又发现奇翠儿就站在司令的后面，这时正向上校迎过去。泰山此时想，这个德国间谍真胆大，她的行藏早被自己识破了，她居然还若无其事，看着上校向她走来，竟带着笑脸去和上校握手。泰山站得老远，听不见他们在讲什么，但他们的样子十分亲密，倒像是老相识似的。

泰山非常生气，转过身去不再看了。这时如果有人在他身边，会听到他在低声咆哮。他明知道德国在和英国打仗，而自己是英国人，对德国人是既有国恨，又有家仇，泰山没有理由不痛恨德国人。他犹豫着，该不该现在走过去告发？他是为自己的蹰踯生气，才低低地吼着。泰山不光怨奇翠儿胆子太大、脸皮太厚，更怪自己怯懦。

奇翠儿上了飞机，他没有再看她一眼，飞机徐徐升起，慢慢向东飞去了。泰山过来给史密斯送行，向他道别，史密斯也向泰山再三致谢。他目送着送史密斯的飞机也向东飞去，在东方的地平线上变成一个小黑点，最后消失在天空里了。

英军这时已做好了一切准备，只待一声令下就要开拔，上校为了察看前沿的地势，也留下来和大队一起走。临行的时候，他恳切地对泰山说："爵士！我衷心希望你和我们一起走，方才走了的史密斯少校和奇翠儿小姐也托我替他们转达希望你回到文明国度的意思。"

泰山答道："没有这个必要了，我有我要去的地方。史密斯少校和奇翠儿姑娘无非是感激我，因而关心我的前途、我的幸福，但这些我只能心领了,谢谢!"

上校好像忽然想起了什么事,微笑着问泰山说:"方才说起奇翠儿姑娘,听史密斯少校对我说,你告诉过他奇翠儿是德国间谍,你确切地知道她是德国间谍吗?"

泰山一声不响地看着他。他简直无法相信英国高级军官会如此轻松地讲起敌人的间谍。她的所作所为又曾经完全在自己掌握之中,现在让她轻松地逃跑了,上校居然还表现出满不在乎的样子。

"是的,"泰山终于回答,"我知道她是伯尔塔·奇翠儿,一个德国间谍,不是吗?"

"这是您知道的事实吗?"柯倍尔问道。

"是的,我知道的就是这些。"人猿泰山回答说。

"她可是最应受到尊敬的高尚的坎贝女士,"柯倍尔说,"英国情报部门最有价值的成员之一。她隶属于英国东非军区。我和她的父亲曾一块儿在印度服过役。所以我从她出生时就知道她。喏!这是一些她从德国司令部得来的材料。这些材料曾经跟着她历经风雨艰难——这足以说明她履行自己的职责有多么忠诚!我还没有去详细看它们,但您可以看到这里有一张重要的军事地图,一些报告,还有一个叫作豪蒲曼·弗立茨·施奈德的德国军官的日记。"柯倍尔一口气地说出了全部真情。

"豪蒲曼·弗立茨·施奈德的日记吗?!"泰山痛苦地叫起来,"柯倍尔上校,能让我看一看吗?他就是杀害格雷斯托克夫人的那个人!"

柯倍尔果然把一叠纸默默地交给泰山。泰山接过来很快地翻看着,寻找着那一天——那最可怕的让他终身难忘的一天。他终于找到那天的日记,很快地读下去。突然他大张着嘴愣在那里。柯倍尔满腹狐疑地看着他。

"老天!"人猿泰山叫道,"这能是真的吗?您听!"他从眼前的日记中摘出一段读起来:

> 跟英国猪开一个小玩笑。当他回家时,他会在卧室床上发现他妻子烧焦了的尸体——可是他绝对猜不到这并不是他的妻子。其实冯·高斯把一个黑女人烧焦之前,就给她套上了一只格雷斯托克夫人的戒指。活的格雷斯托克爵士夫人当然要比死的对德国最高当局更有价值喽!

"她还活着!"泰山大叫着说。

"谢天谢地!"柯倍尔也高兴地说,"那么现在您怎么办?"

"当然,我要先跟您回去。我真是太误解坎贝小姐了,可是我怎么能知道呢!我甚至对史密斯也说过她是个德国间谍,因为我看出他爱着她。我不光是要回去找我的妻子,首先还得纠正这个错误。"

"您没有必要为这件事担心,"柯倍尔说,"她自己肯定已经对史密斯说清楚了。因为今天早上他们俩离开前,史密斯已经告诉我说,坎贝小姐答应了他的求婚。"